D1712340

LES HOMMES ACTEURS DANS LA STRATÉGIE DE L'ENTREPRISE

AD.

LES HOMMES ACTEURS DANS LA STRATÉGIE DE L'ENTREPRISE

YANNIK BONNET
Ancien élève de
l'École Polytechnique

EDITIONS LIAISONS
5, avenue de la République - 75011 Paris

ISBN 1990 2.87880.006.0
ISBN 1993 2.87880.080.X

TABLE DES MATIÈRES

Troisième partie

CONDUIRE LE CHANGEMENT

Quatrième partie

INTRODUCTION

Cet ouvrage est destiné à des hommes d'action, à de futurs hommes d'action, à des formateurs d'hommes d'action. Mais il ne s'adresse pas à des activistes, c'est-à-dire à des gens qui agissent par plaisir d'agir sans avoir suffisamment réfléchi pour guider leur action et la rendre pertinente. L'homme d'action ne méprise pas la méditation, il la tient pour nécessaire. Avant l'action, elle l'incite à se projeter dans l'avenir, à poser les problèmes, à écouter les sages, à consulter les collaborateurs, à prévenir les dangers, à tenir compte des leçons du passé. Après l'action, elle lui permet de remettre en cause les croyances erronées, de conforter les principes qui s'avèrent judicieux, d'affiner l'intelligence des situations. C'est la réflexion sur l'action qui permet d'acquérir peu à peu la sagacité, aptitude à conduire l'action de façon efficace quand il y a urgence et qu'il n'est plus possible de consulter ou d'atermoyer.

L'homme d'action véritable est aussi un homme de pensée. Mais c'est un adepte de la philosophie réaliste et il confronte perpétuellement ses idées à la réalité. Si l'homme d'action moderne s'est trop souvent détourné du monde de la pensée, s'il a parfois tendance à mépriser les intellectuels, c'est que trop souvent le monde de la pensée « se fait plaisir » en jouant avec les idées, préférant les assembler de façon séduisante en système logique, rationnel, en apparence inattaquable, ou privilégiant au contraire ce qui choque « le bourgeois », le paradoxal, l'insolite, le marginal, sans se soucier de savoir si l'élaboration de ces idées permet de se rapprocher de la réalité, de mieux la comprendre, de mieux l'expliquer, et par là même, de mieux maîtriser les difficultés de l'existence. L'homme d'action ne veut pas être le jouet des événements, il souhaite, dans la mesure du possible, maîtriser les situations ; c'est ce qu'il demande à la pensée et c'est pourquoi il ne peut être à l'aise que dans le réalisme.

Or, depuis deux siècles, à la suite de Kant, de Hegel, de Fichte, de Marx, de Nietzche, de Sartre et même de Freud, le monde de la pensée a été fortement marqué par l'idéalisme. Tous ces penseurs ont contribué, par un apport d'idées originales et séduisantes, à l'enrichissement de la pensée humaine. Le drame est qu'ils ont voulu, chacun à leur manière, les édifier en un système d'explication du monde, à caractère universel. Or la caractéristique du réel, c'est qu'il est complexe et, le plus souvent, le produit de tendances contraires. La vie n'est-elle pas en permanence conservation et rénovation ? La matière n'est-elle pas continuité et discontinuité (ondes et corpuscules) ?

L'amour n'est-il pas tout à la fois communion avec l'autre et respect total de son identité et de son autonomie? Le réel, c'est la complémentarité, la complexité, l'ordre dans le foisonnement, l'unité dans la diversité, le déterminisme de la matière et la liberté de l'esprit. Quelle intelligence humaine pourra jamais élaborer un système d'explication du monde? Celle qui en a la prétention cède à l'idéalisme. Elle idéalise le monde réel, le réduit en fait à quelques concepts à la mesure de ses propres limites, puis, grâce aux règles de la logique, en fait un système cohérent, rationnel et donc séduisant, mais impropre à rendre compte du réel. « Les faits étant têtus », comme disait Lénine, ils finissent toujours par avoir raison des idées et les bousculent : c'est d'ailleurs ce qui arrive actuellement, ironie du sort, au marxisme-léninisme qui se voulait matérialisme « scientifique » et donc indiscutable !

Dans cet ouvrage destiné à des hommes d'action, nous aurons le souci permanent du réalisme. Pas question de refuser le concept ni la méthode, mais obligation de toujours confronter la théorie à la pratique, la pensée à la réalité. Nous espérons ainsi aider le lecteur à éviter les pièges de l'idéalisme réducteur.

Ce piège existe dès les prémices de la réflexion sur l'entreprise : c'est le débat qui oppose toujours les idéalistes sur « l'économique » et sur le « social ». Il y a les tenants de l'idéalisme économique qui affirment que le profit est la finalité de l'entreprise, les tenants de l'idéalisme social qui voient dans l'entreprise une super assistante sociale chargée de créer des emplois, d'assurer des rémunérations et des œuvres sociales, sans tenir compte des contraintes économiques.

Les premiers s'enferment dans la seule rationalité économique, oubliant au passage que le choix entre une rentabilité à court terme et une rentabilité à moyen ou long terme est déjà un choix « humain » avec tout ce que cela suppose d'acceptation du risque, d'incertitude et d'éléments psychologiques, oubliant également que la motivation des salariés, leur apport créatif, sera pour beaucoup dans la réussite économique de l'entreprise, et qu'à négliger le facteur humain, on obère inéluctablement à plus ou moins long terme les succès économiques.

Les seconds, négligeant les contraintes économiques, mettent rapidement en péril l'efficacité de l'entreprise, le service du client ou de l'usager, ce qui finit toujours par se traduire, dans une économie socialiste par un appauvrissement général, dans une économie de marché par des licenciements ou une disparition de l'entreprise, c'est-à-dire par des drames humains.

La réflexion sur l'entreprise se doit donc de permettre à l'homme d'action de tenir en permanence les « deux bouts de la chaîne » : celui de l'économique, celui de l'humain. C'est vrai qu'en apparence, l'économique et l'humain semblent tirer en sens contraire. Ces deux aspects de la réflexion sur l'entreprise ne sont pas contradictoires ; ils ne s'excluent pas, ils sont seulement parfois contraires, c'est-à-dire que leur conciliation exige un effort, de l'imagination, de la patience et de la persévérance. C'est dire aussi qu'en termes d'action on ne peut jamais tout faire en même temps et que les choix à faire pour équilibrer au mieux les contraintes de l'économie et celles de l'humain relèvent de la vertu de prudence, laquelle n'est pas attitude timorée et frileuse mais choix judicieux des bons risques.

Non, l'économique et l'humain ne sont pas contradictoires, ils sont inscrits tous les deux dans la vie de l'entreprise. Celle-ci est une cellule de société à vocation économique. Cellule de société, elle est composée d'hommes et de femmes, et elle ne pourra compter sur cette richesse humaine que dans la mesure où elle contribuera, à sa place et à sa mesure, à l'accomplissement de leur destinée humaine. Cellule à vocation économique, elle ne subsistera que si elle répond à sa mission de service du client, que celui-ci soit un particulier, une autre entreprise ou une collectivité locale, voire l'État. L'homme d'entreprise ne pourra jamais échapper à ce réalisme implacable de devoir concilier les exigences de l'homme et les contraintes de l'économie. Chaque fois qu'il s'évadera du réel en l'idéalisant ou chaque fois qu'il s'agitera frénétiquement en ne réfléchissant pas assez avant d'agir, il courra le risque de voir le facteur négligé, économique ou humain, lui revenir en boomerang en plein visage.

Cet ouvrage n'a pas d'autre prétention que d'aider l'homme d'entreprise, homme d'action s'il en est, à réfléchir et agir, en s'efforçant de concilier en permanence l'économique et l'humain, c'est-à-dire à lui donner des pistes de réflexion, des méthodes et des outils, en vue d'une véritable stratégie d'action en matière humaine, pour que se développent les entreprises par la promotion des hommes.

Première partie

« POURQUOI CHANGER ? » L'ENVIRONNEMENT ÉCONOMIQUE ET SOCIAL DES ENTREPRISES

L'homme d'action ne peut situer sa réflexion en dehors du temps, même s'il existe des permanences qui défient les siècles. Pour ce qui concerne notre époque, il est indéniable que l'économie mondiale a considérablement évolué depuis l'après-guerre et tout particulièrement dans les pays développés. Parallèlement, la société a changé, à la fois par suite des modifications économiques, par la présence grandissante des médias mais également du fait d'évolutions significatives des mentalités. Il n'est donc pas inutile de faire le point, d'essayer de discerner les tendances lourdes qui marquent le monde actuel dans les domaines de la vie économique et de la vie sociale. C'est peut être ce qui nous montrera **pourquoi** nos entreprises doivent changer leur mode de management.

Nous examinerons successivement donc dans cette partie, l'évolution de l'environnement économique, les nouvelles exigences humaines qu'elle a induites, l'évolution de la société française et l'écart important qui existe entre l'état social de l'entreprise française et les besoins engendrés par les contraintes économiques et sociales.

Dans cet ouvrage, les noms suivis d'une étoile renvoient à la bibliographie en fin de chapitre dans lequel ils apparaissent.

Chapitre premier

LE NOUVEL ÉTAT ÉCONOMIQUE ET SES CONSÉQUENCES

En 1945, lorsque la guerre se termine, l'Europe est en ruine. De l'autre côté de l'Atlantique, les USA ont une industrie qui a tourné à plein pour permettre à leurs troupes de gagner la guerre. La guerre, comme toujours, a fait progresser les techniques et la productivité. L'industrie américaine va se reconvertir à la production des biens de consommation pour son marché intérieur mais le gouvernement américain comprend très vite qu'il faut également aider l'Europe à se relever de ses ruines. Les motivations sont claires : une Europe prospère sera moins tentée par le communisme ; relever l'Europe fera d'elle un client pour les biens d'équipements américains dans un premier temps puis, dans un deuxième temps, pour les biens de consommation. C'est le plan Marshall qui va concrétiser cette politique et donner le coup d'envoi à une période de croissance économique sans précédent.

Au sein de cette Europe, la France va voir son essor économique stimulé par le *baby-boom* (commencé dès 1942 et qui se poursuivra jusqu'en 1963), perturbé par un climat social houleux (orchestré par une CGT puissante), médiocrement appuyé par une quatrième République (marquée par l'instabilité chronique de l'exécutif), encadré par une administration dirigiste et stable de grands commis formés à Polytechnique et à l'ENA. Quand il s'agit essentiellement de produire, le dirigisme fait peu de dégâts, d'autant que la plupart des grands commis de l'époque ont un haut sens du service de l'État, une honnêteté irréprochable, une volonté tenace de relever le pays et des qualités d'organisation incontestables.

Le changement politique de 1958 ne fera que les conforter et les nouvelles institutions donneront à leur action un supplément de stabilité dont le bénéfice sera évident. Dans la foulée des missions de productivité du plan Marshall, avec les économies d'échelle favorisées par l'afflux de nouveaux consommateurs, la France se dote d'une économie de production efficace avec un rythme de croissance supérieur à 6 % l'an. Le consommateur absorbe toute la production puisque, pendant des années, il faudra « attendre » la voiture, le logement, le téléphone. Le niveau de vie va en moyenne tripler pendant la période 1945-1975 ; la classe moyenne enfle ses effectifs, c'est le plein emploi et l'euphorie. On peut même s'offrir un mai 68 ; dès juin on bat à nouveau tous les records de production, tout en votant plus à droite que jamais.

Et pourtant, c'est dès le milieu des années 60 que l'on peut percevoir les premiers symptômes de l'arrivée du nouvel état économique. La productivité a fait de tels progrès que l'on voit se profiler dans certains secteurs, comme la sidérurgie ou le textile synthétique, la possibilité de surcapacités de production. Les nouvelles technologies ne sont plus des curiosités et l'ordinateur fait son apparition jusque dans les salles de contrôle de l'industrie lourde. Les frontières s'ouvrent de plus en plus et les pays en voie de développement deviennent, grâce au bas prix de leur main-d'œuvre, facteur de perturbation pour nos industries de transformation (vêtements, jouets, etc.).

Mais l'arrivée du nouvel état économique est, en partie, occultée par le prix anormalement bas du pétrole provenant du Moyen-Orient. A 2,9 $ le baril, pourquoi prospecter d'autres gisements ou chercher d'autres sources d'énergie ?

Tout le monde vient puiser dans les réserves arabes, même les pays producteurs comme les USA, et (toujours les fameuses économies d'échelle) on met en service des tankers de 500 000 t. Au moment du premier choc pétrolier, les Japonais prévoient de réaliser des pétroliers d'un million de tonnes.

En 1973, survient la guerre du Kippour ; les pays arabes, vaincus sur le terrain militaire, découvrent une nouvelle arme : l'arme économique. C'est le premier choc pétrolier, qui fait passer très rapidement le prix du baril de 3 à 12 $. Douze dollars, cela n'a rien d'un prix abusif, si l'on compare à l'époque ce prix aux coûts d'obtention d'énergie à partir du charbon, de gaz ou d'uranium. Mais cela efface d'un coup le « bonus » sur lequel vivaient paisiblement les pays développés : il faut se remettre sérieusement au travail, faire des économies d'énergie, chercher de nouvelles sources d'énergie, regagner, par de nouveaux efforts de productivité, la marge que l'on a perdue sur le coût des matières premières.

Hormis les industries touchées directement par le problème du pétrole, comme l'industrie chimique par exemple, la France réagit d'abord assez mollement. Le deuxième choc pétrolier est terrible car le pétrole triple à nouveau le prix et monte à 36 $ le baril. Le coup est dur pour les économies européennes même si ce prix, abusif cette fois, ne « tient » à ce niveau que quelques années. Cette fois, il n'y a plus de doute, il faut s'activer et la productivité, aidée par le développement incessant de nouvelles technologies, fait de nouveaux bonds. Il faut également rechercher partout les meilleurs équipements au meilleur prix : le commerce international se développe, le chômage également. En 1986, c'est le troisième choc pétrolier, à la baisse cette fois-ci. On retombera jusqu'à 10 $ le baril, ce qui est à nouveau anormalement bas ; il y aura encore quelques oscillations ultérieures pour mettre le pétrole à un prix de marché en relation avec le prix des autres sources d'énergie ou de matières premières.

Tous ces chocs donnent tantôt un ballon d'oxygène aux uns et une solide claque aux autres, tantôt l'inverse, mais peu à peu l'on s'aperçoit qu'au-delà de ces épiphénomènes, on est bel et bien entré dans un « nouvel état économique », caractérisé par des « tendances lourdes » qui ne changent pas et ne semblent pas près de changer.

Premièrement, on est « sorti » de l'économie de production. Produire est devenu banal, de plus en plus de pays savent le faire. Les technologies comme l'électronique, l'informatique, l'automatique, se combinent dans une nouvelle discipline, la productique, et l'on sait produire de plus en plus vite, de moins en moins cher, avec un contrôle en temps réel de la qualité de plus en plus performant. L'offre se multiplie ; ce n'est plus le producteur qui commande, c'est le client. Et il devient exigeant ; il veut un prix raisonnable certes, mais, en outre, il veut la nouveauté, la qualité, le délai, le service, le sourire de l'hôtesse d'accueil et le ton agréable de la standardiste. Pour l'entreprise, il ne s'agit plus seulement de le conquérir, il faut le fidéliser, anticiper sur ses évolutions de goût, le cajôler, lui trouver un crédit, etc.

Pour un pays comme la France, à forte tradition dirigiste et à faible tradition commerciale, c'est une révolution culturelle, acceptée par un petit nombre de pionniers, ignorée ou rejetée par le plus grand nombre. L'industrie n'est pas le seul secteur caractérisé par cette « tendance lourde ». L'agriculture, grâce à la génétique animale et végétale, à l'agrochimie et aux biotechnologies a connu des bonds de productivité encore plus importants : il suffit pour s'en convaincre de consulter les statistiques de rendement à l'hectare en céréales, de production de lait par vache, de petits cochons par truie, etc. Et l'on ne s'étonne plus que la CEE connaisse des difficultés avec des agriculteurs que l'on a incités à produire à tout crin et que l'on est obligé de modérer ensuite à coup de quotas. Quant aux services, ils vont incessamment connaître des réductions d'effectifs pour cause de compétition entre les producteurs : ils disposent eux aussi des technologies dérivées de l'informatique et des télétransmissions et feront valoir à leurs clients un coût inférieur des frais de gestion. Le client est roi, l'entreprise doit s'y faire.

La deuxième « tendance lourde », c'est la vitesse d'évolution des technologies et, en quelque sorte, l'autonomie de cette évolution par rapport aux besoins explicites du marché et de la production. Le monde des scientifiques, des applicateurs, des innovateurs-créateurs de nouvelles technologies, est un monde qui a sa propre logique. Il communique par son propre réseau de publications scientifiques, de revues technologiques, de revues de vulgarisation. Dans les pays développés, il dispose de laboratoires, d'équipements, de budgets, d'étudiants de troisième cycle, de bourses, etc. Tout ce monde cherche, bricole, découvre, innove, crée de petites entreprises qui percent ou sont rachetées par des grosses. En définitive, tous les mois, des progrès ou des innovations se font, des applications nouvelles se lancent. L'entreprise se trouve en butte à un nouveau risque : l'innovation technologique qui la percute, la force à s'adapter très vite ou à sortir du créneau de marché où elle exploitait sa technologie, hier performante, aujourd'hui dépassée. Là encore, pas de choix : il faut veiller au changement technologique, innover, s'adapter... ou mourir.

La troisième « tendance lourde » n'est qu'une conséquence des deux précédentes : le nouvel état économique inclut la multiplication des échanges et ceci à **tous** les niveaux. Échange entre les nations, puisqu'à la vitesse où évoluent les technologies, rattraper le retard coûte trop cher et on ne peut pas être en pointe partout. Telle nation qui est en pointe dans les composants électroniques, l'est beaucoup moins dans les logiciels ou les systèmes experts. Telle autre qui est en pointe dans les chantiers navals, l'est moins en agriculture ou en chimie. Telle autre encore qui brille dans le spatial peine dans la machine-outil etc. Ce qui explique, en partie, l'ouverture des pays de l'Est vers les pays occidentaux, l'acte unique européen et l'attitude apaisante des Japonais qui n'ont qu'une crainte, c'est que leur compétitivité économique effraie les Occidentaux et les pousse à fermer leurs frontières, ce qui serait un désastre pour l'Empire du Soleil Levant. Car, réciproquement, l'entreprise qui a investi beaucoup pour être performante, ne peut rentabiliser ses investissements qu'en vendant sur le marché mondial.

Mais on retrouve le même problème au niveau des entreprises. Pour satisfaire le client exigeant, il faut être performant dans tous les domaines qui concourent à sa satisfaction : gestion, commerce, administration, production, recherche-développement, finance, fiscalité, etc. Impossible d'y arriver sans faire appel à des fournisseurs, des conseils, des sociétés de service, eux-mêmes très performants.

C'est la « nouvelle » sous-traitance. Il ne s'agit pas de donner des « petits boulots » à des entreprises dont la main-d'œuvre est peu formée mais peu payée, il s'agit de trouver de vrais partenaires, très performants dans une spécialité qu'ils fournissent à prix parfois élevé à des entreprises beaucoup plus importantes qu'eux-mêmes. N'appelons plus cela de la sous-traitance, c'est de la cotraitance et du partenariat ; on échange beaucoup d'informations et on collabore. Les grandes entreprises sont en train de découvrir « qu'on a souvent besoin d'un plus petit que soi » plus adaptable, plus réactif et... plus performant.

Mais l'échange est également de règle à l'intérieur des entreprises où la qualité du couple décision-réalisation pour le meilleur service du client passe par le décloisonnement des directions et des services. Finies les guerres stériles entre commerçants, producteurs et développeurs de produits ou de services nouveaux. La collaboration devient la règle, faute de quoi, l'entreprise perd le client, voire tout le créneau de marché, parce que quelque chose a cloché dans la conception, la réalisation, le design, le conditionnement ou le service après-vente. Fini l'impérialisme de la production, de la vente ou de la recherche : tous sont au service du client et ne peuvent le satisfaire qu'en se concertant. La survie de l'entreprise ou son développement, la sécurité de l'emploi ou la promotion sont à ce prix : qu'on se le dise ! Cela ne va pas sans poser de nouveaux problèmes de communication. On verra bientôt des petites annonces : « Entreprise X... cherche généraliste d'interface capable de faire communiquer informaticien pointu avec chimiste performant. Double formation appréciée. Rémunération importante si efficacité assurée. »

Voilà le contexte dans lequel évoluent les entreprises de cette fin du XXe siècle. Sauf bouleversement politique grave, toujours possible, ce nouvel état économique va s'installer de plus en plus. Les pays les plus développés, comme les USA le firent à l'après-guerre, investiront, d'une manière ou d'une autre (par la formation notamment) dans les pays sous-développés, ce qui accroîtra la solvabilité de ces futurs clients mais accroîtra également le nombre des entreprises compétitives. Le développement de la formation continuera à induire le développement de l'innovation technologique. La nécessité de la communication et des échanges à tous niveaux s'en trouvera renforcée.

La conclusion s'impose ; il n'y a pas de crise économique, il y a un nouvel état économique auquel il faut s'adapter si l'on veut vivre. Les entreprises qui ne développeront pas en leur sein cette prise de conscience communautaire seront en danger. Il est même urgent d'extirper de notre vocabulaire ce mot de crise qui, étant synonyme d'état aigu et passager, engendre chez les optimistes le sentiment lénifiant qu'il n'y a qu'à « attendre la sortie du tunnel » et chez les pessimistes, le sentiment annihilant que « le déclin est irréversible ». Il est non moins urgent de vulgariser au plus vite dans les entreprises ce concept de nouvel état économique. La mobilisation des hommes passe par leur compréhension du contexte dans lequel vivent toutes les entreprises. Savoir que les autres sont dans le même cas est d'ailleurs sécurisant si, par ailleurs, les salariés se rendent compte que l'entreprise est en chemin pour s'adapter... et gagner.

Nous constatons aujourd'hui que beaucoup d'entreprises ont bien réagi pour s'adapter à la nouvelle donne économique. Elles cessent de se disperser et se concentrent sur leurs bons créneaux de marché, ce qui les amène à céder des activités où leur part de marché trop petite, leur savoir-faire inférieur à celui de leurs concurrents, leurs performances économiques insuffisantes, ne leur permettent pas de se maintenir, sauf à obérer leur développement dans d'autres activités où leurs performances déjà excellentes s'amélioreront, pour peu que l'on y consacre quelques investissements supplémentaires. Les *raiders* ont très bien compris ce qu'ils pouvaient tirer de cette stratégie : ils jettent leur dévolu sur des entreprises dont le capital n'est pas suffisamment protégé et les revendent fructueusement par « appartement » (cela se vend plus facilement) à d'autres entreprises, désireuse chacune de se renforcer dans son créneau privilégié.

Notre but n'est pas, dans cet ouvrage, de porter un jugement de valeur sur ces pratiques mais de faire observer que ces raids ne sont rentables pour les *raiders* que parce que ces opérations s'inscrivent dans le processus de restructuration des activités économiques que font aujourd'hui de nombreuses entreprises pour rester compétitives dans le nouvel état économique. Cette stratégie d'adaptation au marché (pilotage par l'aval) et d'adaptation aux nouvelles technologies (pilotage par l'amont) n'est malheureusement pas suffisamment expliquée au personnel de l'entreprise. L'encadrement lui-même n'est pas toujours bien formé à comprendre ce qui se passe, encore moins à l'expliquer à ses subordonnés, ce qui explique que ces mutations sont souvent très mal vécues par le personnel. Il devient donc encore plus malaisé de faire passer aux hommes de l'entreprise un troisième message, se peut-il potentiellement encore moins populaire, à savoir qu'en termes de coût total (salaire direct + salaire indirect) pour l'entreprise, le Français fait partie des salariés les plus chers du monde à l'heure réellement travaillée. Ajoutons même que le Français est d'autant plus cher en valeur relative qu'il est moins qualifié, puisque le coût de la protection sociale est proportionnellement plus élevé pour les bas salaires que pour les hauts salaires et que, par ailleurs, les personnels qualifiés, étant rares dans les pays moyennement développés, y sont donc relativement chers. La France est donc inéluctablement un pays où l'entreprise emploiera de moins en moins de personnel peu qualifié si elle se trouve directement ou indirectement en concurrence avec les entreprises d'autres pays. L'Allemagne, pour les mêmes raisons, préfère payer plus cher du personnel plus qualifié que payer au « plancher » un personnel non qualifié qui, en définitive, est quand même hors de prix en termes de compétition internationale.

Le troisième message de l'adaptation des entreprises françaises au nouvel état économique (message identique à celui des entreprises d'autres pays où le coût « total » de la main-d'œuvre est également élevé) est donc celui de la performance des hommes. Il n'est pas question, en effet, de dire aux salariés qu'ils sont trop payés, même si c'est en valeur relative ; il est important de leur dire que le prix à payer d'une protection sociale enviable et enviée est celui d'une performance de qualité. La comparaison avec le sport de haut niveau s'impose et l'exemple le plus frappant est celui de la course automobile de Formule 1 : un grand prix se gagne, certes, avec des voitures dont la puissance, la tenue de route, le freinage, etc. font honneur aux ingénieurs qui les ont conçues. Il se gagne, certes, avec le talent des pilotes, capables de maîtriser des monstres qui dépassent le 300 km/h dans les lignes droites et doivent, immédiatement après, virevolter dans des chicanes vicieusement disposées sur le parcours. Mais il se gagne aussi avec des mécaniciens d'une attention et d'une minutie exceptionnelles pour que la voiture tienne la durée du grand prix. Il se gagne enfin grâce à une équipe de changeurs de pneus qui fait un véritable numéro de haute voltige pour changer les quatre pneus en 9 s, 8 s, 7 s et maintenant parfois moins de 7 s. Changer des pneus n'est peut-être pas intellectuel mais, à ce niveau, c'est du travail de très grand professionnel.

Aujourd'hui nos entreprises sont astreintes à ce perfectionnisme de la Formule 1 et tout le personnel de nos entreprises, jusqu'aux échelons les plus modestes, doit avoir ce souci de performance qu'ont les changeurs de pneus de la compétition automobile. Le nouvel état économique est installé, à vue humaine, pour un long bail. Plutôt que de se lamenter, il est préférable de s'y adapter. Servir ses clients, améliorer ses techniques, obtenir de son personnel des performances toujours meilleures, il n'y a pas d'autre alternative pour l'entreprise. C'est sur ce dernier thème de la performance des hommes que va maintenant se porter notre attention puisque tel est le thème de cet ouvrage, mais il nous a paru nécessaire de situer notre réflexion dans le contexte plus général de l'adaptation des entreprises au nouvel état économique.

Résumé

Il n'y a pas de crise mais un nouvel état économique : client-roi, technologie en pleine évolution, interdépendance à tous les niveaux, sont ses caractéristiques principales.

Les entreprises modernes s'adaptent en améliorant leurs techniques, le service des clients et la performance de leur personnel.

Chapitre 2

LE NOUVEL ÉTAT ÉCONOMIQUE ET LA PERFORMANCE DES HOMMES

Pour bien comprendre ce qui est en cause en matière de performance des hommes, il n'est pas inutile d'interroger les entreprises sur ce qu'elles attendent aujourd'hui de leurs salariés. Les petites annonces en rendent généralement assez mal compte car pour des raisons de prix de revient, on va en général au plus court et on décrit rapidement le type d'emploi proposé mais plus rarement les qualités que devront manifester les éventuels embauchés pour réussir dans cet emploi. En fait, les recruteurs divers, cabinet de recrutement et employeur, vont pourtant s'employer au cours des différents entretiens à cerner la personnalité des candidats, à déceler leurs aptitudes et leurs motivations, à mesurer leur acquis, pour voir si l'entreprise peut parier sur eux avec une chance raisonnable de succès.

Pour en savoir plus long, on peut aussi interroger les supérieurs hiérarchiques sur ce qui, à leur avis, rend tel ou tel de leur subordonné plus ou moins performant. Enfin, on peut interroger les salariés eux-mêmes sur ce qu'ils perçoivent des attentes de leur entreprise à leur égard, sur ce qui leur a permis de réussir dans le passé ou sur ce qui les a mis en difficulté dans leur carrière professionnelle.

Bien évidemment, les réponses sont très diverses et nous n'avons pas la prétention dans cet ouvrage de faire un état complet de la question avec statistiques à l'appui. Néanmoins, sans quantifier les tendances, il est possible de les qualifier et nous sommes frappés de voir que ces qualités, exigées des salariés dans le nouvel état économique, concernent l'exercice proprement dit du métier d'une part, le comportement en société d'autre part, enfin la personnalité de l'individu lui-même. En quelque sorte, trois rubriques dont les deux dernières sont universelles : l'homme, où qu'il soit, a toujours un caractère unique d'individu en même temps qu'un caractère social. La première est caractéristique de l'homme au travail, de *l'homo faber,* donc spécifiquement liée à la cellule de société « entreprise », au milieu professionnel.

Commençons donc par la première rubrique. La première condition exigée des salariés dans l'entreprise aujourd'hui, c'est le professionnalisme. Ce n'est pas vraiment une surprise, à cela près que les entreprises françaises ont longtemps employé une masse importante de personnel peu qualifié à qui l'on donnait des tâches simples, répétitives, et que l'on surveillait presque en permanence pour vérifier davantage la quantité de travail exécuté que sa qualité. Ce travail d'exécution n'exigeait pas de formation préalable, ni de réflexion durant l'exécution. Il semble bien que l'emploi de ce type de personnel soit en baisse constante dans nos entreprises pour ce qui concerne, tout au moins, celles qui sont directement ou indirectement touchées par la concurrence internationale. Or, en dehors des services de proximité, les entreprises travaillent de plus en plus pour l'exportation ou pour des entreprises qui, elles-mêmes, exportent ou sont en concurrence avec des entreprises étrangères vendant leurs produits sur notre territoire. L'internationalisation des échanges impose donc toujours davantage à nos entreprises d'utiliser du personnel très professionnel car, dans le monde, il existe des pays où l'on trouve de la main-d'œuvre peu qualifiée à deux fois, cinq fois, dix fois moins cher que notre SMIC. Quand nous parlons du SMIC, il s'agit bien sûr de ce que coûte réellement le SMIC aux entreprises, salaire et charges diverses ramenés à l'heure effectivement travaillée. Ceci explique que l'industrie automobile, par exemple, diminue la quantité de ce personnel peu qualifié, investit en automates et robots divers, embauche de plus en plus de techniciens d'ateliers (Bac + 2). Mais le même phénomène se profile dans les services, banque et assurance, où les « O.S du stylo » vont connaître le sort des « O.S de l'auto », sauf s'ils retournent rapidement en formation pour augmenter sensiblement leur qualification professionnelle. C'est vrai dans le bâtiment où les entreprises cherchent souvent désespérément des ouvriers vraiment qualifiés, (maçons, coffreurs, charpentiers, etc.) au lieu de se contenter, comme jadis, de manœuvres. Quant aux artisans, ils préfèrent investir également en matériel ou limiter leur clientèle plutôt que d'embaucher du personnel peu qualifié.

La tendance est donc bien quasi générale, en dehors, nous l'avons dit, des services de proximité qui sont, par ailleurs, très importants en nombre d'emplois dans des pays comme le Japon ou les États-Unis ; cela montre, à l'évidence, que le chômage n'est pas une fatalité dans les pays développés, à condition que d'une part les entreprises soumises à la concurrence internationale soient compétitives, et que d'autre part les charges sociales n'accablent pas les employeurs de services de proximité. Pour ce qui concerne, donc, la majorité de nos entreprises industrielles et commerciales, le professionalisme dans le travail apparaît comme une condition nécessaire pour occuper un poste et s'y maintenir.

Mais une deuxième condition s'impose de nos jours avec une acuité particulière, c'est l'adaptabilité. En effet, la caractéristique du monde moderne est la vitesse à laquelle évoluent les métiers. Pensons que certains métiers, nés après la guerre de 39-45, sont déjà morts comme par exemple celui de perforatrice-vérificatrice, l'apparition de l'informatique ayant supprimé l'usage des cartes perforées. Certains augures affirment que 30 % des métiers de l'an 2000 ne sont pas encore nés. Tout ce qui se passe actuellement en génétique, robotique, automatique, informatique ou électronique, donne à penser que la jeune génération, actuellement au travail, devra accompagner les évolutions de son métier, changer de métier peut-être trois ou quatre fois dans sa vie, en tout cas, rester prête à toute nécessité de changement. Il faut être conscient qu'il y a aujourd'hui au chômage des diplômés de très grandes écoles qui n'ont pas su rester adaptables, alors qu'ils en avaient les possibilités de par leur formation de base. *A fortiori,* il a fallu mettre en préretraite obligatoire des salariés sans formation dont les possibilités d'adaptation, compte tenu de leur âge, pouvaient être tenues pour négligeables. Tout cela pour souligner que l'adaptabilité est aujourd'hui une qualité que les recruteurs exigent de ceux qu'ils embauchent et que les employeurs cherchent à améliorer chez leurs salariés.

Notons au passage que l'adaptabilité demande à la fois une éducation de la mécanique intellectuelle et une éducation du caractère. Éducation de la mécanique intellectuelle d'abord, puisque s'adapter exige d'apprendre à nouveau ; il faut donc, à l'école, avoir appris à apprendre et non pas avoir, une fois pour toutes, ingurgité un certain nombre de connaissances générales et techniques pour les régurgiter à l'examen. Plus l'école aura donné de méthodes de travail, plus elle aura clarifié pour l'élève les processus d'apprentissage, plus elle l'aura préparé à l'adaptation permanente. Seuls sont transférables d'une activité à une autre les apprentissages devenus conscients. Certes, dans la vie, on commence à apprendre par mimétisme ou par dressage, mais l'école doit peu à peu révéler à l'enseigné le « pourquoi » des processus appris d'abord de façon inconsciente. On peut donc se réjouir que les recherches en « sciences de la connaissance » ne cessent de faire progresser notre connaissance des processus cognitifs. Un peu partout se développent des outils d'apprentissage qui devraient rendre à l'avenir les plus grands services aux entreprises. Certains, comme le PEI (Programme d'Enrichissement Instrumental) du professeur israëlien Feuerstein, sont déjà employés dans les centres d'apprentissage et de reconversion des ouvriers des industries mécaniques et métallurgiques. Il faut souhaiter que la formation des maîtres fasse une part importante à ces méthodes d'apprentissage et que le contenu des programmes des classes s'en inspire ; car le caractère encyclopédique de ceux-ci est en effet à l'exemple de ce qu'il ne faut plus faire. Comme les connaissances scientifiques et technologiques doublent aujourd'hui en moins de cinq ans, il est urgent de mettre fin à une course poursuite perdue d'avance et de se concentrer sur tout ce qui permettra à l'élève, devenu adulte, de continuer à apprendre toute sa vie.

Mais si l'école est interpellée par cette exigence d'adaptabilité, la famille, et à travers elle toute la société, ne l'est pas moins pour ce qui concerne l'éducation du caractère. Car pour s'adapter, encore faut-il être prêt à se remettre en question. Si nos jeunes ne sont pas préparés à cela, ils seront en danger. Nos structures sociales, nos conventions collectives, notre culte du diplôme, l'exemple de notre *nomenklatura* qui monnaie, toute sa vie, le résultat de concours passés à moins de trente ans, voire à moins de vingt ans, tout cela n'est pas porteur d'adaptabilité potentielle. Autant il est souhaitable que nos jeunes puissent tous acquérir un indispensable bagage de culture générale et de méthodes de travail, autant le mythe des 80 % de bacheliers risque d'être générateur de déception s'il est compris comme l'acquisition d'un passeport permanent pour l'emploi. Il est indispensable que la société tout entière, et la cellule familiale particulièrement, fassent bien passer aux jeunes le message que la formation permanente n'est pas seulement un droit reconnu par la loi mais une nécessité vitale, qu'aucune situation n'est jamais acquise définitivement, que la mobilité professionnelle est une des règles du jeu économique moderne, que la mécanique intellectuelle est à l'inverse de la pile Wonder : plus on s'en sert, moins elle s'use !

Professionnalisme, adaptabilité, ajoutons-y conscience professionnelle. On peut en effet être compétent, entretenir sa compétence, mais n'être pas toujours fiable, par négligence. Or dans l'économie de marché, le client est roi et il fait attention à tout. Sensible à l'innovation et au design, il l'est aussi à la réalisation parfaite du produit ou du service, à la qualité du service après-vente ; rien ne doit être négligé pour satisfaire le client, ce qui implique qu'aucun des salariés ne doit être négligent. La conscience professionnelle a tendance à s'assoupir quand le machinisme et l'automatisme envahissent la sphère du travail. Combien de fois aujourd'hui n'entend-on pas la phrase exaspérante : « Nous n'y pouvons rien, c'est la faute de l'ordinateur. » Pauvre ordinateur, qui ne fait qu'exécuter ce qu'on lui ordonne et qui est bien incapable de « fauter » ! Redoutable ordinateur, qui ne laisse pas passer les « fautes » de ceux qui le programment, l'utilisent sans précaution, lui demandent ce qu'il n'est pas en mesure de faire.

La modernité souligne impitoyablement les fautes de conscience professionnelle. Elle les diffuse, les reproduit, les accentue, les répand à une vitesse toujours plus grande. La productivité lui doit beaucoup mais en échange, elle exige davantage de fiabilité des hommes. Quelle faute que de s'imaginer qu'elle évite les erreurs humaines ! Peut-être les raréfie-t-elle mais quand elles sont au rendez-vous, elles sont d'autant plus graves qu'elles passent plus longtemps inaperçues et que les conséquences apparaissent parfois lorsqu'il est trop tard (*voir Tchernobyl*). La technologie moderne exige plus que jamais la conscience professionnelle, ce qui n'est plus de l'ordre de la technique mais de l'ordre de l'éthique : nouveau défi pour le système éducatif.

Pour ce qui concerne la première rubrique, nous constatons aujourd'hui que l'entreprise met particulièrement l'accent sur la triade professionnalisme/adaptabilité/conscience professionnelle. Mais l'entreprise est le lieu du travail collectif et il est logique que dans les exigences formulées par les employeurs, les recruteurs ou les responsables hiérarchiques, nous voyions apparaître des qualités relatives à la vie communautaire. Ce sera notre deuxième rubrique.

Dans l'entreprise, on coopère, on travaille en équipe ; c'est dire que l'esprit d'équipe, la capacité à collaborer sont des exigences essentielles de la vie professionnelle. On peut même ajouter que la complexité croissante des technologies, et plus encore leur imbrication dans les processus de conception, de développement, de production, de commercialisation, rend d'autant plus importants le décloisonnement de nos entreprises ainsi que la coopération des services et des hommes. On ne cesse de dire que les processus modernes exigent une approche « systémique », quasi « biologique » ; voilà qui rend vital l'esprit d'équipe. Rude défi pour un pays comme le nôtre dont Goscinny et Uderzo ont largement décrit la mentalité gauloise ! Il n'est que de passer dans nos bureaux paysagés pour voir se reconstituer partout, grâce à des armoires, classeurs, dossiers, etc. de solides haies permettant à chacun de reconstituer son territoire ! Il existe, dans de trop nombreuses entreprises, des guerres entre services et entre directions, des chapelles liées au métier ou au diplôme, des mafias de grandes écoles, etc. Or le client, lui, n'est pas concerné par ces guerres intestines ; il exige toujours plus, joue sur la concurrence et celle-ci est désormais mondiale. Si la qualité française est victime de l'incapacité de certains à travailler en équipe, il achètera « étranger ». Ce message est parfaitement perçu par nombre de nos entreprises et la démarche « qualité totale » y est pour quelque chose ; mais l'atavisme reste puissant et les comportements ne sont pas encore à la hauteur des discours. L'exemple vient d'en haut et force est de constater que les cadres dirigeants, des grandes entreprises notamment, ont encore tendance davantage à marquer leur territoire plutôt qu'à faire équipe autour de leur directeur général, lequel, au demeurant, ne se comporte pas toujours en rassembleur : le terme de « guerre des chefs » est très largement utilisé dans les interviews réalisées lors des audits sociaux effectués par des consultants extérieurs, ce qui signifie bien quelque chose. Il n'est pas impossible que ce syndrome gaulois ait été encore accentué par le mode français de sélection de nombre de cadres et particulièrement de futurs cadres dirigeants, à savoir notre système de grandes écoles. Le caractère ultra individualisé des concours n'est pas *a priori* facteur d'esprit d'équipe mais ceci pourrait être compensé dans les grandes écoles elles-mêmes si la vie communautaire y était intense : internat, sports collectifs, projets par groupes, etc. Cela est parfois le cas mais ce n'est pas général, même si les « junior-entreprises », les bureaux d'élèves, les activités artistiques et les loisirs regroupent des petits effectifs, lesquels découvrent l'efficacité du travail en équipe mais se déchirent parfois entre eux. Quoi qu'il en soit, la capacité à coopérer est une exigence de l'entreprise moderne et il est certain que nous avons là quelques progrès à faire.

Qui dit coopération implique communication. On dit souvent que notre société est une société de communication. Il est peut-être préférable de dire que c'est une société de médias. Or les médias ne permettent pas l'échange, sauf en de rares occasions. En revanche, ils tiennent dans la vie de l'homme d'aujourd'hui une place considérable et ce temps est généralement occupé à écouter ou à regarder, au détriment de l'échange avec la famille ou les amis. Ainsi beaucoup de nos contemporains perdent l'habitude de l'échange et donc de l'écoute. La communication n'est bonne que si l'écoute est de qualité. Écouter n'est jamais facile : cela demande disponibilité, absence de préjugés, capacité à se mettre à la place de l'autre pour éviter d'interpréter ce qu'il dit. Il faut dire également que cela demande une connaissance minimale de la langue française ; pour ne pas faire d'erreur de compréhension ; mais le fait d'être présent à l'autre permet, en cas de doute, de se faire préciser tel ou tel point.

Dans l'entreprise, la communication est souvent insuffisante en quantité et plus encore en qualité. La création d'une Direction de la communication ne résout généralement pas les problèmes car cela donne au contraire un alibi à ceux qui communiquent mal et qui, au lieu de chercher à s'améliorer, se reposent désormais sur les spécialistes. En général, la Direction de la communication fait essentiellement de l'information et même si elle le fait bien, cela reste de l'information, avec l'inconvénient de ne pas permettre le dialogue immédiat. Or c'est d'absence de dialogue, notamment de dialogue supérieur-subordonné, que l'entreprise souffre trop souvent. L'expression des travailleurs, rendue obligatoire par une des lois Auroux, n'est qu'un palliatif, une soupape de sûreté ; elle ne remplace pas, ce qui doit être l'habitude, la spontanéité des échanges, l'absence de blocage, la souveraine liberté des esprits. Là encore, le problème dépasse largement celui d'un apprentissage des techniques de communication, même si celui-ci doit aujourd'hui faire partie de ce bagage à donner dans les écoles. Pour communiquer, il faut entrer en relation avec l'autre, c'est-à-dire nouer un lien de personne à personne : c'est une question de savoir-être et le savoir-être est le fruit d'une maturation de la personne.

Nous abordons là une nouvelle exigence de la vie de l'entreprise moderne. Ce monde économique nouveau, exigeant, compétitif, incertain et risqué, est un monde qui demande à l'homme davantage de réalisme que la période dite des « Trente Glorieuses » au cours de laquelle la croissance facile permettait de vivre dans une euphorie, voire dans l'utopie, (celle de la civilisation des loisirs par exemple). Le rêve est fini, il faut revenir au réel ; la croissance n'est plus automatique, la concurrence est partout, le souci écologique est pris en compte, tout est devenu difficile. L'entreprise a besoin de collaborateurs réalistes, adultes, avec lesquels elle puisse parler le langage de la vérité. La réalité moderne est complexe ; la travestir pour la présenter de façon simpliste est dangereux. La plus grande habileté, c'est de parler vrai mais la vérité est parfois dure à porter quand on n'est pas adulte. C'est pourquoi l'entreprise aura de plus en plus tendance à prendre en compte dans l'embauche de ses collaborateurs la maturation de la personnalité. Déjà aujourd'hui de nombreuses entreprises donnent une formation économique solide à tous leurs salariés ; c'est bien le signe qu'elles veulent avoir des interlocuteurs formés, capables de comprendre les problèmes économiques posés à l'entreprise. Mais comprendre est une chose, assumer les conséquences de ce que l'on comprend en est une autre. Le dialogue, pour être fructueux, doit être un dialogue adulte, ce qui implique des interlocuteurs adultes. Il s'agit bien d'une nouvelle exigence apportée par l'environnement économique contemporain.

Nous pouvons poursuivre avec la troisième rubrique, très complémentaire de la seconde. Dans le travail, l'homme fait partie d'une équipe mais il se retrouve également investi de missions personnelles et parfois seul devant l'imprévu ou la difficulté. Ce type de situation est accentué à la fois par le caractère incertain du monde économique actuel mais également par les soucis d'économie, liés à l'âpreté de la concurrence qui fait qu'on a « dégraissé » les structures et conservé le personnel strictement nécessaire. On voit donc apparaître des exigences nouvelles, notamment dans certains types d'emplois, qui ont noms réactivité, créativité, autonomie.

Dans un univers incertain, l'entreprise doit souvent réagir vite. Heureuse est-elle si ses dirigeants et son encadrement ont prévu des « scénarios de rechange » pour faire face à des changements brutaux mais pas forcément imprévisibles. Encore faut-il que le personnel ne reste pas passif devant l'événement. La réactivité fait donc partie des qualités demandées par l'installation du nouvel état économique. L'entreprise a besoin d'acteurs, pas besoin de spectateurs. Les entreprises « diplodocus » risquent de ne pas survivre plus que les grands sauriens de l'ère secondaire si elles n'ont pas des réflexes rapides. Les réflexes de l'entreprise se mesurent à la réactivité de tout son personnel et, en période de compétition aiguë, la promptitude de réponse à une demande imprévue peut permettre d'emporter un marché et de fidéliser un peu plus le client. On a vu des entreprises abattues par un accident ou un incendie ; on en a vu d'autres où la réaction de tout le personnel a sauvé l'entreprise et sublimé l'esprit de service de chacun. Il est certain que les mauvaises habitudes en cette matière se prennent davantage dans les entreprises qui bénéficient à un moment d'un quasi-monopole, d'une véritable rente de situation. Le personnel peut croire l'entreprise invulnérable et s'y installer comme dans un cocon protecteur. Certains réveils sont parfois douloureux, quand des brevets tombent, par exemple, dans le domaine public et que des concurrents nouveaux font irruption sur un marché que l'on croyait protégé. Aujourd'hui, il est préférable d'appartenir à une entreprise qui a entretenu en son sein un certain esprit de commando et qui est capable de réagir vite à un événement imprévu.

Réactivité donc mais également créativité, c'est-à-dire aptitude à remettre en cause les routines, à adopter des chemins nouveaux, des techniques innovantes, à proposer des organisations ou des méthodes nouvelles. La créativité ne manque pas dans la main-d'œuvre française mais est-elle encouragée ? La personne créative n'est pas toujours la plus apte à réaliser ce qu'elle imagine et les techniciens les plus fiables ne sont pas toujours les plus novateurs. Or l'innovation est aujourd'hui nécessaire, que ce soit pour séduire le client, pour améliorer les prix de revient, pour assurer la qualité ou pour ne pas perdre pied dans la compétition générale. On a dit que les inventeurs français étaient souvent obligés d'aller proposer leurs idées aux étrangers et que nos inventions nous revenaient made in USA ou made in Japan. Ce n'est pas complètement faux. Le management de nos services de Recherche Développement est peut-être plus féru de rationalité que de créativité ou peut-être sait-il mal faire coopérer les créatifs et les rigoureux. Toujours est-il qu'une part de la créativité potentiellement présente dans nos entreprises est mal utilisée, alors même que le besoin de création et d'innovation est plus fort que jamais. La formation de nos grandes écoles ne favorise pas tellement le développement de la créativité et il faut constater que le pourcentage d'anciens élèves des grandes écoles qui complète sa formation par la recherche n'est que d'environ 5 %, l'exception étant située chez les ingénieurs-chimistes qui sont beaucoup plus nombreux à aller jusqu'au doctorat. Aux USA, le PhD est très prisé par les entreprises de nombreuses branches industrielles autres que la chimie. Les élèves des grandes écoles françaises sont d'ailleurs tout à fait aptes à devenir d'excellents chercheurs : ils le prouvent tant en France qu'à l'étranger. Mais la tradition n'est guère d'aller jusqu'au niveau du doctorat et les élèves ont de telles propositions d'embauche à Bac + 5 qu'ils n'éprouvent guère l'envie de poursuivre jusqu'à Bac + 8, ayant la certitude d'y perdre financièrement à court terme et de ne pas « rattraper » à moyen ou long terme. Cette culture grandes écoles, plus axée sur la rigueur de la logique et sur la démonstration mathématique que sur l'innovation et la créativité, peut contribuer à expliquer que des éléments créatifs de l'entreprise, ne possédant pas le label grande école, se sentent souvent peu écoutés par leurs chefs. Espérons que l'internationalisation de la formation de notre encadrement, qui commence à être une réalité, ainsi que le mixage culturel lié à l'internationalisation de la population managériale des entreprises, permettront d'augmenter l'ouverture d'esprit et l'accueil plus favorable à la créativité et à l'innovation, faute desquelles certaines firmes courront à la sclérose.

Enfin, il est une qualité de plus en plus exigée par l'environnement technico-économique de l'entreprise, c'est l'autonomie de ses collaborateurs. Nous touchons là un paradoxe curieux de la vie de notre monde industriel et commercial : la main-d'œuvre française a globalement une très grande propension à être débrouillarde et a, en quelque sorte, un penchant naturel pour l'autonomie (nos collègues étrangers installés en France, Allemands, Américains, Japonais, nous le confirment fréquemment) mais le style de management des Français se révèle souvent très centralisateur et fort peu délégataire ; de ce fait, il bride ce qui est à la fois une qualité naturelle des collaborateurs et une qualité particulièrement utile dans le contexte du nouvel état économique. À ce paradoxe, quelle explication proposer ? Peut-être que notre forme d'éducation est culturellement plus axée sur la méfiance que sur la confiance. Peut-être également que le Gaulois a une fâcheuse tendance à confondre autonomie et indépendance. Il y a en effet une différence entre « faire ce que l'on veut » et « faire comme on veut ce que l'on doit » ! Mais cette nuance n'est peut-être pas perçue par tous et, à tout hasard, le « chef » des Gaulois préfère tout contrôler en temps réel pour ne pas prendre de risques ! L'inconvénient, c'est que les Gaulois réagissent immédiatement soit par la contestation soit, beaucoup plus souvent, par la démobilisation, attendant l'ordre et le contrordre sans prendre la moindre initiative : quel gâchis ! Sans parler du surcoût d'encadrement engendré par cette attitude qui explique, en partie, le nombre abusif d'échelons hiérarchiques empilés les uns sur les autres dans nos entreprises. Quoi qu'il en soit, les salariés des pays développés seront, au moins pour des raisons de coût, moins nombreux et moins encadrés que par le passé, ce qui impliquera une plus forte exigence d'autonomie à leur égard.

Quand on fait le bilan de toutes ces tendances, on constate que la personnalité des collaborateurs pèse d'un poids de plus en plus lourd dans la mesure de leur efficacité et de leur réussite au sein de l'entreprise. Ce qui avait moins d'importance, quand l'organisation taylorienne était reine et la qualification de la plupart extrêmement basse, devient prépondérant quand la qualification augmente en même temps que les exigences du client et l'âpreté de la concurrence. On voit qu'au-delà de la formation professionnelle, le « salarié nouveau » doit être psychologiquement et socialement prêt à affronter le nouvel état économique au sein d'une entreprise compétitive.

La question est donc posée : la société française était-elle préparée à cette mutation ? Comment a-t-elle réagi à l'arrivée du nouvel état économique ? C'est ce que nous allons examiner dans les chapitres suivants.

Résumé

Le nouvel état économique a induit de nouvelles exigences de qualité pour la main-d'œuvre des entreprises :

- ***professionnalisme rigoureux ;***
- ***adaptabilité tout au long de la carrière ;***
- ***respect du client et conscience professionnelle ;***
- ***esprit d'équipe ;***
- ***écoute et communication ;***
- ***réalisme et maturité ;***
- ***réactivité à l'événement ;***
- ***créativité et esprit d'innovation ;***
- ***autonomie et initiative.***

Ces qualités vont bien au-delà de l'instruction et de la formation professionnelle. Elles interpellent l'ensemble du système éducatif et l'encadrement des entreprises.

Chapitre 3

L'ÉVOLUTION DE LA SOCIÉTÉ FRANÇAISE

Depuis l'après-guerre, la société française a changé ; tous les sociologues dont c'est le métier d'étudier cette évolution nous le disent. La société a changé, les mœurs ont évolué sous l'influence d'un certain nombre de faits marquants dont nous signalerons ici ceux qui nous paraissent les plus importants sans prétendre les hiérarchiser.

Dans l'ordre chronologique, le premier fait important, car il constituait une rupture avec le passé, c'est le *baby-boom* des naissances qui a duré environ vingt ans, de 1943 à 1963. Après les classes creuses de l'entre-deux-guerres, il a fait arriver à l'âge adulte au milieu des années 60, une génération nouvelle n'ayant pas connu la guerre et prête à entrer dans la vie dans une période de progrès économique sans précédent marqué, à l'époque, par l'absence de chômage et la progression des salaires.

Deuxième fait important : le triplement du niveau de vie des Français entre 1945 et 1975 environ. Ce qui est capital, c'est que cet essor économique profite plus aux défavorisés qu'aux possédants de la période antérieure, qu'il diminue donc les inégalités sociales et permet l'apparition d'une très importante classe moyenne.

Troisième fait important : le progrès économique de la nation se traduit non seulement par une progression rapide des bas salaires mais par une redistribution des revenus, par une assistance sociale importante, caractéristique d'une société qui se veut égalitaire, par l'allongement de la scolarité obligatoire et gratuite, par l'ouverture de l'université, sans sélection et à prix très bas, à tous les bacheliers qui le désirent. Autant dire qu'il s'accompagne de la création d'une lourde machine administrative étatique et d'une extension de la fonction publique.

Quatrième fait important : la progression considérable des médias audiovisuels ne demandant pas l'effort de la lecture et bombardant en permanence le citoyen d'informations souvent incontrôlées, mêlées de commentaires sans que l'auditeur ou le téléspectateur sache la plupart du temps quelle est la part des faits et celle des commentaires. Ce phénomène s'est révélé « accélérateur » de l'Histoire en maintes circonstances (mai 68 ou chute de Ceaucescu) et même provocateur d'événements, par le jeu de la désinformation et de la manipulation.

Cinquième fait important, lié également au progrès technique : la mondialisation des échanges, favorisée par le raccourcissement des temps de voyages et l'abaissement des prix du transport aérien. Cela ne concerne pas que les échanges économiques mais également les échanges culturels, le tourisme, les jumelages de villes de différents pays, etc.

Sixième fait important : l'augmentation très forte du travail féminin et la pénétration des femmes dans pratiquement tous les métiers et toutes les fonctions, sans pour autant que la société industrielle ait aménagé ses procédures pour permettre aux femmes qui le désirent, de travailler « à la carte » et de jouer également leur rôle de mère et d'éducatrice.

Septième fait important : l'invention de la pilule, l'accès des mineures à ladite pilule, la légalisation de l'avortement et donc une certaine forme de maîtrise de la fécondité qui s'est traduite, entre autres conséquences, non par l'arrêt du *baby-boom* (déjà commencé dès 1963) mais par le passage, à partir de 1973, de la natalité en dessous de ce seuil de 2,1 enfants par femme permettant le renouvellement des générations. Ce qui signifie que depuis cette époque, la France vieillit inéluctablement année après année, d'autant plus que parallèlement, l'espérance de vie a augmenté.

Huitième fait important : l'urbanisation et la poursuite de l'exode rural. A noter que, compte tenu de la centralisation administrative française, cette urbanisation a considérablement profité à la région parisienne qui recèle actuellement le cinquième de la population française.

Le neuvième fait important (l'objet de notre premier chapitre), c'est l'installation progressive du nouvel état économique qui, faute d'adaptation rapide de notre société, a engendré chômage, disparitions d'entreprises, nouvelle pauvreté, pression accrue des charges sociales et fiscales diverses, etc.

Nous ne prétendons pas ici avoir recensé tous les changements techniques et économiques qui ont contribué à bouleverser l'état de la société, mais simplement à énumérer ceux qui nous sont apparus comme ayant joué un rôle majeur dans cette évolution. Pour ce qui concerne la société elle-même, sans être sociologue de métier et sans avoir lu les nombreux ouvrages publiés par les sociologues français(1), il suffit d'observer pour constater les changements sociaux.

L'élément le plus important de ce changement social est la très grande diversification de cette société où l'on reconnaît beaucoup moins bien les grandes strates du XIXe siècle et du début du XXe siècle : paysannerie, bourgeoisie, prolétariat. La sécurité élémentaire, qui a profité à tout ce qui n'est pas le quart monde, l'augmentation du niveau de vie, qui a banalisé la voiture, la télévision, l'électroménager, les vacances, les voyages, la scolarité obligatoire allongée, tout à contribué à faire de notre société une société de classes moyennes et de modes d'information moyens. Mais parallèlement, l'abondance et la multiplication des « offres » permettent à chacun de se créer son propre style de vie et cette immense classe moyenne se pulvérise en une multiplicité de groupuscules, réunis pour un temps par le sport, la culture, la gastronomie, les voyages, les hobbies, etc.

Cette pulvérisation de la société s'est accompagnée d'un éclatement de la famille traditionnelle, avec une forte augmentation du divorce, plus sensible encore dans la région parisienne et dans les grandes villes, d'un concubinage qui s'est répandu dans tous les milieux, d'une élévation de l'âge du mariage et d'une augmentation des naissances hors mariage. Ce qui n'empêche pas Henri Mendras de constater que la parentèle a repris beaucoup d'importance, notamment parce que les grands-parents vivent plus vieux, ont la retraite plus tôt et davantage de moyens pour aider les jeunes.

Il semble que l'enfance a raccourci. « Il n'y a plus d'enfants » disent les gens ce qui n'étonne pas quand on voit se succéder à la télévision au cours d'une émission de variétés tous publics la chanteuse Dorothée et une scène fort érotique d'un film récent. En revanche, la période de la vie précaire avec sécurité sociale, petits boulots, aides des parents ou grands-parents, concubinage instable, semble s'allonger couramment jusqu'à vingt-huit, vingt-neuf ans. Le travail féminin retarde la maturation du jeune de sexe mâle qui ne se croit pas tenu d'assurer la vie matérielle du couple.

Une maturation retardée, une enfance raccourcie, cela signifie un allongement de l'adolescence et c'est ce que constatent beaucoup de psychologues,

(1) Un ouvrage d'Henri Mendras et Michel Vernet : *LES CHAMPS DE LA SOCIOLOGIE FRANÇAISE* (Armand Colin, 1988) permet de disposer d'une excellente bibliographie sur les travaux des sociologues français.

psychanalystes et psychiatres. *Interminables adolescences* est le titre d'un livre de Tony Anatrella* qui a analysé les comportements de nombreuses personnes d'âge adulte mais de mentalité adolescente. L'américain Alexander A. Schneiders avait, à New-York, sous le titre *The Anarchy of feeling**, décrit un des aspects du phénomène, également constaté aux États-Unis, celui de la révolte contre la raison, quand sentiments et pulsions ne sont plus contrôlés et empêchent la raison d'agir. Comme il l'explique, il n'est pas question d'éliminer sentiments, émotions et passions : la schizophrénie, la pire des maladies mentales, est précisément caractérisée par l'apathie émotionnelle. Non, les émotions et les sentiments participent à la construction de la personne, les instincts et les pulsions font partie de la nature humaine, mais affectivité et instinct doivent être intégrés, contrôlés, pour que la raison puisse jouer son rôle. Être adulte, c'est être à la fois une personne au « Moi » fort et au « Moi » contrôlé. Il semble que depuis une vingtaine d'années, les modèles adolescents, « Moi » faible ou « Moi » fort mais incontrôlé, se soient largement répandus chez les adultes. Ce sont ceux que nous avons appelés les « veaux » et les « tigres » dans un précédent ouvrage*.

Tout se passe comme si la société, en perdant ses normes sociales de « classe », en cessant d'être normative avait cessé également d'être éducative. En mai 68, à la Sorbonne, on a écrit en grosses lettres le slogan « Il est interdit d'interdire ».

La génération de 68 a rejeté le moralisme, ce qui est un bien, car on aurait pu passer d'un « ordre moral » conventionnel, rigoriste mais contournable, notamment par l'hypocrisie (hommage que le vice rend à la vertu !), à un « ordre moral » d'état, à un totalitarisme moralisateur à la chinoise. Le problème est que le moralisme éliminé, la société s'est retrouvée sans valeurs à transmettre, sans éthique. Or l'homme, pour « persévérer dans son être » selon Michel Anselme*, ne peut se passer d'une éthique. La société française, depuis 1968, n'a plus transmis de valeurs et l'on en voit aujourd'hui les conséquences : dépression, consommation de médicaments tranquillisants et somnifères, drogue, suicide, inadaptation à la vie sociale.

La cellule de société particulière qu'est l'entreprise ne peut ignorer ces phénomènes de société. L'évolution de l'état économique fait émerger le concept de « qualité totale » dans les entreprises. La stratégie de « qualité totale » ne peut se réaliser qu'avec des salariés qui participent, qui s'impliquent, qui coopèrent, qui communiquent, qui s'engagent de façon libre et adulte. Cela implique, nous le verrons, de nombreux changements dans les comportements, dans la répartition des pouvoirs, dans l'organisation et les structures. Mais cela implique aussi la maturité des salariés. Peut-être faut-il voir dans les phénomènes de société extérieurs à l'entreprise (famille, école, cité) une explication au fait que nombre d'entreprises manquent de personnel pour se développer et ne le trouvent pas sur le marché du travail malgré le chômage persistant. L'inadéquation de la qualification professionnelle n'est pas seule en cause : il y a un déficit d'éducation de l'intelligence, du cœur et de la volonté *(voir notre précédent ouvrage).*

Il nous paraît important de dire également un mot du problème de l'éducation des intelligences puisque l'entreprise française, comme celle des pays développés, se nourrira de l'intelligence de tous. Au chapitre précédent, nous avons fait remarquer que l'adaptabilité des hommes posait déjà le problème de l'acquisition de bases d'apprentissage universelle, de façon à ce que le futur adulte puisse continuer à apprendre toute sa vie. Mais ce faisant, nous n'avons abordé que le problème de l'entraînement de la mécanique intellectuelle, pas vraiment celui de l'intelligence. L'intelligence, c'est la capacité de discerner le vrai du faux, c'est l'esprit critique, c'est aussi l'intuition qui, par une démarche globale, analogique, nous conduit parfois plus vite au réel que la démarche analytique, rationnelle, logique. La rationalité n'épuise pas toute la raison, entendons par là, que ce qui est raisonnable n'est pas forcément modélisable rationnellement. C'est d'ailleurs peut-être le scientisme et le culte abusif de la rationalité qui ont engendré, par réaction, des comportements purement émotionnels, passionnels, où la raison n'a plus sa place. On est passé de l'utopie d'un progrès scientifique qui résoudrait tous les problèmes à l'affolement devant les phénomènes réels mais non irréversibles que sont le SIDA, la pollution et le réchauffement de l'atmosphère.

Ces comportements émotionnels, la sinistrose entretenue par les médias, sont des éléments qui concernent l'entreprise car ils posent des problèmes de communication insurmontables entre certains cadres (issus du Bac C et des classes préparatoires aux concours des grandes écoles d'ingénieurs, dont l'intelligence a beaucoup de mal à s'exprimer en dehors de modèles rationnels) et des subordonnés gavés d'audiovisuel et vivant dans l'émotionnel permanent pour lesquels un discours rationnel est plutôt suspect. Il faut bien le dire, certaines affirmations, péremptoires dans leur pseudo-rationalité ont fait des dégâts. Comment peut-on dire au sujet d'une installation industrielle à haut risque que **toutes** les précautions ont été prises et qu'un accident grave est **impossible ?** Tous les gens de bon sens savent qu'une erreur humaine est toujours possible, qu'une sécurité technique peut tomber en panne et donc, qu'en tout état de cause, la sécurité absolue implique une dépense infinie ! La sécurité n'a pas de prix mais elle a un coût ! Et l'homme est contraint de prendre en compte les coûts, donc de faire des compromis, ce qui est raisonnable mais pas rationnel.

La société moderne a prétendu éliminer rationnellement les risques mais l'homme vivant se rappelle en permanence qu'il peut mourir, donc que la vie c'est le risque. Il rejette donc la pseudo-rationalité mais, ce faisant, il rejette parfois en même temps la raison et sombre dans l'émotionnel non maîtrisé. L'entreprise est une cellule de société à risque : elle aussi peut mourir. Une stratégie d'entreprise s'appuie sur des études de marché, des enquêtes d'opinion sur l'évolution des goûts des clients, essaie de prendre en compte les risques politiques, la solvabilité des clients, la solidité des fournisseurs, etc. mais, plus que jamais, le monde est incertain et le personnel, désinformé par les médias, oscille entre la sécurité trompeuse *(il ne peut rien nous arriver)* et le stress permanent *(le ciel va nous tomber sur la tête).*

Tout ceci pour dire que l'intelligence ne se forme pas sans une éducation et qu'il nous semble y avoir eu une baisse de l'éducation de l'intelligence dans la société moderne, induite peut-être par la spécialisation, la distinction abusive entre littéraires et scientifiques, l'identification abusive entre sciences et modélisation mathématique. Le système éducatif continue à prôner le « hors de C, point de salut ! »

Malheureusement un certain nombre de ces bacs C qui se retrouvent en classes préparatoires puis en écoles d'ingénieurs se révèlent assez incultes, nuls en langues vivantes, faibles en français, ce qui laisse augurer des difficultés pour les entreprises qui les engageront.

Pour notre part, nous pensons que l'évolution de la société française dans les vingt dernières années montre que cette société n'est plus porteuse de projet ; la reconstruction du pays après la guerre a motivé une génération ; la décolonisation a dérangé ceux qui ont passé plus de deux ans en Algérie et par contrecoup, irrité les métropolitains contre les pieds-noirs ; mai 68 a traduit le malaise de la génération *baby-boom* mais n'a pas accouché du moindre projet. Comme disait le sociologue Touraine, un matin à Europe 1 : « la société postindustrielle reste à inventer ». Dans un livre récent, *Peuples élus,* Michel Pinton★ dit que la France a dû, dès sa naissance, assumer les responsabilités de son aventure spirituelle et que cette vocation spirituelle l'a toujours déchirée intérieurement. En fait, quand la vocation de la France est en panne, « le peuple français s'étourdit et se fuit lui-même dans la légèreté, [...] se fragmente à l'infini ; [...] ce qui apparaît, c'est une autre France, divisée, chicaneuse, engoncée dans de petites revendications à minuscule horizon. »

C'est dans cette France que nos entreprises essaient aujourd'hui de s'adapter au nouvel état économique et de garder une place dans la compétition mondiale.

Le défi est de taille et pour mieux le cerner, nous allons porter maintenant notre attention sur l'évolution des entreprises elles-mêmes pendant cette même période.

Résumé

La société française a évolué.

Elle n'est plus figée dans un ordre moral « répressif » mais elle n'est pas porteuse de projet.

Les changements de condition de vie ne contribuent pas à la maturation rapide des personnalités.

L'environnement sociétal ne prépare pas, semble-t-il, aux exigences du nouvel état économique en matière de qualités humaines du personnel.

BIBLIOGRAPHIE

Interminables adolescences
ANATRELLA T.
Cujas/Le Cerf, 1988

Après la morale, quelles valeurs ?
ANSELME M.
Privat, 1989

Le défi éducatif
BONNET Y.
Fleurus, 1989

Styles de vie (2 tomes)
CATHELAT B.
Les Éditions d'Organisation, 1985

Les Champs de la Sociologie française
MENDRAS H. - VERRET M.
Armand Colin, 1988

Peuples élus
PINTON M.
Nouvelle Cité, 1989

L'anarchie des sentiments
SCHENEIDERS A.
Le Centurion, 1968

Chapitre 4

L'ÉVOLUTION DES ENTREPRISES FRANÇAISES

Au cours des trente dernières années, les entreprises françaises ont changé ; certaines peu, d'autres énormément. En outre, beaucoup d'entreprises nouvelles sont apparues, d'autres ont disparu. Les facteurs qui ont été à l'origine de ces mutations sont nombreux et divers.

Nous avons déjà souligné que les changements d'environnement économique n'y avaient pas été pour rien. Tant que les demandes de base n'étaient pas satisfaites, la production était le facteur essentiel autour duquel s'ordonnait l'organisation des entreprises. Le directeur d'une très grande entreprise chimique qui engageait beaucoup d'ingénieurs-chimistes débutants les faisait passer systématiquement par le Centre de Recherches, considéré comme un vivier, où l'on venait puiser les cadres dès que la croissance exigeait quelque part ailleurs un renforcement de l'encadrement. Son *credo,* hautement affiché, était le suivant : « Nous envoyons les meilleurs à la production, le deuxième choix reste en recherche, le troisième choix part au commercial, quant au reste, on les case dans les services de personnel ! »

Dans les entreprises où l'on fabriquait non des produits en vrac mais des objets en série, le poids du taylorisme était plus fort, les secteurs clés étant les bureaux des études et bureaux des méthodes. Mais sur le fond, les mentalités étaient très proches : que ce soit la science de l'organisation ou la science du génie industriel (génie chimique dans l'exemple cité plus haut), c'est la science qui commandait l'organisation de la production. L'important est de produire, de produire en grande quantité le plus vite possible quand la demande est supérieure à l'offre. La connaissance rationnelle de ce qui touche à la production n'est pas dans l'atelier (ouvriers et contremaîtres), elle se situe exclusivement dans le monde des ingénieurs, choisis par la direction pour leur capacité à concevoir les installations les plus aptes à produire en masse.

Il faut dire également que la formation de base des ouvriers de l'après-guerre est encore très basse (c'est probablement un peu moins vrai dans la chimie que dans la mécanique). Quant à la maîtrise, elle est encore, pour la plupart, issue du rang et elle a été promue pour ses aptitudes à faire respecter les consignes par des méthodes de commandement plus apparentées à celles des gardes-chiourme qu'à celles des « G.O. » du Club Méditerranée.

Dans ces conditions, qu'en est-il du climat social ? Cela dépend malgré tout de la philosophie personnelle des dirigeants. Or, les courants dans le patronat français sont très divers. On trouve des archétypes de la bourgeoisie libérale du XIXe siècle, des descendants des Saint-Simoniens (notamment chez les Polytechniciens) très marqués par Auguste Comte, des patrons chrétiens souvent paternalistes, créateurs de nombreuses œuvres sociales destinées à faire le bien du personnel (écoles, foyers, stades, loisirs, etc.). Le climat social est donc très différent selon les cas. Dans les deux premiers généralement, les salariés ont confié ou abandonné la défense de leurs intérêts aux syndicats. Or ce sont les intérêts matériels qui, dans la période de pénurie de l'après-guerre, apparaissent comme les plus importants, et de loin, à la majorité du personnel. Ne nous étonnons pas que la CGT soit le syndicat le plus puissant, lui qui n'est jamais à l'aise que dans les revendications matérielles collectives et qui bénéficie en outre, à l'après-guerre, de ses liens avec le PC et du rôle joué dans la Résistance.

Donc, dans l'après-guerre, le climat social pour beaucoup d'entreprises sera marqué par un combat permanent Direction-Syndicats. Les cadres observent, les ouvriers font globalement confiance au syndicat qui, centralisme démocratique oblige, ne leur demande pas vraiment leur avis, bien que l'expression « consulter la base » soit employée chaque fois qu'il y a une volte-face tactique à effectuer (il faut bien savoir arrêter une grève !). C'est véritablement un « jeu à deux ». Les services de personnel sont, en quelque sorte, le bras séculier de la Direction, chargé essentiellement d'un rôle de « contention » des syndicats, utilisant pour cela toutes les ressources du droit, montant quelquefois des syndicats « maison » occupés à créer la division dans le front syndical, se servant même, dans certains cas, de véritables milices, chargées de mission de répression sur les délégués des « mauvais » syndicats. Il faut dire que la CGT, de son côté, ne lésine pas toujours sur les moyens quand il s'agit de pousser à la grève ; nous avons eu l'occasion de le constater nous-même pendant vingt années passées dans l'industrie chimique. Ce match Direction-Syndicats a été le cas le plus fréquent pendant les années 1945-1975.

Notons toutefois que, pendant la même période, certaines entreprises dirigées de façon très paternaliste ont connu un climat social calme avec un personnel paisible, assez passif sur le plan participation mais plein de bonne volonté, très attaché à une entreprise qui assurait l'emploi, des salaires très convenables et de nombreux avantages annexes. Beaucoup de ces entreprises n'ont pas fait grève en mai 68, malgré des pressions syndicales provenant de l'extérieur. Nous avons pu nous-même constater, près de 10 ans après mai 68, que ce style de direction d'entreprise était regretté par le personnel âgé lorsque, par suite d'une succession, la direction avait changé d'homme et de mode de gouvernement, abandonnant l'ancien paternalisme.

Les choses ont évolué progressivement avec l'installation du nouvel état économique. C'est d'abord la gestion dont l'importance a augmenté avec la pression accrue de la concurrence lorsque la demande et l'offre se sont équilibrées. Produire restait important mais le prix de revient devenait un facteur prépondérant. Cela dit, les habitudes tayloriennes étant prises, le contrôle de gestion s'est installé tout près de la direction et a imposé ses normes et ses procédures de façon aussi autoritaire et centralisée que ne le faisaient les bureaux des méthodes vis-à-vis de la production. Le contremaître s'est simplement vu infliger un supplément de travail (saisies de données) sans y gagner une once de pouvoir supplémentaire.

Dans la foulée est apparue l'informatique, moyen technique nouveau, permettant un traitement rapide des informations et pouvant servir aussi bien à diffuser les pouvoirs qu'à les concentrer encore davantage. Il est clair que les dirigeants, habitués à centraliser, ont été ravis de pouvoir disposer d'un outil aussi puissant de contrôle sur toute l'entreprise. Et les entreprises les plus tayloriennes par nature (production massive d'objets en série) ont installé des systèmes « informatique et contrôle de gestion » qui ont renforcé le pouvoir central, l'hyperrationalisation par les directions du siège, et la dépossession de tout élément de pouvoir des responsables hiérarchiques locaux. Il existe encore aujourd'hui des entreprises où le directeur d'usine est un bon technicien de la production, super-exécutant de consignes entièrement conçues par les directions centrales.

Parallèlement, les technologies dans tous les secteurs vont évoluer beaucoup plus rapidement que par le passé. Recherche et développement apparaissent dans des entreprises où l'innovation était faible. Partout, on voit apparaître automatique, informatique, plus tard robotique, conception assistée par ordinateur, conception de fabrication assistée par ordinateur, etc. C'est pour mieux répondre à une demande à la fois plus diversifiée et plus exigeante du client. Toutefois, bien évidemment, le concept de qualité sera dans un premier temps, un concept rationnel d'ingénieur avec une direction centrale de la qualité et une nouvelle science, « la qualétique » : Taylor n'est toujours pas mort !

Mais les évolutions techniques et économiques n'expliquent pas tout. En mai 68, un événement important se produit en France : c'est une cassure entre deux générations, celle du *baby-boom* et celle de ses parents. Contrairement au journal *Le Monde* qui titrait quelques jours avant mai 68 : « La France s'ennuie », nous étions quelques-uns, dans l'industrie, à sentir venir ce clash depuis quelques années. D'un côté, une génération qui avait connu la guerre, avait travaillé dur à la sortie de celle-ci, avait construit une industrie productive correspondant aux besoins de son époque. Une génération assez moralisatrice, peu ouverte au dialogue, imperméable au sens de l'humour, respectueuse de l'ancienneté, pas très novatrice, très centralisatrice. De l'autre, une génération élevée à la fois dans le confort et dans les idéologies (Marx, Freud, Sartre, Nietzsche, etc.), contestataire de tout ce qui ressemble à de l'autorité, à des principes, à des règles sociales, utopiste, syndicalisée (mais plutôt CFDT), politisée (mais plutôt PSU). Tout pour que la cocotte-minute explose, mais explose pacifiquement (un seul mort par accident à Lyon). Une fausse révolution, si l'on en juge aux victimes, mais une révolution considérable dans les esprits.

La CGT a tout fait pour stopper le mouvement. N'ayant pu le faire, elle en a pris la tête et a dévoyé rapidement le sens de la révolte. D'une interrogation sur le sens du travail, de la vie, des institutions, de l'autorité, on en est venu à Grenelle avec les bonnes revendications « classiques » de la CGT : argent, congés, retraite. En apparence, rien n'avait changé, le travail a repris avec une vigueur accrue (nous nous souvenons avoir battu tous nos records de production en juin 68 !) et la France a élu une chambre bleu horizon. En fait, rien n'était plus comme avant. On commençait à créer des clubs « Amélioration des conditions de travail », des directions de relations humaines ; on formait les jeunes cadres avec les théories de Maslow, Mac Gregor et Herzberg. Ces jeunes cadres soixante-huitards n'ont pas souvent utilisé cet apport pour changer les rapports de pouvoirs en dessous d'eux mais ils ont revendiqué au-dessus d'eux la décentralisation des pouvoirs, la satisfaction de leurs besoins autres que matériels (estime, accomplissement, sécurité, appartenance), la concertation, le dialogue, etc.

C'est le début du « jeu à trois » : Direction-Syndicats-Encadrement. C'est à la même période que l'on voit les premières réorganisations casser les anciennes directions, tayloriennes dans l'esprit : direction de production, direction commerciale, direction scientifique, direction du contrôle de gestion, direction centrale du personnel, etc. faire apparaître des centres de profit intégrés, liés à une ligne de produit, et transformer certaines entreprises en fédération de PME au sein desquelles l'encadrement se sent plus de responsabilité. Finalement, c'est le groupe social des cadres qui sort gagnant de mai 68 et de la révolution technologique qui a commencé à peu près à la même époque. Même si la loi sur la concertation avec les cadres n'a pas été un grand succès - mais peut-on décréter la concertation par voie législative ? - le mouvement était lancé. D'ailleurs comment les directions d'entreprises auraient-elles pu se passer du concours actif de ces jeunes, sortis de plus en plus nombreux des nouvelles grandes écoles créées pour former les ingénieurs électroniciens, informaticiens, roboticiens ainsi que les diplômés d'ESCAE, financiers, contrôleurs de gestion, hommes de marketing, etc. ?

De 1970 à 1983, le jeu à deux recule au profit du jeu à trois et le pouvoir syndical s'effrite peu à peu, notamment la CGT qui accompagne avec un léger retard le recul politique du PC. La CFDT résiste mieux parce qu'elle a recruté dans les milieux techniciens et ingénieurs, plus intellectuels, et que, justement, le poids de l'intelligence monte dans les entreprises. Également parce qu'elle a mieux « anticipé » les changements économiques, techniques et sociaux, qu'elle a compris que les problèmes de partage ou de diffusion des pouvoirs étaient les plus cruciaux et que le dogme marxiste de la lutte des classes commençait à vieillir et à scléroser toute l'action syndicale.

Entre-temps, les deux chocs pétroliers, sans être responsables du nouvel état économique, précipitent son avènement et achèvent de transformer l'environnement technico-économique des entreprises. Le client est vraiment roi, il faut le conquérir par l'innovation et le fidéliser par la « qualité totale ». Ce nouveau concept est incompatible avec celui d'une direction centralisée de la qualité, telle que Taylor l'aurait conçue et que ses adeptes l'ont réalisée. Mais l'implication de l'encadrement lui-même n'est pas suffisant, c'est tout le personnel qui doit s'engager dans cette nouvelle bataille dont dépendent la survie et le développement des entreprises.

Or, commence à arriver dans les entreprises une nouvelle génération post-soixante-huitarde. Cette génération n'a pas connu vraiment la période de la facilité. Dès qu'elle a été en état de s'intéresser à la vie économique, à son avenir professionnel, elle n'entendait parler que de crise, de chômage, de fermetures d'entreprises, de Japonais conquérants, de transfert d'activités dans des pays à main-d'œuvre peu onéreuse, etc. Cette génération est peu politisée, peu syndicalisée (pour ne pas dire plus), inquiète, réaliste parfois jusqu'au cynisme, mais elle n'a pas envie d'être victime des circonstances. Elle est potentiellement prête à s'engager dans la participation à la bataille de la qualité et de la compétitivité... si elle y trouve son compte.

Certaines entreprises ont depuis le début des années 80, et particulièrement depuis fin 83 début 84, compris qu'il était impératif de s'engager dans le « jeu à quatre » : Direction-Syndicats-Encadrement-Personnel. Elles considèrent que l'engagement de tout le personnel est la seule voie de salut, pensent que l'encadrement a un rôle irremplaçable à jouer pour y parvenir mais que l'abaissement du rôle des syndicats aboutirait à un vide, dangereux à terme. On sait que la nature a horreur du vide et qu'une « coordination sauvage » est plus imprévisible dans une négociation qu'un syndicat avec lequel on a des relations régulières. Toutefois le poids du passé joue et certaines directions d'entreprises s'engagent à fond dans un nouveau jeu à trois, Direction-Encadrement-Personnel. Dans les deux cas, la question qui se pose est de savoir si l'encadrement sera un frein ou un accélérateur de la mise en action du personnel : c'est un problème de pouvoirs qui ne peut être éludé.

Peut-on faire un bilan de l'état d'évolution des entreprises sur le plan de l'organisation comme sur le plan du climat social ? Sur le plan de l'organisation, il y a encore des organisations très tayloriennes avec siège hypertrophié, grandes directions fonctionnelles, réflexes d'économie de production, difficultés à répondre vite aux changements du marché, à faire passer dans les faits le concept de qualité totale, nombre important d'échelons hiérarchiques. Dans ces entreprises la politique sociale et humaine reste encore très axée sur une stratégie défensive vis-à-vis des revendications syndicales (la CGT est encore souvent majoritaire). D'après certains sociologues, ce modèle représenterait à peu près 20 % des entreprises françaises.

Certaines entreprises jouent à fond la carte de l'encadrement (agents de maîtrise compris), se préoccupent de la formation humaine de la maîtrise, donnent à cet encadrement le maximum d'information, cherchent pour lui des formules motivantes de rémunération et d'intéressement, ont le souci de lui assurer une carrière intéressante. Le problème est que cet encadrement est souvent de tempérament plus technicien qu'animateur, se saisit des pouvoirs lâchés par la direction mais ne les délèguent pas, et que la motivation et l'implication du personnel peuvent rester faibles. D'après les mêmes sociologues, ce modèle représenterait 75 % des entreprises françaises.

Enfin, un petit nombre d'entreprises, 5 % d'après les mêmes sources, ont réussi à bâtir des organisations, des articulations de pouvoirs, des systèmes d'autorité, qui permettent à chacun de jouer un véritable rôle d'acteur dans l'entreprise. Ces entreprises se révèlent innovantes, réactives, résistantes dans la difficulté. Le climat social y est dynamiquement stable, c'est-à-dire que les nécessaires tensions (là où il n'y a pas de tension, il n'y a pas de courant !) s'y résolvent positivement, sans drame, entre adultes capables de s'opposer sans attaquer les personnes, en vue d'améliorer le fonctionnement de l'entreprise. Le challenge ne tourne pas en stress, les oppositions en guerres, les difficultés en drames. Le dialogue est permanent et l'écoute réelle. Il s'agit le plus souvent d'entreprises de taille moyenne.

Dernier élément qui permet de se faire une opinion sur le climat social des entreprises : les interviews, enquêtes et sondages sur la motivation du personnel. Notre expérience professionnelle, la communication que nous avons eue de la part d'entreprises amies, des résultats d'enquêtes d'opinion portant sur leur personnel ainsi que les résultats de travaux de sociologues d'entreprises nous conduisent à estimer, qu'il y a globalement en France :

– entre 30 et 35 % du personnel qui estime recevoir suffisamment de l'entreprise pour « jouer » avec elle sans états d'âme (ce qu'il reçoit est un cocktail dans lequel entrent la rémunération, l'intérêt du travail, le statut social, le sentiment d'utilité, etc.) ;

– entre 35 et 40 % du personnel, déçu, malheureux, démotivé mais qui espère toujours trouver dans le travail réponse à des besoins de valeur, de sécurité, d'autonomie, de convivialité, de communication, de participation. Ce personnel attend quelque chose qui ne vient pas ; il a tendance à en rendre responsable soit son chef direct soit l'entreprise ou la direction ;

– entre 5 et 10 % du personnel qui fait partie des opposants systématiques, irréductibles, que ce soit pour des raisons idéologiques, corporatistes, sociologiques ou psychologiques ;

– enfin 20 % environ (chiffre régulièrement croissant depuis quelques années à l'inverse de la catégorie précédente) qui représente ce qu'on pourrait appeler les « planqués », ceux qui vivent dans l'entreprise en parasites. Ceux-ci n'investissent aucune énergie dans l'entreprise qui ne leur sert que de cocon social. Ils ne contestent pas mais pratiquent la politique de l'édredon. Ils font semblant de faire mais en font le moins possible, attendent l'ordre et le contrordre, exécutent en riant intérieurement les consignes les moins pertinentes au lieu d'essayer de les infléchir, et se réalisent à l'extérieur. Là, ils se montrent souvent bons conseillers municipaux, excellents présidents d'associations, chefs d'une entreprise travaillant au noir, organisateurs de loisirs ou de sports, etc.

Tel semble être l'état des lieux en 1990, à trois ans de l'Europe (si elle se fait telle qu'elle était prévue, ce qui n'est pas sûr du tout) mais, en tout état de cause, en plein nouvel état économique avec des Allemands, des Japonais, des Coréens, des Américains du Nord, des Chinois, etc., avec des nations toutes décidées à tirer leur épingle du jeu.

Aucun pessimisme dans ce constat, puisque potentiellement il y a 35 à 40 % de personnel motivable, qu'on est au taux le plus bas possible de contestations (l'absence de contre-pouvoirs serait dangereuse) et qu'on n'est pas obligé de recruter ou de conserver des planqués. Reste à changer nos organisations, nos systèmes d'autorité, nos comportements, nos répartitions de pouvoirs, nos processus de décision, pour rendre nos entreprises plus performantes et notre personnel plus satisfait.

Si, au pessimisme apparent de l'intelligence, nous joignons l'optimisme de la volonté, tout est permis car notre main-d'œuvre recèle de grandes richesses potentielles d'initiative, de créativité et d'autonomie.

Résumé

Face au nouvel état économique, les entreprises ont diversement évolué. Peu d'entre elles réussissent à mobiliser tout le personnel en pratiquant un « jeu » intégrant les quatre composantes, Direction, Encadrement, Syndicats et « Base ». La plupart en sont restées au jeu à trois : Direction-Encadrement-Syndicat. Les moins évoluées pratiquent encore le jeu à deux : Direction-Syndicats ; ce sont celles qui sont restées le plus tayloriennes.

La capacité de mobilisation des salariés est encore considérable car un grand nombre d'entre eux ne demandent qu'à être motivés. Il faut toutefois faire attention à la croissance, lente mais régulière, des « planqués », véritables passagers clandestins de l'entreprise.

CONCLUSION DE LA PREMIÈRE PARTIE

Au cours de cette première partie, nous avons pu constater que les entreprises modernes se trouvaient dans une situation économique et sociale qui avait évolué considérablement dans les vingt-cinq dernières années. Faute de s'y être adapté, un certain nombre d'entre elles a déjà disparu. Les autres s'efforcent de s'adapter et beaucoup ont compris l'importance de la stratégie commerciale, de l'excellence technique, sans parler de la gestion qui est devenue un domaine qu'aujourd'hui les entreprises maîtrisent généralement bien. Reste le domaine social et humain que l'immense majorité des entreprises est loin d'avoir maîtrisé. Il s'agit de conduire une évolution importante dans les conceptions et dans les pratiques du management des hommes au sein de nos entreprises, évolution nécessitée à la fois par les exigences des hommes et par les contraintes des entreprises. Ceci requiert une vision lucide des buts à atteindre, une méthode et des changements de comportement dans la direction et l'encadrement des entreprises. Pour ce qui concerne la nécessité de changer, les réponses à la question « pourquoi ? » (pourquoi changer ?) ne manquent pas et sont de mieux en mieux perçues par les acteurs de l'économie. Reste à savoir en quoi changer, comment changer, par quoi commencer ?

C'est ce qui va maintenant nous occuper dans les autres parties de cet ouvrage.

Deuxième partie

« EN QUOI CHANGER ? »
L'ÉLABORATION D'UNE POLITIQUE SOCIALE ET HUMAINE D'ENTREPRISE

Les contraintes technico-économiques de l'entreprise sont une donnée inévitable. Elles conduisent à exiger davantage du personnel, à tous les niveaux, plus de professionnalisme, plus d'engagement, plus de solidarité, plus de performance individuelle. Mais l'homme est un être pourvu de libre arbitre et rien ne pourra le forcer à donner plus s'il ne le veut pas vraiment. L'exercice du rôle hiérarchique implique une adhésion libre du subordonné, faute de quoi il conduit à une illusion de pouvoir. Au fait, le Pouvoir, est-ce que cela existe vraiment ? Pour que cela soit, il faudrait qu'il n'y ait pas de contre-pouvoirs. Or la tyrannie, le totalitarisme, l'autocratisme, se heurtent toujours à l'un, au moins, de ces contre-pouvoirs, celui de la force d'inertie : il consiste à en faire le moins possible en faisant semblant de faire ! En outre, l'usage permanent de la force dans les relations hiérarchiques rend les chefs sourds et les subordonnés muets, ce qui coupe la communication, éloigne le chef de la réalité et accentue le danger qu'il court en exerçant son rôle de responsable.

L'obéissance est un acte d'êtres libres et motivés. Sauf en période de danger mortel peut-être, on n'obéit pas sans une adhésion de l'être, adhésion de l'intelligence et de la volonté. Une politique sociale et humaine d'entreprise doit donc viser à développer les motivations de l'homme au travail pour qu'en tout usage de sa liberté, il réponde aux nouvelles exigences de l'entreprise, telles qu'elles nous sont apparues au chapitre 2 de cet ouvrage. Elle doit viser également à organiser l'entreprise pour que les hommes au travail aient les moyens d'agir, le pouvoir d'agir et de réagir, les informations nécessaires, cto.

En fait, la complexité des phénomènes en jeu - évolution des métiers, incertitude des marchés, libre arbitre et motivation des hommes, contraintes accrues de la concurrence - font qu'il est plus que jamais besoin d'élaborer une philosophie d'entreprise avant d'entreprendre l'élaboration d'une politique sociale et humaine cohérente avec les politiques commerciales, financières, techniques, etc. Plus le monde est incertain, moins on peut planifier l'action. Mais moins on peut planifier l'action, plus il faut réfléchir de façon prospective, anticiper, et plus on a besoin d'une philosophie commune car dès qu'une opportunité se présente, on est alors prêt, c'est-à-dire préparé, entraîné, sans états d'âme. L'entreprise moderne doit avoir les réflexes du serpent, pas la lourdeur du brontosaure. Mais l'entreprise n'est pas une mécanique, c'est une communauté d'hommes libres. Voilà qui nécessite bien une réflexion philosophique. C'est ce que préconisait Gaston Berger quand il disait, il y a une trentaine d'années à une assemblée de chefs d'entreprises, au cours d'une conférence prononcée à Aix-en-Provence pour « Les Amis de l'Université » : « Vous devez être des philosophes en action ».

Au cours de cette deuxième partie, nous nous efforcerons de dégager les principes d'une philosophie d'entreprise, avant d'identifier les axes du nécessaire changement et les rôles des différents acteurs de ce changement.

Chapitre 5

ÉLÉMENTS D'UNE PHILOSOPHIE D'ENTREPRISE

PHILOSOPHIE ET IDÉOLOGIES

Le terme de philosophie fait peur à beaucoup de responsables d'entreprises, de cadres dirigeants, de membres de mouvements patronaux. Pourtant, « philosophie » veut dire « amour de la sagesse », et se comporter sagement ne nous paraît pas être un objectif dérisoire. La Grèce antique avait un véritable culte de la mesure et de la sagesse ; elle l'opposait à la démesure qui lui semblait être la caractéristique de la barbarie. La nouvelle barbarie, dont notre siècle aura été le théâtre à maintes reprises - génocide arménien, génocide juif, génocide cambodgien, révolution culturelle de Mao, extermination des koulaks, purges staliniennes, camps de concentration nazis et communistes - les exemples ne manquent pas, montre que le rêve scientiste du XIXe siècle était bien une utopie dangereuse. « Ouvrez une école, vous fermerez une prison » ; « Au XXe siècle, il n'y aura plus de guerre », etc.

Le XXe siècle a engendré d'autres idéologies que l'utopie scientiste (dont Taylor était un digne représentant, soit dit en passant). La caractéristique d'une idéologie est de vouloir expliquer l'homme par un aspect de sa complexe nature, de bâtir un système logique sur ce seul aspect (ce qui « réduit » l'homme) et le plus souvent d'utiliser ce système comme une véritable machine de guerre, en pratiquant, dans le plus anodin des cas, le terrorisme intellectuel, dans le pire, le totalitarisme le plus sanglant. L'idéologie est toujours réductionniste et très souvent totalitaire.

Un philosophe digne de ce nom ne peut être que réaliste, c'est-à-dire qu'ayant médité sur son expérience, ayant pris du recul et élaboré une sagesse, il doit en permanence confronter sa pensée avec la réalité et remettre en cause ses certitudes si les faits leur donnent tort. Cela demande beaucoup d'humilité, beaucoup d'attention à l'expérience des autres, beaucoup de lecture et beaucoup d'écoute. La sagesse n'est pas le fruit de l'agitation, du bruit, de la hâte. Elle exige de faire retraite par moment, de confronter dans le calme sa pensée à celle des autres, de l'écrire pour mieux la mettre en forme ; toutes choses que l'homme pressé de cette fin de siècle semble trouver inopportunes. Pourtant Gaston Berger conseillait aux chefs d'entreprises d'être des philosophes en action, c'est-à-dire de rester des hommes d'action mais de prendre le temps de réfléchir pour élaborer une sagesse pratique, utile à leur fonction.

Que peut-il en être d'une philosophie d'entreprise ? Que doit-elle prendre en compte ? L'homme certainement puisqu'il est l'acteur omniprésent du monde économique ; la réalité du travail puisque l'expérience du travail semble être une spécialité humaine dans notre planète ; la réalité spécifique de l'entreprise, lieu du travail en coopération organisée, par opposition à la profession libérale ou à l'artisanat, et, pour finir, les liens de l'entreprise avec son environnement sociétal. Nous ne prétendons pas ici faire un traité de philosophie d'entreprise mais donner simplement à des managers ou futurs managers d'entreprises des éléments de réflexion pour les aider à devenir, chacun à son niveau, ces philosophes en action prônés par Gaston Berger. Toutefois, nous ne pensons pas devoir réserver cette méditation, cette recherche de sagesse, aux seuls chefs d'entreprises. Nous avons l'occasion à maintes reprises d'aborder ces réflexions avec des cadres, des agents de maîtrise, des ouvriers et employés, des syndicalistes et nous pouvons dire par expérience que l'intérêt est toujours soutenu, à la seule condition d'utiliser un vocabulaire simple et de donner quelques définitions utiles. En revanche, nous constatons et nous ne sommes pas seul à le faire que toutes les théories explicatives de l'entreprise ont été généralement sous-tendues par une idéologie.

Nous conseillons vivement la lecture de l'excellent ouvrage de Philippe Bernoux, *La sociologie des organisations**, dans lequel il montre bien l'influence des idéologies - individualisme, hédonisme, scientisme, rationalisme -, les tentatives de rationalisation du facteur humain par la psychologie, dans l'établissement des différents « modèles » que des hommes, certainement de bonne volonté, comme Taylor, Mac Gregor et consorts, ont cherché à imposer aux entrepreneurs pour le plus grand bien de leur entreprise !

Notre propos est infiniment plus modeste. Nous pensons fermement qu'il n'y a pas de modèle d'entreprise, qu'il n'y a jamais de succès définitif, que le triomphalisme est toujours dangereux, que rien n'est jamais acquis. Mais nous pensons également que la réussite des entreprises est, pour la société tout entière, quelque chose de trop important pour ne pas essayer d'y voir un peu plus clair, et c'est ce que nous allons essayer de faire dans les pages suivantes, en nous appuyant davantage sur l'expérience que sur les idées.

QUELQUES RÉFLEXIONS PRATIQUES SUR L'HOMME

Chaque homme est un être unique, une personne qui a sa propre manière de penser, ce qui explique les problèmes de communication entre les personnes, ses façons d'agir et de réagir aux événements, ses tics, ses manies, ses goûts et ses dégoûts. Même les vrais jumeaux, dont le patrimoine génétique est identique à la naissance, se ressemblent de moins en moins, physiquement, psychologiquement, intellectuellement, moralement, spirituellement, au fil des ans.

Est-ce à dire qu'il n'y a pas de points communs entre les hommes ? Certes non, et nous disons tous couramment, « les Allemands sont comme cela », « les protestants ou les catholiques sont ainsi » et de même pour les sportifs, les artistes, les médecins, etc. Cela signifie que nous avons, au cours de notre vie, subi ou choisi des situations liées à notre famille, à notre région, notre pays, notre religion, notre formation scolaire et professionnelle, etc. Le problème important est de savoir si ces conditions de vie, qui ont été notre lot, nous ont déterminés ou nous ont simplement influencés.

La sagesse populaire nous donne la réponse à cette question, en nous disant à propos de l'homme, ce qui, à première vue, semble être tout et le contraire de tout ! Par exemple au dicton « Tel père, tel fils » s'oppose le dicton « A père avare, fils prodigue ! » auquel on peut tout de suite rajouter « Chassez le naturel, il revient au galop ! » La sagesse populaire est dans le vrai. L'influence familiale peut être forte *(tel père, tel fils)* mais le comportement du père peut révolter le fils *(à père avare, fils prodigue).* Mais cette révolte peut être de courte durée s'il existe chez le fils une tendance lourde innée *(chassez le naturel, il revient au galop).*

Ce qui veut dire que l'homme est bel et bien conditionné mais que le conditionnement ne le détermine pas ; l'homme garde toujours une capacité de libre arbitre. Un exemple : le conditionnement biologique est une réalité, l'homme est un mammifère mais tout mammifère autre que l'homme, posant sa patte sur une plaque brûlante la retirera instantanément. L'homme peut volontairement se brûler, ce qui ne l'empêche pas d'avoir mal.

Ce qui explique également l'ambiguïté du terme de liberté. Nous préférons, pour notre part, utiliser le terme de libre arbitre pour parler de l'action de choisir et celui de liberté pour l'état de moins grande dépendance. Sinon, il y aurait équivoque et même contradiction. Mon libre arbitre me donne la possibilité d'accepter ou non de renifler de la cocaïne. Si dans l'exercice de ce libre arbitre, je prends à plusieurs reprises cette drogue, je deviens dépendant, accroché (« accro » comme disent les drogués), c'est-à-dire que ma liberté diminue. Paradoxalement, l'homme est libre de devenir esclave : dure condition que la nôtre !

De même, nous sommes dotés d'un capital génétique original provenant d'une recomposition des gènes de nos ancêtres. Cela nous donne incontestablement des tendances, des prédispositions, des potentialités et des limites. Mais cela seulement, car si l'inné est une réalité, nous pouvons, par notre libre arbitre, choisir de développer ou de laisser en friche chacune de ces potentialités. D'ailleurs, si nous en croyons tous les ouvrages récents sur la complexité du cerveau humain, sur l'importance des connexions possibles entre les neurones (50 000 milliards !) et la diversité des processus de transmissions chimiques par le biais de ces connexions, l'homme recèle certainement en lui beaucoup plus de potentialités qu'il ne peut en développer en une longue vie de dur labeur ! C'est pourquoi il exerce son libre arbitre et fait des choix.

Conditionnement biologique et génétique, l'inné est une réalité. Expliquer de façon déterministe tout l'homme par ce conditionnement est une idéologie : Hitler, au nom de la pureté de la race aryenne, a mis le monde à feu et à sang.

Mais nier ce conditionnement est une autre forme d'idéologie. Prétendre qu'on peut changer totalement l'être par l'éducation, conditionnée d'une certaine manière, est une absurdité que Staline a voulu imposer à l'Union Soviétique. Et il s'est trouvé de pseudo-savants pour l'appuyer dans son rêve sanglant de construire « l'homo sovieticus ». Ce qui ne veut pas dire que l'éducation n'exerce pas une influence, le contraire est trop évident.

Il faut donc bien admettre, en toute humilité, que l'homme est un être à la fois libre et conditionné, et, en outre, que ses conditionnements sont multiples et d'ordre très divers. Une très grande quantité de facteurs nous ont influencés et nous influencent depuis notre conception, notre hérédité, notre lieu de naissance, l'époque de notre naissance, notre milieu social, l'histoire de notre famille, notre école, notre religion, notre race, notre nation, notre destin personnel, nos rencontres, nos accidents de parcours, notre métier. Mais à chaque instant, notre libre arbitre nous permet de poser des choix, de garder notre zone d'autonomie. Entre la complexité de nos conditionnements et cette capacité de libre arbitre, qui pourrait prétendre nous expliquer de l'extérieur ? Aucun astrologue, chirologue, morphopsychologue, caractérologue, sociologue, ethnologue, psychologue ne peut en avoir la prétention sinon de façon abusive. Et pourtant, ne voit-on pas fleurir les gourous de toutes sortes et souvent les chefs d'entreprises succomber à leur charme maléfique ? Écoutons plutôt l'humoriste G.B. Shaw nous dire : « L'homme le plus intelligent que je connaisse, c'est mon tailleur car chaque fois qu'il me voit, il reprend mes mesures ! » Sous-entendu : les autres m'ont définitivement mesuré, catalogué, enfermé dans un jugement. Les sciences humaines ont, toutes, eu cette tentation d'expliquer l'homme et l'on rencontre aujourd'hui encore des psychologues, des psychosociologues, des sociologues, des caractérologues qui se montrent impérialistes, idéologues, réducteurs et totalitaires. Mais l'honnête homme du XXe siècle, rien qu'à considérer le nombre et la diversité de ces sciences humaines, peut les remettre à leur juste place, qui consiste à nous alerter humblement et utilement sur les différents aspects du conditionnement de l'homme et à nous éviter en conséquence la tendance redoutable à projeter sur les autres nos propres modes de fonctionnement ou à refuser les leurs au nom de nos références. Souhaitons que le développement de ces sciences humaines ne nous masquent jamais la réalité profonde de l'existence chez l'homme d'une capacité de libre arbitre, rempart contre toutes les idéologies réductrices et totalitaires.

Cette réalité du libre arbitre de l'homme lui confère une insécurité d'espèce que ne semblent pas connaître les autres vivants, guidés par un instinct vital sûr. L'homme peut se détruire et peut détruire les autres. C'est pourquoi, dès les premiers écrits de l'homme, mis à jour en Mésopotamie, on trouve, gravées dans la pierre, les normes à respecter pour que la société se perpétue. L'homme est un être unique mais c'est un être social ; il a besoin de la société pour vivre, se développer, s'accomplir et la vie en société exige des règles du jeu. Dans *L'Enracinement,* Simone Weil va plus loin en affirmant : « Un homme qui serait seul dans l'univers n'aurait aucun droit, mais il aurait des obligations ». C'est-à-dire des devoirs envers lui-même. Nous avons, avec l'exemple de la drogue, montré qu'un usage non régulé du libre arbitre peut aboutir à priver l'homme de sa liberté. Notre propos n'est pas de disserter des fondements supposés de la morale mais simplement de constater que la notion de Bien et de Mal, la nécessité de normes à respecter, a existé dans toutes les sociétés et que les civilisations qui ont renoncé à respecter des règles en sont mortes, comme l'attestent l'histoire et l'ethnologie. L'homme est donc un être qui ne peut éluder le problème de la morale et l'expérience nous montre que la dimension morale existe dans l'entreprise et dans les relations que l'entreprise a avec ses clients, ses fournisseurs, ses épargnants, son environnement, etc. Le travail, en soi, n'a pas de dimension morale mais le fait que l'entreprise soit une communauté d'hommes travaillant pour d'autres hommes, avec l'épargne d'autres hommes, pose des problèmes d'éthique. L'homme, être unique, être social, être à la fois conditionné et libre, est également un être moral.

Enfin, l'homme est un être spirituel, métaphysique par nature, puisqu'il se pose la question du sens de la vie, de la souffrance et de la mort. Les collectivités humaines n'ont pas de destinée éternelle. Le fait que l'homme se pose depuis toujours la question : « Ai-je une destinée éternelle ? », quelle que soit la réponse qu'il donne, montre les limites de l'emprise qu'une collectivité peut légitimement se donner sur l'homme. Même si l'homme, pour vivre, est obligé de vivre en société et donc d'accepter des règles du jeu, sa destinée éternelle potentielle fait qu'il ne peut pas se considérer comme finalisé par la société. L'homme veut bien tenir pour normal de servir la société, à la condition que la société elle-même soit au service de l'homme, qu'elle le considère comme sujet et non comme objet. Dans son livre, déjà cité, *La sociologie des organisations,*⋆ Philippe Bernoux, bien qu'il se garde en honnête sociologue de toute entrée dans le domaine moral ou spirituel, précise que l'analyse stratégique admet comme premier postulat que « les hommes n'acceptent jamais d'être traités comme des moyens au service de buts que les organisateurs fixent à l'organisation ». Postulat ou constat qui confirme que l'homme veut être sujet et non objet de tout groupe social, car il se sent une vocation propre, un projet personnel et souvent comme le dit Simone Weil, « une destinée éternelle ». Notre philosophie d'entreprise implique donc une philosophie de la personne, reconnaissant l'homme comme libre, pourvu d'une conscience morale, poursuivant une vocation personnelle et prêt à jouer un rôle d'acteur dans sa communauté de travail.

L'HOMME ET LE TRAVAIL

Le travail, comme la vie morale, semble bien être une spécialité de l'homme en ce sens que l'homme, par le travail, ne se contente pas, comme l'animal, d'assurer sa subsistance en suivant son instinct vital. L'homme, en travaillant, démontre une activité créatrice, transforme le monde, l'humanise, fait progresser la science, la culture, la santé, l'art ; il s'affirme sujet et non objet, faisant progresser les techniques, créant des biens nouveaux. Mais l'homme, ne pouvant faire lui-même tout ce dont il a besoin, se sert de son travail comme d'une monnaie d'échange pour se donner la possibilité d'être également consommateur. Le travail a donc une double finalité ; il permet à l'homme de vivre par sa dimension économique mais il lui permet également de réaliser sa vocation créatrice. Marx et Taylor ont postulé l'un comme l'autre que l'entreprise dégagerait ses plus grands profits en réduisant le travailleur à un rôle de simple exécutant ; ce faisant, ils ont commis la même erreur : croire que l'organisation ou la rationalisation prime sur l'ingéniosité, la créativité, la responsabilité de l'homme. Taylor souhaitait cette rationalisation pour que la productivité permette à l'ouvrier d'avoir de meilleurs salaires. Marx y voyait un projet de la classe dominante, la bourgeoisie, et appelait les prolétaires à secouer son joug. Les événements ont prouvé leur commune erreur : les pays d'économie de marché sont en train de se débarrasser d'un taylorisme qui a mutilé la créativité des salariés et affaibli les entreprises. Quant aux pays socialistes, ils ne semblent pas avoir, c'est le moins qu'on puisse dire, offert à leurs ressortissants les lendemains qui chantent. Une philosophie réaliste de l'entreprise doit donc prendre en compte à la fois la dimension économique du travail et sa dimension créatrice, facteur de réalisation pour l'homme.

QUELQUES RÉFLEXIONS PRATIQUES SUR L'ENTREPRISE

Le philosophe s'intéresse par nature plus aux fins qu'aux moyens. En proposant aux chefs d'entreprises de devenir des philosophes en action, Gaston Berger voulait éviter que l'action ne les entraînât à s'intéresser trop aux moyens et à s'enliser dans le court terme, ce qui est une tentation bien fréquente : celle de sacrifier l'important à l'urgent, le long terme au court terme, de confondre les buts et les moyens.

Quelle est la finalité ou quelles sont les finalités de l'entreprise ? Si on considère l'entreprise comme une cellule de société, on pourrait dire que l'entreprise est un lieu où l'homme, être social, se réalise ; mais c'est alors le cas de toutes les cellules de société, famille, école, association, club, cité, etc. L'entreprise a bien un rôle particulier et nous l'avons décelé en constatant que l'homme ne peut « faire » lui-même tout ce qu'il consomme : il a donc nécessité d'échanger. La première fois qu'un chasseur a échangé un cuissot d'aurochs contre quelques silex taillés par un artisan, il a créé avec son partenaire la relation client-fournisseur qui est à la base de l'existence des entreprises.

Dire que le profit est la finalité de l'entreprise nous paraît donc philosophiquement parlant une grosse sottise. La finalité principale et particulière de l'entreprise, c'est de fournir aux clients des biens ou services dont celui-ci est prêt à faire usage et pour lesquels il est donc prêt à payer le prix. Que le profit soit une motivation des entrepreneurs, des épargnants et des salariés eux-mêmes, c'est incontestable mais ce n'est pas la seule. Que le profit soit un moyen pour l'entreprise de vivre, de se développer, de mieux satisfaire les clients, les épargnants, les salariés, de contribuer à la vie de la cité, c'est non moins incontestable mais cela ne permet pas d'affirmer que le profit est la finalité de l'entreprise. En outre, il est toujours, réalistement parlant, dangereux de prendre directement le contre-pied d'un élément du patrimoine culturel des hommes. Or on dit : « L'argent est un bon serviteur et un mauvais maître », c'est-à-dire un bon moyen mais pas une bonne fin. Il nous semble donc que la philosophie réaliste d'entreprise doit éviter de parler du profit comme d'une fin, ce qui permettra de lui redonner toute sa place comme moyen et comme instrument de mesure, parmi d'autres, de la bonne santé de l'entreprise. On peut dire que la relation client-fournisseur fonde de manière réaliste la finalité la plus importante de l'entreprise.

Mais nous observons également que l'entreprise ne peut exister sans outil de travail, ce qui implique investissement, immobilisation, constitution d'un actif qui se pérennise. C'est dire que l'épargne est une réalité indissociable de l'existence des entreprises. Une société humaine, où toute richesse est consommée, ne peut créer de nouvelles entreprises, renouveler et moderniser celles qui existent. Quand les groupes humains vivent en prédateurs les uns sur les autres, ils ne créent rien et ne progressent pas ; c'est le cas de certaines contrées sous-développées dont on se demande si elles ne régressent pas depuis que des pays plus développés leur ont apporté une protection ou une prévention sanitaire qui a contribué à détruire leur équilibre écologique, leur écosystème de prédateurs. Si les élites de ces pays ne cherchent qu'à devenir de super-prédateurs au lieu de devenir des créateurs de richesse, ces pays sont en danger de mort. L'épargne est donc un phénomène à encourager. L'entreprise a donc comme deuxième partenaire (le premier étant le client), l'épargnant, c'est-à-dire celui qui renonce à la consommation et l'immobilise dans l'entreprise. L'épargne a une valeur ; on parle de « loyer de l'argent » et, dans tous les pays, il y a des caisses d'épargne qui versent un intérêt, le loyer de l'argent, et garantissent à l'épargnant la sécurité de son capital épargné. L'entreprise ne peut garantir cette sécurité ; c'est pourquoi elle se doit de payer à l'épargnant, outre le loyer de l'argent, une prime de risque. Les dividendes, c'est le loyer de l'argent plus la prime de risque ! Il nous semble que ce langage, simple et réaliste, tenu sur l'entreprise est de nature à être compris par le plus grand nombre. Il évite d'utiliser le terme de capital qui déclenche, comme celui de profit, des réactions émotionnelles incontrôlables ! En outre, le terme de capital peut donner à penser qu'il y a des pays capitalistes et des pays qui ne le sont pas. Or la création d'entreprises exige toujours un capital, donc une renonciation à la consommation. Hitler, national socialiste, exprimait cela à sa façon en expliquant aux Allemands qu'avoir plus de canons impliquait d'avoir moins de beurre sur les tartines. Combien de fois n'avons-nous pas lu dans les journaux que les prix des magasins d'état en pays socialistes faisaient brutalement un saut quand les caisses étaient vides ? Il fallait bien effectuer une ponction sur la consommation pour investir ou payer les emprunts faits par l'État à la Communauté Internationale. Ce qui signifie bien que l'épargne, libre ou forcée, est un élément essentiel de la vitalité de l'économie. Nous conseillons donc aux chefs d'entreprises et à l'encadrement de ne jamais engager un débat idéologique sur les vertus comparées du socialisme et du libéralisme mais de parler dans l'entreprise le langage réaliste du client et de l'épargnant.

De même que celui du troisième partenaire indispensable, le salarié, celui qui vient apporter à l'entreprise, moyennant salaire, le concours laborieux de sa personne intelligente, créatrice, autonome, libre, responsable. « Il n'est de richesses que d'hommes » disait Jean Bodin, et l'entreprise doit l'inscrire dans sa philosophie. L'entreprise doit au salarié le prix de son travail. Mais peut-être n'est-il pas inutile de rappeler au salarié, compte tenu de certaines dérives, deux points importants. Tout d'abord, on peut dire que l'entreprise n'est que l'interface entre le client et le salarié pour ce qui concerne le paiement du travail. Certes, le paiement des biens et services achetés par le client ne sert pas uniquement à payer les salaires mais, en revanche, s'il n'y a plus de clients, il n'y a rapidement plus de salaires. Donc, en tout état de cause, les slogans du type « X... peut payer » ne veulent rien dire ou plutôt constituent une désinformation caractérisée : ce sont les clients de X... qui paient les salaires des ouvriers, des employés ou des cadres, même si la répartition des paiements des biens ou services peut effectivement varier entre la distribution aux épargnants, les rémunérations des salariés et les investissements destinés à améliorer le service des clients.

En second lieu, il est nécessaire de rappeler à certains salariés qu'ils sont payés pour leur travail, évalué en quantité et en qualité, et non pour le temps qu'ils passent dans l'entreprise ! On a parfois l'impression que la mensualisation, pour souhaitable qu'elle soit, a favorisé le comportement de planqués dans les grandes entreprises.

Ajoutons un élément. De même que l'épargnant reçoit la prime de risque en plus du loyer de l'argent, le salarié doit recevoir, en plus du salaire, la prime de développement si l'entreprise se développe effectivement par autofinancement sans faire appel au marché de l'épargne. L'intéressement est une sorte de créance des salariés sur l'autofinancement de l'entreprise.

En définitive, en dehors des liens que l'entreprise a avec ses fournisseurs, et qui sont l'envers des relations qu'elle a avec ses clients, on peut dire que les trois partenaires essentiels de l'entreprise sont le client, l'épargnant et le salarié, et qu'une entreprise en bonne santé fait en sorte que l'équilibre règne entre les trois. Une entreprise peut être tuée par des épargnants qui la pompent littéralement, par des salariés qui pensent être payés pour leur temps passé et non pour leur travail, par des clients trop puissants qui profitent de leur force pour pressurer leur fournisseur. L'équilibre entre les trois partenaires est signe de santé. C'est pourquoi, on peut se demander s'il n'est pas judicieux de séparer la direction de l'entreprise de la représentation des épargnants et si la formule « Conseil de surveillance-Directoire » n'est pas meilleure que la formule « Président-Directeur Général ». On voit également que le rôle bien compris de l'État n'est pas de se substituer à celui de la direction des entreprises mais de garantir aux trois partenaires la possibilité de s'unir pour défendre leurs intérêts légitimes, l'existence d'un droit propre à chacun (droit du travail, droit des consommateurs, droit des épargnants) et d'une magistrature indépendante pour le faire respecter. On peut aussi noter que les idéologies, quand elles traitent du monde de l'entreprise, oublient un des trois partenaires :

– le libéralisme pur et dur considérait au siècle passé que le salarié n'était qu'une marchandise comme les autres ;

– le marxisme, qui lui a répondu, parle sans cesse du capital et du travail mais omet le rôle essentiel du marché.

Dernière question philosophique : y a-t-il conflit entre le respect des hommes et les contraintes économiques ? Jean Moussé, dans son livre *Fondement d'une éthique professionnelle**, commence par citer Max Weber et sa distinction entre l'éthique de convictions (le respect de l'homme) et l'éthique de responsabilité (la bonne santé de l'entreprise) mais son analyse le conduit à affirmer qu'elles ne sont pas inconciliables. A notre avis, le problème n'est pas de concilier deux éthiques qui seraient différentes. L'éthique est la même dans ses principes (il s'agit du respect des hommes), mais le problème est que ce respect s'adresse à trois partenaires qui poursuivent, chacun, des buts différents. Autrement dit, il y a des entreprises où l'éthique n'est pas très présente, ce qui nous semble aller contre la nature humaine et porter en puissance des germes de destruction ; et il y a des entreprises où l'éthique est très présente, mais cette éthique est une éthique réaliste qui se traduit par des compromis sans cesse renégociés, puisque l'entreprise doit satisfaire trois partenaires : le client, l'épargnant et le salarié.

Pour conclure cette réflexion de philosophie réaliste sur l'entreprise, n'idéalisons pas l'entreprise, ni le monde économique. L'entreprise est une cellule de société qui a besoin d'épargnants pour se constituer et pour se pérenniser, mais c'est le client qui la fait vivre et, pour ce faire, il lui faut fournir au client biens ou services dans la perspective de la qualité totale. Comment le faire sans des salariés réactifs, créatifs, autonomes, professionnels, adaptables, etc. c'est-à-dire motivés pour jouer « avec » l'entreprise parce qu'ils y trouvent à la fois subsistance et réalisation de leur vocation créatrice ? Réalistement, on voit bien la complexité de la vie de l'entreprise qui répond à trois sollicitations différentes de trois groupes d'êtres humains, eux-mêmes complexes, avec des conditionnements psychologiques, sociologiques, biologiques en interactions et, pour couronner le tout, un libre arbitre, des préoccupations éthiques et des préoccupations métaphysiques !

Cela semble une gageure, après cela, de penser à élaborer une politique sociale et humaine d'entreprise et peut-être plus encore d'établir des priorités et de passer à l'action. Pourtant l'expérience montre que beaucoup d'entreprises, faute d'avoir entrepris cette réflexion de politique sociale et humaine appuyée sur une philosophie réaliste, se cantonnent dans une attitude purement défensive vis-à-vis des partenaires sociaux perçus beaucoup plus comme ennemis que comme partenaires, et s'enlisent dans de stériles combats de tranchées. D'autres se dispersent en opérations ponctuelles successives, sans continuité ni ligne directrice, adoptent le dernier gadget social à la mode, tantôt la dynamique de groupe, tantôt l'analyse transactionnelle, tantôt le recrutement basé sur la graphologie, tantôt le recrutement basé sur les signes du zodiaque ou la numérologie : dans ces domaines, on a déjà vu beaucoup et on n'a pas fini de voir tant la crédulité de certains chefs d'entreprises est grande dès qu'ils quittent le monde rationnel de la technique ou de l'économie.

Il nous semble, quant à nous, qu'il est possible d'améliorer à la fois l'efficacité de l'entreprise et le bien-être de ses salariés, en se fixant un certain nombre d'objectifs qualitatifs de progrès social et humain en cohérence avec les perspectives d'évolution technico-économiques de l'entreprise et c'est ce que nous allons proposer de faire dans les chapitres suivants. Mais ces objectifs de progrès social et humain, pour entraîner l'adhésion du plus grand nombre, doivent trouver leur source dans une réflexion philosophique réaliste comme le suggérait Gaston Berger, et nous pensons que les chefs d'entreprises ont intérêt à clarifier leurs propres idées pour pouvoir, chaque fois que cela est nécessaire, montrer quelles sont leurs références. Nous avons voulu par ces quelques réflexions les y aider.

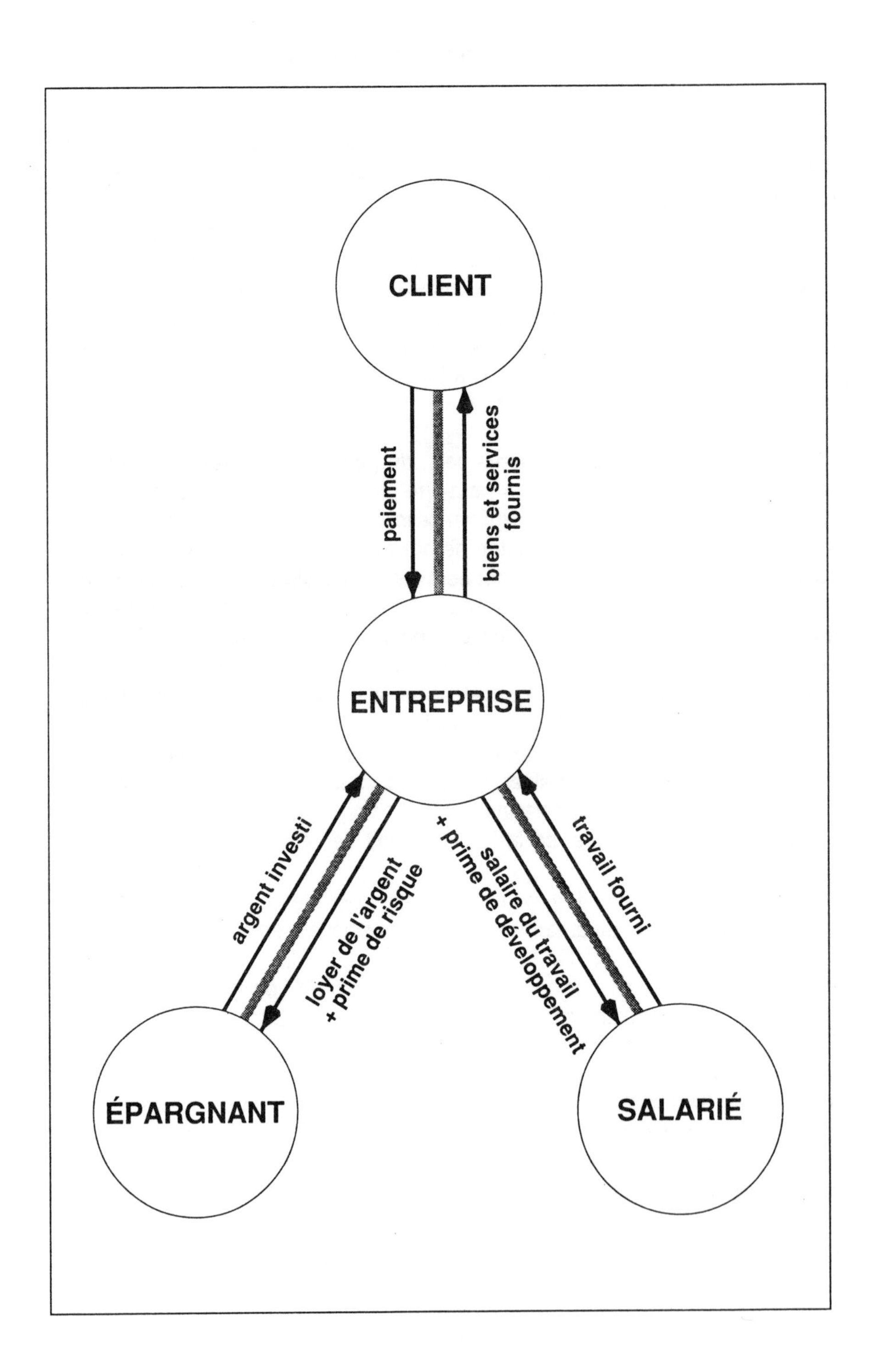
CLIENT
paiement
biens et services
fournis
ENTREPRISE
argent investi
loyer de l'argent
+ prime de risque
salaire du travail
+ prime de développement
travail fourni
ÉPARGNANT
SALARIÉ

Résumé

Il n'y a pas de politique d'entreprise qui ne soit sous-tendue par une philosophie ou une idéologie, implicite ou explicite.

D'un point de vue réaliste, la philosophie de l'entrepreneur passe par une réflexion sur la personne humaine, sur le travail et sur la cellule de société qu'est l'entreprise.

Le travail est une activité potentiellement créatrice dans laquelle l'homme peut et donc doit se réaliser.

La personne humaine est faite de conditionnement et de libre arbitre. Sa destinée ne se réduit pas à la vie professionnelle mais elle y puise des possibilités de se construire librement. La dimension éthique et spirituelle est inséparable de cette construction.

L'entreprise a pour finalité première le service du client. Elle s'appuie sur l'épargnant qui, en renonçant à la consommation, lui permet d'exister et sur le salarié qui, agissant en sujet et non en objet, lui fournit librement ses capacités créatrices.

L'éthique consiste à respecter les trois partenaires principaux de l'entreprise, ce qui exige des compromis sans cesse renégociés.

BIBLIOGRAPHIE

La sociologie des organisations
BERNOUX P.
Le Seuil, 1987

Éthique et management
BLANCHARD, PEALE
Les Éditions d'Organisation, 1988

Socrate et le business
KOESTENBAUM P.
Interéditions, 1989

Manifeste du Parti Communiste
MARX K.
Gallimard, 1963

Fondement d'une éthique professionnelle
MOUSSE J.
Les Éditions d'Organisation, 1989

Une éthique économique
NOVAK M.
Le Cerf, 1987

L'économie au défi de l'éthique
PUEL H.
Cujas/Le Cerf, 1989

Les principes de la direction scientifique des entreprises
TAYLOR F.-W.
Marabout, 1967

L'éthique protestante et l'esprit du capitalisme
WEBER M.
Plon, 1964

L'Enracinement
WEIL S.
Gallimard, 1990

Chapitre 6

ÉLÉMENTS D'UNE POLITIQUE SOCIALE ET HUMAINE MODERNE

Le chef d'entreprise qui a fait sa réflexion de philosophe réaliste d'entreprise sait que toute son efficacité dépend des acteurs que sont les salariés. Quelle que soit la pertinence de ses décisions et de celles de son encadrement, si la réalisation se révèle tardive, incomplète, non conforme à la qualité souhaitée, le résultat sera médiocre ou même catastrophique. Trop souvent, dans les formations premières et même dans les formations continues traitant des problèmes de management, on insiste abusivement sur la pertinence de la décision et on axe toute la réflexion des sessionnaires sur son optimisation. Une fois de plus, on rationalise à outrance, oubliant que ce n'est pas la décision qu'il faut optimiser mais le couple décision-réalisation. Il n'y a pas de bonnes décisions dans l'absolu ; il n'y a de bonnes décisions que si elles sont suivies de réalisations rapides, peu coûteuses, et de bonne qualité.

C'est pourquoi nous nous proposons, après avoir philosophé, de reprendre les problèmes par l'autre bout, c'est-à-dire à partir du travail de réalisation des exécutants. Nous allons supposer les décisions déjà prises par les différents échelons hiérarchiques et ayant abouti à la dernière décision, celle qui concerne l'équipe de « base » : ouvriers, employés ou techniciens selon le cas. Quel constat peut-on faire en France quand une décision parvient à une équipe ? Généralement, un certain nombre de ses membres commencent à « râler ». On peut en prendre son parti en décrétant que cela fait partie de la mentalité des Gaulois mais cela ne nous semble pas très constructif. En fait, cette attitude révèle le plus souvent que la décision n'a pas été préparée : consultation préalable insuffisante, anticipation insuffisante sur la future répartition des tâches, rôle de chacun dans l'action pas toujours nettement identifié, peu ou pas de systèmes d'informations pour permettre une réalisation rapide et conforme, règles du jeu pas claires (risque-t-on de se faire réprimander ? Dans quel cas ? Quand et comment sera-t-on contrôlé ? etc.)

Une autre constatation fréquente peut être faite **pendant** le déroulement de l'action. Il y a des temps morts, liés au fait que des décisions de court terme relèvent du chef hiérarchique de l'équipe et que les équipiers sont obligés d'attendre qu'elles soient prises pour agir. Or, l'analyse du contenu de ces décisions montre qu'elles pourraient sans aucun problème être prises par les équipiers eux-mêmes mais qu'ils n'en ont pas reçu le pouvoir. Il arrive même qu'une part du travail soit faite par le chef et, si lui-même a été perturbé dans ses occupations par un événement quelconque, toute l'équipe est paralysée dans l'action.

Enfin, quand le chef hiérarchique exerce son rôle de contrôle, ce qui est normal dès lors qu'il assume la responsabilité globale du succès ou de l'échec de l'action en cours, on peut également constater qu'il le fait de façon peu adéquate. La plupart du temps, le contrôle n'est pas effectué *a posteriori* (ce qui serait le cas si les équipiers avaient une durée d'autonomie clairement fixée pendant laquelle ils ne sont pas contrôlés) mais à tout moment pendant l'action, sans que le subordonné sache sur quoi portera le contrôle (atteinte de l'objectif ou manière d'y arriver). Quand d'aventure le contrôle est effectué *a posteriori,* il n'y a pas toujours de règles du jeu claires : doit-on être réprimandé si on n'a pas atteint les objectifs ? Doit-on être sanctionné pour une erreur ? Peut-on être sanctionné ou réprimandé si on n'a pas transgressé une interdiction dûment signifiée ?

Le flou aboutit à la démobilisation, les injustices à la révolte ou à l'immobilisme, l'absence de délégation à la perte de temps. Cette analyse du déroulement d'une action entre la signification d'une décision et la fin de l'action explique les constats globaux faits par les sociologues et notés au chapitre 6, à savoir que nos entreprises recèleraient entre 60 et 65 % de déçus, d'opposants et de planqués. Même si ce chiffre est exagéré, la tendance à la démotivation ne paraît guère contestable, et il est nécessaire de redonner aujourd'hui à chaque équipier les moyens et les pouvoirs d'être un acteur à part entière dans la réalisation des décisions.

Ce qui est en cause, ce sont la diffusion des pouvoirs, la répartition du travail, son organisation à partir du bas de la pyramide, la clarification des règles du jeu de la délégation. En termes de politique humaine d'entreprise, on pourrait dire que c'est décréter l'application du principe de subsidiarité qui pourrait s'énoncer ainsi :

– aucun pouvoir, aucun travail, ne doit être confié à un échelon hiérarchique, si l'échelon immédiatement inférieur a la capacité de se l'approprier sans danger pour la communauté.

Ce qui veut dire que l'organisation des tâches doit bien se faire à partir du bas car tout ce qui peut être fait à l'échelon le plus bas doit l'être en vue de l'efficacité maximale, de l'absence de temps mort. Mais cet échelon, pour pouvoir remplir sa mission, devra recevoir toute la formation et toutes les informations nécessaires ;

– de même, les pouvoirs seront dévolus selon des règles de délégation qui doivent être les mêmes du haut en bas de l'échelle et qui font partie d'une sorte de charte qui unit tous les responsables hiérarchiques.

Poursuivons notre analyse. Il est évident que la délégation sera maximale (zone d'autonomie et durée d'autonomie) si la capacité des individus est maximale, en supposant résolu le problème de la coordination des acteurs. Il importe donc de développer les capacités de chacun pour les porter à leur niveau optimal. En termes de politique humaine d'entreprise, cela signifie mettre en place une gestion dynamique des ressources humaines, évaluation des potentialités, développement des acquis, bonne utilisation des compétences et des capacités. Pour être conforme à une philosophie qui reconnaît le libre arbitre, cela veut dire une gestion basée sur le dialogue et la négociation avec les intéressés. La formation, sur le tas et en dehors du tas, apparaît comme un élément essentiel d'une telle politique mais il ne s'agit pas d'une formation « alibi ou sucette » pour compenser le climat social d'affrontement ni d'une formation décrétée par un service spécialisé qui a un budget à dépenser et décide d'une façon technocratique de ce qui doit être fait en formation.

Là encore, la formation est l'objet d'une négociation car, comme le dit le dicton, « On ne donne pas à boire à un âne qui n'a pas soif ». Nous avons également souligné l'importance du problème de la circulation des informations. L'entreprise est un gigantesque réseau d'informations ; certains sous-ensembles sont totalement informels (et ô combien nécessaires !), d'autres doivent être formalisés ; c'est notamment le cas des informations, descendant et remontant par la voie hiérarchique. L'expérience nous montre que le nombre d'échelons hiérarchiques doit être le plus faible possible pour que les déformations et les absorptions soient minimales. Mais la diminution d'échelons hiérarchiques a une limite, celle de la capacité d'un homme à animer une équipe de collaborateurs, ce qui implique disponibilité en temps et en qualité d'écoute. Nous verrons plus loin qu'il existe des organisations réalisant le meilleur compromis entre l'excès d'empilement d'échelons et l'excès de largeur du « râteau » des subordonnés. Mais retenons déjà qu'un élément de notre politique sociale et humaine consistera à structurer l'entreprise en groupes de taille raisonnable, avec le minimum d'échelons hiérarchiques.

Revenons maintenant à la préparation d'une décision puisque l'expérience montre que de cette préparation dépendent très largement la qualité et la rapidité de la réalisation. Certes, la décision appartient au chef hiérarchique puisque c'est lui qui en assume la responsabilité. De là à penser qu'une décision doit être imposée sans concertation, il n'y a qu'un pas mais c'est un pas un peu hâtif. En effet, si le chef est normalement le mieux placé pour évaluer dans le moyen terme les effets positifs (ou négatifs d'une décision) et pour fixer les objectifs que l'équipe doit atteindre, il n'est pas toujours le mieux placé pour voir les obstacles, les détails qui peuvent faire échouer l'action, connaître l'état des moyens disponibles... C'est pourquoi la prudence, qui n'est pas la crainte ni la pusillanimité, conseille de consulter les subordonnés. Non que les objectifs soient à remettre en question dans l'absolu puisque ces objectifs, d'une manière ou d'une autre, sont souvent le fruit des désirs du client et de la pression de la concurrence, mais parce que l'atteinte des objectifs (supposés ou connus) peut exiger des moyens ou des délais que le chef ne peut pas facilement apprécier tout seul de façon réaliste. En outre, les subordonnés peuvent contribuer à l'élaboration des objectifs en en proposant eux-mêmes.

L'imagination de tous jouant son rôle, on peut se retrouver avec pléthore d'objectifs possibles et donc priorités à fixer, ce qui implique utilisation judicieuse des moyens et évaluation réaliste des délais. Finalement, même si les objectifs sont bien, en dernier ressort, fixés par le chef, il lui a bien fallu négocier les délais et les moyens ou, au moins, les délais ou les moyens. Le *one best way* de Taylor traduisait une prétention rationaliste qui n'est qu'une vue de l'esprit pour deux raisons principales. La première, c'est que les facteurs à prendre en compte dans une décision sont nombreux, souvent interdépendants et pas tous modélisables, même s'ils sont d'ordre technique et économique. La deuxième, c'est que le libre arbitre des acteurs peut déjouer en permanence toute rationalité. Il faut donc au contraire poser en principe que consultation, appel à la créativité et à l'imagination des subordonnés, négociation pour obtenir le meilleur compromis (c'est-à-dire celui qui aboutira à une décision raisonnable suivie d'une exécution dans la ligne de la « qualité totale ») sont les modes de gouvernement les mieux adaptés au nouvel état économique et à la permanence d'un climat humain positif.

Mais la décision qui engage une équipe de base de l'entreprise doit être cohérente avec les décisions prises au niveau hiérarchique immédiatement supérieur. Ce qui signifie que chaque chef hiérarchique doit, certes, assurer la cohésion de sa propre équipe mais également la cohérence de cette équipe avec le reste de l'entreprise. Les projets qu'il soumet à la consultation de ses subordonnés pour que ceux-ci puissent y contribuer et en définitive les faire leurs, doivent être cohérents avec le projet global du niveau hiérarchique supérieur et ainsi de suite jusqu'au chef d'entreprise. Ce qui signifie que si le travail s'organise en vue de la réalisation des projets à partir du bas, en revanche les projets s'emboîtent comme les poupées russes à partir du haut, le projet de l'entreprise englobant tous les autres. Cela implique que l'efficacité dans l'action exige que plus un échelon hiérarchique est élevé, plus il doit vivre dans le long terme, anticiper, imaginer les axes de progrès souhaitables, bâtir des scénarios de rechange pour parer aux accidents de parcours. L'efficacité, c'est le court terme confié aux subordonnés avec tous les pouvoirs nécessaires, pour être à même de réagir, sauf circonstance exceptionnelle, sans faire appel au chef, de façon à ce que les chefs puissent faire leur travail qui est de penser à l'avenir. Notre expérience nous conduit à penser que les entreprises françaises ont encore d'immenses progrès à faire pour cesser de faire vivre les dirigeants et les cadres dans l'urgence permanente. Ajoutons donc un nouveau thème à notre politique sociale et humaine d'entreprise : la recherche d'un principe unificateur (en vue de la cohérence) basé sur une réflexion prospective de l'équipe dirigeante (en vue de rendre possible la délégation et donc l'efficacité de la base). C'est ce qu'on appelle justement la démarche du projet d'entreprise. Nous y reviendrons donc ultérieurement quand nous parlerons de la conduite du changement en troisième partie.

Mais auparavant, il nous faut bien parler de la politique de rémunération. En effet, dès lors que nous avons admis dès le début de notre réflexion que les acteurs de l'entreprise étaient des êtres libres, créatifs, capables d'initiative, que l'efficacité dépendait de leur contribution, il faut bien conclure que toute contribution mérite rétribution. Dans le rôle de chacun, apparaissent des tâches permanentes qui sont réparties entre les différents acteurs (c'est d'ailleurs le principe même du travail en coopération que de diviser le travail, l'entreprise est faite pour cela). Le fait d'accomplir une certaine quantité de travail, d'être capable d'accomplir certaines tâches d'une certaine qualification permet, dans un pays comme le nôtre où les négociations collectives ont abouti à codifier, de façon plus ou moins heureuse, les niveaux minimum de rémunération, d'accéder à des salaires qui ne sont pas uniformes mais qui se situent néanmoins dans une fourchette moyennement étendue. Mais, particulièrement de nos jours, l'entreprise attend davantage des salariés qu'une occupation régulière à des tâches permanentes, fussent-elles accomplies de façon consciencieuse. Le progrès permanent est nécessaire car non seulement il faut innover pour conquérir le client et lui fournir le prix et la qualité pour le fidéliser, mais il est clair que l'actuel nouvel état économique sera probablement suivi d'autres défis, comme l'accélération de la protection de l'environnement, le transfert de formation professionnelle dans les pays sous-développés, etc. On demandera toujours plus aux acteurs et un nombre croissant y prendra goût s'il perçoit que sa contribution procure en retour une rétribution. Il est clair que la contribution prend des formes diverses, un coup de collier ou une suggestion ponctuelle, la participation à un défi collectif, l'effort permanent fait pour progresser sur le tas ou avec l'aide de formations ; dans tous les cas, la rétribution devra en tenir compte en s'exprimant dans des modalités elles-mêmes diverses : prime individuelle, prime collective, intéressement d'équipe, augmentation de la rémunération annuelle, évolution de carrière, etc. Cette politique de rémunération doit être cohérente avec les possibilités de l'entreprise et avec la politique d'optimisation des ressources humaines.

A ce stade de la réflexion, nous constatons que nous n'avons guère parlé de la communication. La raison en est qu'elle est partout présente. Elle est nécessaire dans la consultation, dans l'explication des projets, dans la coordination des acteurs, dans la négociation des moyens et des délais, dans la clarification des règles du jeu de la délégation, dans la formation des hommes, dans le dialogue au cours de la carrière, dans le contrôle de l'action, dans la mise en place de changement d'organisation, dans la démarche du projet d'entreprise. Elle est partout et elle est notamment l'un des rôles importants des décideurs, des responsables hiérarchiques. Le libre arbitre des subordonnés fait qu'ils ne peuvent être traités en objets mais en sujets. Avec des sujets, on dialogue, on négocie, on communique. C'est beaucoup moins sécurisant que les objets que l'on peut traiter par la rationalité ; c'est pourquoi Taylor et bien d'autres ont toujours préféré s'occuper des choses que de s'occuper des hommes ! Nous avons nous-même, bien souvent, opéré des enquêtes sur ce que les subordonnés attendent de leur chef ; les réponses sont à la fois très diverses dans leur foisonnement et très convergentes. La convergence s'opère sur des qualités de compétence en matière de décisions, de choix d'avenir, sur des qualités d'ordre éthique (courage, honnêteté, justice) et sur des qualités d'écoute et de disponibilité. Ce besoin de disponibilité est d'ailleurs une valeur en hausse depuis quelques années, ce qui confirme que notre société est beaucoup plus riche en informations qu'experte en communication. Toujours est-il que ce besoin de communication des subordonnés implique du temps et de la capacité de communication chez le responsable hiérarchique ; mais nous touchons là au rôle du chef hiérarchique qui mérite à lui seul une analyse particulière que nous mènerons un peu plus loin. Si nous regroupons maintenant tous les éléments de la politique sociale et humaine, décelés par voie inductive dans les réflexions précédentes, nous pourrons dire que celle-ci se focalise en trois grands domaines correspondant à trois volets de la personnalité humaine :

- l'homme « social », membre d'une communauté, solidaire d'un groupe...
- l'homme « individuel », porteur d'un projet personnel, être unique...
- l'homme « acteur », réalisateur efficace, participant à une œuvre...

Pour intégrer l'homme dans la communauté « entreprise » nous avons vu qu'il fallait :

- une cohérence philosophique au sommet ;
- un projet unificateur ;
- des règles du jeu connues de tous ;
- des méthodes participatives ;
- beaucoup de communication ;

et, à tous les niveaux, des chefs hiérarchiques rassembleurs.

Pour permettre à l'homme de réaliser la part de son projet personnel qui est compatible avec les contraintes de l'entreprise, nous avons vu qu'il fallait :

- une évaluation des capacités et des performances de chacun ;
- une politique de formation personnalisée ;
- une recherche de l'adéquation homme-poste.

Enfin, pour permettre à l'homme-acteur de jouer son rôle efficacement, il faut :

- appliquer le principe de subsidiarité ;
- diffuser les pouvoirs par des règles de délégation ;
- structurer l'entreprise en communautés à taille humaine et à nombre d'échelons hiérarchiques faible.

Ajoutons que si le sociologue s'interdit toute ingérence dans le domaine de l'éthique, nous nous interdirons d'éviter le sujet. N'étant pas sociologue mais praticien, acteur de la vie de l'entreprise depuis trente-cinq ans, nous pensons qu'il est irréaliste de croire que l'efficacité des acteurs sera optimale dans un climat délétère. Prenons le problème de la communication par exemple ; il n'y a pas de différences entre les techniques de communication et les techniques de manipulation, tout est dans l'usage qu'on en fait et c'est une question d'éthique. On peut manipuler une personne assez longtemps, on peut manipuler une ou deux fois l'ensemble du personnel, mais on ne peut manipuler tout le monde tout le temps. Les responsables hiérarchiques manipulateurs sont vite repérés du haut en bas de l'échelle. S'il y a une connivence manipulatrice dans toute la hiérarchie, celle-ci peut fonctionner d'une façon cohérente mais les acteurs gardent toujours la possibilité de montrer leur désaccord, que ce soit par la résistance passive ou le zèle intempestif, et globalement, l'efficacité est moindre que si la hiérarchie respecte des règles du jeu d'ordre éthique.

Répétons-le, il n'est pas question de songer à rechercher le consensus par les bons sentiments. D'ailleurs, l'éthique n'est pas de l'ordre des sentiments et le consensus « béni oui-oui » est une catastrophe. De saines tensions font progresser l'entreprise quand tout le monde cherche à les résoudre dans le respect des personnes et dans l'obéissance à des règles du jeu connues de tous.

Mais les syndicats là-dedans ? nous objecteront beaucoup de chefs d'entreprises. Le sujet mérite d'être abordé spécifiquement, de même que celui de l'encadrement hiérarchique. En effet, dans une entreprise d'une certaine taille du moins, la direction n'est pas en prise directe avec la majorité des salariés. Il existe, en quelque sorte, deux circuits qui la mettent en relation avec le personnel, le circuit hiérarchique et le circuit des élus et représentants légaux du personnel. Ces deux circuits fonctionnent parallèlement, avec leur logique propre ; ils sont en concurrence, en émulation, en compétition. C'est pourquoi nous allons les étudier séparément avant de revenir au sommet, c'est-à-dire à la direction de l'entreprise. Nous aurons ainsi parcouru le rôle des acteurs du jeu à quatre : Personnel-Ligne Hiérarchique-Représentant légaux-Direction.

Résumé

Les éléments d'une politique sociale et humaine doivent être élaborés en partant des besoins de la base. Pouvoir travailler efficacement, contribuer à l'œuvre commune, se développer personnellement, être rétribué justement, impliquent une politique d'entreprise prenant en compte l'homme dans ses trois dimensions d'être communautaire, de personne unique et d'acteur efficient.

L'entreprise s'efforcera donc :

– d'améliorer l'esprit d'équipe par la cohérence philosophique au sommet, l'élaboration d'un projet unificateur, des règles du jeu connues de tous, des méthodes participatives et beaucoup de communication ;

– de développer chacune des personnes pour que celle-ci puisse réaliser en partie son destin personnel dans le cours de sa carrière professionnelle, ce qui exige politique de gestion dynamique et personnalisée des ressources humaines ;

– de diffuser les pouvoirs le plus bas possible en structurant l'entreprise en groupes à taille humaine, en diminuant le nombre d'échelons hiérarchiques, en clarifiant les règles de délégation.

BIBLIOGRAPHIE

L'entreprise à l'écoute
CROZIER M.
Interéditions, 1989

L'acteur et le système
CROZIER M., FRIEDBERG E.
Le Seuil, 1977

Management et pouvoir
MORIN
Les Éditions d'Organisation, 1985

Le Prix de l'Excellence
PETERS T., WATERMAN B.
Interéditions, 1983

Chapitre 7

LE RÔLE DE LA LIGNE HIÉRARCHIQUE

En mai 68, on a dénoncé à maintes reprises le rôle du « petit chef », responsable selon certains de tous les maux de l'entreprise. En d'autres circonstances, ce sont plutôt les « grands chefs » qui sont sur la sellette, par exemple quand on parle de la « guerre des chefs ». Aujourd'hui, on se rend compte que l'entreprise doit s'appuyer sur chacun des membres du personnel, lui demander de jouer un rôle d'acteur et non d'exécutant, faire appel à son initiative et à sa créativité. Logiquement, on remet en question un certain style de commandement qui correspondait à une organisation taylorienne du travail. De là à remettre en cause le concept même du chef, il n'y a qu'un pas que n'hésitent pas à franchir ceux qui opposent la conception ancienne d'une pyramide hiérarchique fonctionnant un peu comme les rouages d'une mécanique et leur conception nouvelle d'une entreprise fonctionnant biologiquement avec des cellules, des organes, des fonctions, chaque niveau ayant son système de régulation-adaptation. Ce serait oublier que comparaison n'est pas raison et que, même dans l'organisation taylorienne, l'homme gardait au moins le pouvoir de freiner la mécanique ; dans une organisation basée sur le principe de subsidiarité, on est loin d'une simple adaptation biologique car les hommes peuvent toujours user de leur libre arbitre pour détruire la communauté à laquelle ils appartiennent.

Restons pourtant un moment dans la biologie. Nous interrogeant sur les finalités de l'entreprise, nous en avons déjà identifié deux : servir le client et participer à l'épanouissement de tous ceux qui concourent à ce rôle ; nous aurions pu ajouter que généralement, une communauté humaine, liée par des intérêts même si elle connaît des divergences ponctuelles, a également l'ambition de vivre, tout au moins de survivre et si possible de vivre mieux. Or la vie de l'entreprise n'est pas quelque chose d'assuré ; de mauvaises décisions ou de mauvaises réalisations peuvent la tuer. C'est là qu'apparaît une notion qui ne peut être éludée, celle de responsabilité. La vie et la mort de l'entreprise sont liées à des couples décision/réalisation initiés par des hommes qui en porteront inéluctablement la responsabilité. La responsabilité est une notion qui fait que l'entreprise est une communauté dont la survie n'est pas de l'ordre d'un déterminisme biologique.

Cette responsabilité est personnelle : on ne répond que de ses actes. On ne peut accepter la notion ambiguë de responsabilité collective car c'est un acte personnel, là encore, que de se solidariser ou se désolidariser d'un groupe. Si tout le monde dans l'entreprise faisait ce qu'il voulait, l'entreprise serait à l'image d'une foule vaquant à ses diverses occupations dans le désordre le plus total ; le résultat est facile à imaginer. C'est pourquoi l'entreprise est organisée, et l'organisation est caractérisée précisément par la nomination de personnes à qui l'on confère des pouvoirs de décision assortis de la responsabilité correspondante. C'est la responsabilité qui crée la notion de hiérarchie nommée pour assurer, entre autres, la cohérence et la cohésion du groupe.

Mais recevoir une mission et devoir l'accomplir avec un groupe d'hommes, subordonnés en termes d'organisation mais libres en termes de nature humaine, crée pour le chef ainsi nommé une situation de risque. Exercer un rôle hiérarchique est un risque, le risque que fait courir le libre arbitre des subordonnés ; le fait d'avoir reçu des pouvoirs, pouvant aller légalement jusqu'à la possibilité de licencier en passant par l'usage d'incitations et de sanctions positives ou négatives, ne constitue pas une sécurité absolue. Nous l'avons déjà dit : le Pouvoir, cela n'existe pas ; il n'y a que des relations de pouvoirs. Il n'y a d'ailleurs pas que les pouvoirs légaux, il y a d'autres pouvoirs : l'information, la formation, la propriété privée (qui assure une sécurité indépendante du travail), le copinage politique, la protection syndicale, tout cela est de l'ordre des pouvoirs et contre-pouvoirs dont le jeu est complexe. Le chef hiérarchique qui ne disposerait que de pouvoirs serait encore assez démuni face au libre arbitre de ses subordonnés, d'autant plus que le niveau de formation initiale des salariés est en progression régulière et que la formation se poursuit, dans l'entreprise et en dehors de l'entreprise, tout au long de la carrière, ce qui favorise le partage d'un des pouvoirs, celui de la connaissance.

Il faut donc chercher ailleurs la possibilité pour le chef hiérarchique de faire en sorte que ses subordonnés adhèrent à ses décisions et contribuent à leur réalisation. Quand les subordonnés obéissent librement à leur chef, on dit que celui-ci a de l'autorité. Avoir de l'autorité, ce n'est pas être autoritaire : l'autoritarisme est la caricature de l'autorité. Avoir de l'autorité, c'est être reconnu dans son rôle de chef par ses subordonnés. C'est en quelque sorte être légitimé par en bas, après avoir été nommé par en haut. En fait, cette légitimité est accordée par en bas mais également par en haut, car on est toujours fort satisfait d'avoir nommé un chef qui « réussit ».

Souvenons-nous des résultats d'une enquête, portant sur plus de 60 000 salariés et réalisée, si nos souvenirs sont exacts, il y a plus de vingt ans par un organisme spécialisé. A la question « Qu'attendez-vous de votre chef ? », il y avait eu deux réponses fortement majoritaires :

1) qu'il s'occupe de moi !

2) qu'il fasse le poids dans la maison.

Ces réponses nous paraissent significatives. Le subordonné a un projet personnel, des objectifs à lui, de développement, de reconnaissance, de progrès matériel, de promotion, etc. Il souhaite que son chef lui favorise la réalisation de ses espoirs et, pour cela, il faut que le chef réussisse dans l'entreprise car alors, quand il défendra la cause de son subordonné, il sera écouté ! L'autorité vient donc de la réussite (c'est-à-dire des succès reconnus par le haut dans les couples décision/réalisation) et de l'adhésion, pour ce faire, des subordonnés, ce qui implique qu'ils reçoivent leur part de ces succès : on rejoint le principe déjà noté du couple contribution/rétribution.

La légitimité du chef va donc être fortement tributaire de la conception exacte ou erronée qu'il aura de son rôle, de la manière dont il le jouera et de l'esprit dans lequel il l'exercera. Nous allons aborder ces différents aspects.

LE RÔLE DU CHEF

Le contenu du rôle du chef est très souvent mal perçu par les intéressés dans notre pays. Bien sûr, le poids de l'organisation scientifique du travail qui a fortement sévi dans de nombreux secteurs de l'économie, aussi bien dans l'industrie que dans les services (O.S. de l'auto, O.S. du stylo, même combat !), y est certainement pour quelque chose. A la fois parce qu'elle donnait un poids abusif à la rationalité et parce qu'elle considérait l'homme de la base comme un exécutant auquel il était interdit de penser. Nous avons nous-même entendu à plusieurs reprises des chefs hiérarchiques dire à leur subordonné qu'il n'était pas là pour penser ! Mais il nous semble y avoir une autre raison, plus spécifique à la France, et qui est liée à notre système de grandes écoles avec sélection par concours, après des années de classes préparatoires dures. Ce système est unique dans le monde et il n'est pas toujours facile de l'expliquer à un étranger qui ne le connaît pas.

Le problème n'est pas de savoir si le « produit » qui en sort est bon ou mauvais : tout mode de sélection a ses mérites et vive la diversité des cursus ! Non, le problème est que peu à peu s'est constituée de fait une *nomenklatura* qui se comporte comme si le fait d'avoir réussi très jeune un concours difficile donnait des droits à vie, une sorte d'assurance-carrière ; l'existence de cette *nomenklatura* est dénoncée par certains mais on voit fréquemment des personnes, ne sortant pas des grandes écoles, en dire le plus grand mal jusqu'au jour où elles ont des enfants qui se révèlent capables de rentrer dans la filière Bac C, classes préparatoires, grandes écoles ! En définitive, l'opinion publique française nous paraît avoir encore très peu l'esprit critique vis-à-vis de ladite *nomenklatura.*

Or, le conditionnement de cette filière favorise l'égocentrisme, l'élitisme allant jusqu'au mépris, le culte de la rationalité et de la logique abstraite, le goût pour l'esprit de système et la modélisation. Il ne prédispose pas à l'imagination, à la remise en cause des idées reçues, à l'écoute des autres, à l'humilité, au sens de l'humour. Nous ne voulons pas dire par là que les anciens élèves des grandes écoles sont des gens imbuvables mais nous pensons que ce mode de sélection et de formation abstraite a contribué à donner du rôle du chef une vision erronée.

Les solutions des problèmes posés au concours des grandes écoles d'ingénieurs(1) ne sont jamais des compromis : il n'y a qu'une solution, même s'il peut y avoir plusieurs chemins pour y arriver. Toutes les informations sont données, pas une de plus, pas une de moins, pour trouver la solution. Le travail est rigoureusement individuel. Ne nous étonnons pas que l'intégration à la vie d'une équipe ne se fasse pas toujours bien ; consulter, écouter, négocier des compromis, savoir reconnaître qu'on s'est fourvoyé, prendre des risques, pondérer les résultats de plusieurs analyses faites par des spécialistes de diverses techniques, intégrer l'irrationnel et le libre arbitre des collaborateurs, tout cela est nouveau. Sans compter que l'irrationnel existe bel et bien chez les élèves dressés à la toute puissance de la rationalité, mais que, bien souvent, ils s'efforcent de rationaliser leurs choix affectifs pour les imposer comme le *one best way,* sans réussir toujours à convaincre ou à duper leurs subordonnés.

Qu'est-il demandé au chef ? D'optimiser le couple décision/réalisation. Cela demande de se projeter dans l'avenir, d'essayer de l'imaginer, de travailler dans l'induction plutôt que dans la déduction, d'avoir l'intuition de ce qui va prendre de l'importance, de prendre des risques. Cela exige d'expliquer à ses subordonnés comment on voit l'avenir, de leur demander d'apporter contribution, amendements, critiques constructives ; cela implique donc de chercher à les convaincre mais également de les écouter et d'être capable, pour finir,

(1) Que les plus grandes écoles, dites de commerce, recrutent elles aussi majoritairement par le bac C nous a toujours semblé aberrant. Le poids de la sélection par les mathématiques est abusif dans notre pays.

de négocier un bon et solide compromis. Le rôle du chef n'est pas de résoudre les problèmes, c'est de les poser. Ce n'est pas de donner les réponses, c'est de poser les questions. Le rôle du chef, c'est de conduire le changement dans un univers incertain, d'animer une équipe, de motiver chacun des subordonnés et, pour cela, de s'intéresser à l'autre.

Si nous ne craignions de faire une métaphore un peu hardie, nous dirions que le chef a un œil sur l'avenir et un autre sur les subordonnés ! Il ne lui en reste pas pour lui-même ! Idéalisme, diront certains. Réalisme, au contraire ; il n'y a qu'à voir les résultats sur un laps de temps suffisamment grand. Ce que nous disons là est probablement moins vrai quand un groupe est en état de danger grave ; en période de survie, on supporte le chef qui ne prend pas le temps de consulter, impose ses voies, bouscule tout le monde, et souvent sauve l'entreprise. A condition que, l'entreprise une fois sauvée, il change de comportement... ou s'en aille. Mais trop de chefs de rang intermédiaire se comportent comme s'ils étaient le p.-d.g. d'un grand groupe en perdition, en train de le sauver en le menant à la baguette.

Ceci dit, le comportement erroné le plus fréquent n'est pas celui de l'autocrate, c'est celui du technicien. Beaucoup de chefs hiérarchiques s'intéressent exclusivement à l'aspect technique de la mission qu'ils doivent remplir. Les a-t-on nommés responsables d'un laboratoire, ils continuent à intervenir de façon permanente dans la conduite des recherches. Sont-ils responsables d'un bureau d'études, ils étudient eux-mêmes les solutions. Sont-ils responsables de production, ils couchent avec les machines. Sont-ils responsables d'une équipe commerciale, ils se réservent toutes les affaires intéressantes ou difficiles. Par tempérament ou par méconnaissance de leur rôle, ils sont restés des « experts », des hommes de la technique. Ils n'ont pas le temps de se consacrer à leurs subordonnés, il faut bien qu'ils fassent avancer les choses ! Et puis, s'ils ont été nommés chefs, c'est qu'ils étaient les meilleurs dans le domaine ; s'ils se mettent à laisser faire leurs subordonnés, ce sera certainement moins bien ou moins vite fait. Ajoutons qu'en outre, en faisant moins eux-mêmes, ils perdront de leur technicité et donc de leur sécurité personnelle, ce qui peut les inquiéter et les détourner de la délégation.

La distinction chef-expert n'est pas immédiatement accessible à l'esprit pour plusieurs raisons. La première est qu'effectivement on commence par gagner sa crédibilité dans l'entreprise en « faisant », pas en commandant ; du moins ce devrait toujours être le cas. A ce propos, il est très inquiétant que certaines entreprises fassent, auprès des élèves des plus grandes écoles, une « retape » insensée et démagogique en leur offrant dès leur début, des postes où ils n'auront pas l'occasion de « pratiquer » concrètement le métier pour lequel ils ont été théoriquement préparés : c'est un véritable détournement dont les « bénéficiaires » risquent d'être un jour les victimes.

La deuxième raison est qu'on dit de certaines personnes : « Il fait autorité » et que cette phrase, ambiguë, génère dans les esprits que la compétence technique dans un certain domaine (dans lequel la personne fait effectivement autorité) lui confère l'autorité sur les subordonnés. Or, l'expérience montre que c'est faux. Nous avons tous connu des personnes dont les compétences techniques étaient indiscutées par leurs subordonnés et qui n'avaient pas de réelle autorité sur leur équipe ; entendez par là que la réalisation n'était jamais à la hauteur de la partie technique des décisions : communication insuffisante, pédagogie faiblarde, organisation médiocre, disponibilité nulle, contrôle tâtillon, attitude maladroite ou méprisante, etc. Il arrive que les très bons experts soient comme les très grands artistes, un peu diva ! Leurs solutions techniques sont géniales mais donnez-leur une secrétaire à commander et c'est le drame !

La troisième raison, la plus importante peut-être, est qu'en France notre mode de reconnaissance des capacités est la promotion hiérarchique. A l'extérieur de l'entreprise, on nous demande toujours « Combien d'hommes commandes-tu ? », ce qui est déjà l'indice d'une perversion de l'esprit, car on ne commande jamais 30 personnes, encore moins 500, 5 000 ou 50 000. Si on commande sept personnes, c'est déjà bien ! Aux USA, on nous demande « Combien de dollars vaux-tu ? » Ce qui fait que, chef ou expert, on peut être « reconnu ». Le fameux Peter, mort en 1989, avait énoncé son fameux principe qui expliquait pourquoi on amenait toujours quelqu'un à son niveau d'incompétence. En France, nous appliquons le principe de Peter en ne distinguant pas suffisamment le rôle de chef et le rôle d'expert. Pour ce qui concerne la détection des capacités, nous sommes à l'aise sur les critères de choix des experts mais beaucoup moins sur les critères de choix des chefs, pour la seule raison que c'est moins rationnel ; au pays de Descartes, la non-rationalité n'est pas en odeur de sainteté. Pour ce qui concerne les modes de reconnaissance (rémunération, position dans l'entreprise), c'est le contraire ; nous savons récompenser et rétribuer les chefs, mais beaucoup moins bien les experts. Résultat, on prend un bon expert et on en fait un mauvais chef : c'est le principe de Peter version française !

Cette tendance n'a fait que s'accentuer. Tant que la formation de base était faible et la vitesse d'évolution des techniques relativement lente, il était possible d'être en même temps chef et expert. Les gens étaient moins exigeants sur le plan humain, l'autorité de compétence technique était plus facilement assimilable à l'autorité tout court, le chef avait le temps de s'entretenir techniquement. Mais les choses ont changé, les chefs hiérarchiques ont été amenés à se préoccuper de gestion, puis de système d'information ; leur technique s'est mise à évoluer de plus en plus vite. Parallèlement la révolution de mai 68 a contribué à faire évoluer les mentalités ; la main-d'œuvre, plus formée, davantage informée, ne supporte plus le « petit chef ». A juste titre, elle veut être écoutée, élabore des projets personnels et une stratégie propre, réclame attention, disponibilité, courtoisie, reconnaissance, etc.

Comment concilier entretien de la technicité au plus haut niveau, réflexion de long terme et résolution des problèmes au jour le jour, disponibilité aux hommes et communication individuelle, animation d'équipe et communication de groupe ? La réponse est simple, c'est impossible : le nouvel état économique et le nouvel état sociologique l'interdisent. Il est urgent de redistribuer les rôles et de repenser nos organisations. Le commandement, aujourd'hui, c'est un chef appuyé sur un ou plusieurs experts. Attention, il ne s'agit pas de sous-chefs ou de chefs adjoints faisant écran entre le chef et les subordonnés ou remplaçant le chef en cas d'absence. Non, c'est un nouveau mode d'organisation qui permet justement d'élargir le « râteau » des subordonnés, donc de diminuer le nombre des échelons hiérarchiques en aidant le chef pour tout ce qui touche la technique et l'économique de court terme. Le chef garde la maîtrise de l'orientation de l'équipe, maintient sa « culture » technique en faisant travailler les experts sur des problèmes techniques d'avenir et utilise les experts pour assister les subordonnées dans les domaines de leur compétence. Le chef assume la responsabilité des décisions même si les solutions techniques ont été élaborées par les experts : c'est un problème de confiance mutuelle et d'habitudes de collaborations, qui se rodent progressivement. A notre avis, ce type d'organisation est aujourd'hui le seul qui permette une bonne pratique de la délégation et une bonne application du principe de subsidiarité. Il permet de réduire le nombre d'échelons hiérarchiques en organisant le travail par le bas.

L'adage « Le chef ne travaille que par exception » concerne tout ce qui touche la réalisation des décisions. La réalisation doit être entièrement confiée aux subordonnés assistés par les experts. Le chef, lui, travaille toujours dans le long terme par rapport à ses subordonnés et fait appel aux experts pour l'aider à bien positionner sa réflexion d'avenir dans le domaine technique qui leur a été confié. Certaines entreprises françaises appliquent déjà ce principe et sortent de la base les meilleurs ouvriers pour en faire des techniciens d'atelier qui déchargent l'agent de maîtrise d'un rôle d'assistance technique et lui permettent de consacrer son temps aux hommes, à l'animation et au progrès de l'organisation. Constatons que nous n'inventons rien puisque déjà Lyautey donnait comme consigne aux chefs : « Ne rien faire, ne rien laisser faire, tout faire faire ». Simplement, l'évolution rapide de la technicité implique désormais le recours de plus en plus fréquent aux experts.

On peut aussi remarquer que plus le chef est situé bas dans la hiérarchie, plus les experts assistent les subordonnés ; plus le chef est situé haut dans la hiérarchie, plus les experts conseillent le chef. Cela tient au fait que l'agent de maîtrise est plus près des réalisations de la base et que son avenir à lui ne se projette pas dans un très long terme, alors que le cadre dirigeant est plus loin des réalisations quotidiennes et que son avenir à lui peut se projeter à plusieurs années en avant. Notons également que le terme de cadre est ambigu puisqu'il est synonyme en France d'un statut (avenant cadre des conventions collectives), ce qui a contribué à renforcer la confusion chef-expert. Il est préférable de parler des rôles d'encadrement qui concernent aussi bien un chef d'équipe qu'un directeur d'usine ou un contremaître d'atelier et des rôles d'expert qui concernent aussi bien un technicien d'atelier qu'un financier de haut niveau conseillant le patron de l'entreprise. Comme disent les Américains, il y a des rôles *people* et des rôles *products.*

Il est bien évident, et nous terminerons ce chapitre par là, que la distinction chef-expert n'est pas chromosomique ! Beaucoup de personnes peuvent jouer les deux rôles et les joueront d'ailleurs dans leur carrière. Ne serait-ce que parce que l'on ne devrait jamais commander avant de savoir obéir parce que cela demande une maturation de la personnalité. (L'obéissance passive et la difficulté psychologique à obéir sont les deux formes d'immaturité, d'adolescence prolongée qu'on nomme parfois, dans l'adolescence véritable, la phase « veau » et la phase « tigre ».) Mais passer d'un rôle à l'autre implique une bonne compréhension de ces rôles différents, une motivation pour jouer le rôle imparti, et peut-être, certaines dispositions particulières. La curiosité intellectuelle est un facteur favorable pour jouer un rôle d'expert, le goût du risque un facteur favorable pour jouer un rôle de chef.

Quant à la motivation, elle est liée au mode de reconnaissance des rôles. Tant qu'on ne saura pas reconnaître, à parité, les deux rôles dans une entreprise, et, en France, le rôle d'expert est généralement sous-rétribué et sous-valorisé, on risquera d'appliquer le principe de Peter et d'amener chacun à son niveau d'incompétence.

Il est temps d'annoncer clairement dans nos entreprises la double reconnaissance (rémunération et statut) du rôle d'expert et du rôle de chef hiérarchique. Nous savons par expérience que cela résout beaucoup de problèmes, en soulageant notamment d'excellents experts de ce qu'ils appellent eux-mêmes « la surcharge des problèmes administratifs », entendez par là les problèmes humains. Pour ceux qui ont une mentalité typée d'experts, un entretien d'évaluation est une corvée douloureuse qu'ils expédient souvent maladroitement ou brutalement ; remonter le moral des troupes n'est pas leur « tasse de thé » et le temps passé à la communication leur paraît du temps perdu, compte tenu de tout ce qu'il y a « à faire » ! Et justement, ils aiment mieux faire que faire faire.

Dans la réflexion que nous faisons sur la politique sociale et humaine de l'entreprise, le problème de la clarification des rôles du chef et d'expert nous paraît être un des éléments clés de l'adaptation au nouvel état économique. Beaucoup d'entreprises françaises ont aujourd'hui, dans toutes leurs sphères dirigeantes, des experts déguisés en chefs ou des chefs qui n'ont pas compris qu'il leur fallait renoncer à être en même temps les meilleurs experts de leur société. Ceci explique le fait qu'ils se déclarent débordés, ne délèguent pas, vivent dans l'urgence et préparent mal l'avenir. Il est temps de réagir car leurs subordonnés de quinze ans de moins pestent aujourd'hui contre cette manière d'être mais la reproduiront demain, tant est prégnante la culture d'entreprise. Mais plus encore est-il temps de réagir quand on constate que les entreprises françaises travaillent avec un taux de personnel motivé inférieur à 35 % et qu'elles comptent près de 30 % d'un cocktail d'opposants et de parasites planqués.

Le jeu à quatre ne paraît réalisé que dans 1/20 des entreprises françaises. Pour qu'il se répande dans beaucoup d'autres, il est clair qu'il faudra une prise de conscience, dans les sphères dirigeantes, de l'acuité et de l'urgence du problème. La formation des chefs hiérarchiques à leur rôle sera certainement un objectif essentiel de la formation continue. Mais il ne faudra pas oublier ce qui peut être fait au cours de la formation initiale et particulièrement dans les grandes écoles. Nous avons eu l'occasion, dans notre précédent ouvrage, de préciser qu'il s'agissait d'une question qui dépassait le seul cadre de l'entreprise ; les modèles éducatifs, dans notre pays, sont trop imprégnés d'un curieux mélange de mépris envers l'éduqué, assortis de méfiance et même souvent de laxisme, d'absence d'ambitions et de stimulation au travail. C'est peut-être une finalité qu'il faut ajouter à celles déjà identifiées : l'entreprise fait partie des cellules éducatives et elle se doit de collaborer avec les autres cellules que sont la famille et l'école pour que le pays dispose, un jour, de décideurs pourvus, non seulement de savoir-faire, mais également de savoir-être.

SAVOIR-FAIRE ET SAVOIR-ÊTRE

Commander une équipe, nous venons de le voir, implique d'abord d'avoir bien compris quel est le rôle du chef hiérarchique et nous l'avons, pour le moment, surtout distingué de celui de l'expert. Au cours de la troisième partie, nous reviendrons sur certains aspects du rôle du chef hiérarchique, responsable à son niveau de l'union des hommes autour de projets communs, du développement de chaque membre de son équipe, de l'organisation et de la délégation des pouvoirs. Mais nous allons maintenant nous attarder sur les aspects de comportement des responsables hiérarchiques car les subordonnés sont très attentifs aux comportements de leur chef. Ces comportements sont révélateurs à la fois du savoir-faire et du savoir-être de l'intéressé. Du savoir-faire, dans la mesure où il peut être plein de bonne volonté et avoir bien compris en quoi consistait son rôle mais ne pas avoir eu, dans tel ou tel domaine, la formation nécessaire pour ne pas commettre d'impairs ou pour disposer d'outils utiles pour accomplir sa mission. Du savoir-être, dans la mesure où certains comportements dénotent malheureusement que l'intéressé est peu préoccupé des réactions de ses subordonnés, de leurs états d'âmes, de leur adhésion, de leur progrès personnel.

Avant d'évoquer les problèmes de savoir-faire qui relèvent de la formation *(chapitre qui sera abordé ultérieurement en tant que tel)*, abordons les problèmes de savoir-être. Ceux-ci relèvent plus du domaine de l'éducation que de celui de la formation mais ils ne peuvent pas pour autant être éludés, même si la période de la vie des individus, antérieure à celle de la vie professionnelle, joue un rôle probablement majeur pour préparer ou non ceux-ci à un rôle de chef hiérarchique. Il est certain que l'éducation de la personne commence très jeune, dans la famille, à l'école, dans les activités de sport, de loisir, dans la vie civique, associative ou religieuse, et que sur cela l'entreprise n'a pas de prise directe. En revanche, quand elle aura à choisir ceux qui devront exercer le rôle de chef hiérarchique, elle devra se poser la question de savoir si tel ou tel postulant a révélé, dans ces domaines d'éducation de la personne, des failles, des lacunes ou au contraire, des qualités marquantes.

Que demandent les subordonnés ? Que leur chef s'intéresse à eux et, en second lieu, qu'ils soient reconnus dans l'entreprise. Dans les deux cas, ils souhaitent implicitement que leur chef ne soit pas fortement égocentré, car s'il l'était, il serait trop absorbé par lui-même pour avoir la disponibilité suffisante pour s'occuper d'eux et trop soucieux de sa propre réussite pour faire passer le bien commun et l'intérêt de l'entreprise avant son propre intérêt. Le chef ne peut donc être quelqu'un qui n'est jamais passé du « Moi, je » au « Nous » (c'est-à-dire « Vous et Moi »). Les chefs hiérarchiques, adaptés à l'époque exigeante que nous vivons, sont plus centrés sur l'autre que sur eux-mêmes, parce qu'ils savent qu'il faut rassembler et unir une équipe, développer chacun des équipiers et veiller à ce qu'ils disposent de tout ce dont ils ont besoin pour être des acteurs efficients (moyens, informations, formation, poste adapté à leurs qualités). Peut-on être un chef efficace et reconnu si l'éducation du cœur a été déficiente ? Si l'on est d'abord préoccupé de soi, de sa réussite matérielle, de ses loisirs, de son image ? Si, dans les critères de choix des responsables hiérarchiques, ne sont pas prises en compte ces dispositions d'esprit (bien commun et attention aux autres), ne nous étonnons pas que le pourcentage de salariés motivés soit relativement faible et que celui des déçus, des sceptiques, des aigris... et des planqués soit si élevé.

Continuons cette réflexion sur le savoir-être des chefs. Nous avons, à plusieurs reprises, affirmé que le domaine de l'éthique ne pouvait pas être éludé de la réflexion sur l'entreprise. En effet, il y a au moins deux vertus cardinales dont les salariés font souvent état quand ils évoquent les comportements de leurs chefs, ce sont celles de justice et de force. Ils emploient plus fréquemment les termes d'honnêteté et de courage, mais il s'agit bien de divers aspects des mêmes valeurs morales. Énumérons quelques aspects comportementaux correspondant à ces « vertus » ou à leur absence :

① — Traiter le personnel équitablement	① — Faire du favoritisme
② — Reconnaître et assumer ses erreurs	② — Les faire retomber sur les subordonnés
③ — Tenir ses engagements	③ — Oublier ses promesses
④ — Faire respecter les règles du jeu	④ — Ne pas sanctionner par peur
⑤ — Encaisser les coups durs	⑤ — Faire supporter ses angoisses aux subordonnés
⑥ — Reconnaître la contribution de chacun	⑥ — Tirer la couverture à soi

Les deux autres vertus cardinales font partie de l'éducation du chef. La tempérance, c'est la maîtrise des passions qui permet de ne pas faire supporter aux subordonnés des fluctuations d'humeur dont ils ne sont pas responsables, et de ne pas faire passer ses sentiments et ses pulsions avant le bien de la communauté. La prudence, c'est la capacité de prendre des risques calculés, vertu très utile notamment quand il faut déléguer ou quand il faut arbitrer entre les objectifs concurrents et établir des priorités.

Les subordonnés parlent moins de ces deux vertus mais ils sont fort sensibles à leur absence qui se traduit par certains aspects du comportement comme :

– l'inégalité d'humeur

– l'indécision
– les changements de cap incessants
– la centralisation, etc.

En matière de savoir-être, on voit bien qu'il s'agit d'éducation et non d'instruction ; éducation du cœur, de la volonté et de l'intelligence (ou sens du discernement). Il y a des cadres fortement instruits mais non moins fortement inéduqués et pour lesquels la voie du rôle d'encadrement est fermée sauf prise de conscience et changement profond de la personne. Il y a des personnes, moyennement instruites, mais dont l'éducation de l'être est telle que la formation continue aidant, elles pourront jouer sans difficulté un rôle d'encadrement.

La formation jouera un rôle déterminant pour ajouter au savoir-être essentiel les savoir-faire indispensables. Donnons quelques exemples de ces savoir-faire indispensables au chef :
– savoir expliquer
– savoir s'exprimer
– savoir écouter
– savoir rédiger
– savoir organiser son temps
– savoir animer une réunion et provoquer la contribution de tous
– savoir conduire un entretien d'évaluation de la performance ou des potentialités d'un subordonné, etc.

Disons simplement que jamais une méthode ou une recette, si éprouvées soient-elles, ne sont séparables de l'esprit dans lequel elles sont appliquées. Nous l'avons déjà dit, rien ne ressemble plus à une technique de communication qu'une technique de manipulation : c'est l'esprit dans lequel on l'utilise qui fait la différence, et les subordonnés ne s'y trompent pas.

C'est pourquoi nous pensons que le choix des chefs hiérarchiques, et donc la détermination des critères de leur choix, est aujourd'hui un élément fondamental de la stratégie des entreprises(2) et donc, en amont, de la politique sociale et humaine de celles-ci. Nous pensons également que l'éducation des personnes entrant dans la vie professionnelle n'est pas terminée et que l'entreprise est, après la famille et l'école, la troisième cellule de société à vocation éducative, même si ce n'est pas sa finalité première.

---

(2) Une rencontre soviéto-européenne a eu lieu fin mars 1990 dans les locaux de l'IRCOM à Angers. Un des thèmes majeurs était celui de l'éthique des dirigeants et cadres d'entreprise, sujet demandé par la délégation soviétique dans le cadre de la *perestroïka*.

Résumé

Le rôle humain des chefs hiérarchiques devient très important dès qu'il s'agit de faire du personnel des acteurs et plus seulement des exécutants.

L'encadrement ne peut plus jouer conjointement le rôle de chef et d'expert, par suite de la vitesse d'évolution des techniques et de l'augmentation des exigences des salariés notamment en termes de disponibilité et de communication.

A côté des savoir-faire, indispensables et susceptibles d'être fournis par la formation, le domaine du savoir-être apparaît prépondérant.

L'éducation du cœur, de la volonté et de l'intelligence pèsera plus lourd que les diplômes pour l'accession aux postes hiérarchiques.

BIBLIOGRAPHIE

Y a-t-il quelqu'un qui commande ici ?
CHAPPUIS R., PAULHAC J.
Les Éditions d'Organisation, 1987

Comment identifier les futurs managers ?
SAHUC L.
INSEP, 1987

Chapitre 8

LE RÔLE DES SYNDICATS

Nous nous étendrons moins sur le rôle des syndicats que sur celui de la ligne hiérarchique. Non que ce rôle ne soit pas important dans notre esprit mais plutôt par scrupule intellectuel. Certes, nous avons été personnellement syndicaliste et même membre du comité confédéral d'une centrale syndicale, mais nous avons mis fin de nous-même à notre rôle, lorsque nous avons été nommé à la direction des relations humaines et sociales d'une entreprise pour ne pas risquer d'être juge et partie ou, au moins d'être taxé de l'être. Nous ne sommes pas non plus historien du syndicalisme français pour pouvoir tirer de l'histoire des enseignements précieux à nos lecteurs. Nous nous bornerons donc à quelques constats, si limités soient-ils, et à quelques réflexions prospectives.

Revenons à notre philosophie d'entreprise. Nous avons présenté l'entreprise en bonne santé comme une entreprise équilibrée entre les exigences légitimes de ses trois principaux partenaires :

– le client, qui en attend biens ou services dans une perspective de « qualité totale » ;

– l'épargnant, qui en attend loyer de l'argent et prime de risques ;

– le salarié, qui en attend juste prix de son travail et prime de développement.

Dès lors qu'une entreprise est en bonne santé, après avoir payé ce qu'elle doit, il lui reste une marge qui peut être confortable et qu'il faudra partager entre les trois partenaires :

– le client réclame « toujours plus » : qualité, service, prix, etc. Pour le satisfaire il faudra investir, chercher, embaucher... ;

– l'épargnant aussi réclame davantage car il ne manque pas, sur le marché, de produits financiers alléchants... ;

– le salarié enfin réclame « plus », que ce soit en matière de rétribution directe ou d'avantages indirects, jours de congés, œuvres sociales...

La justice consiste à partager équitablement, ce qui ne veut pas forcément dire également. La prudence a son mot à dire car les bénéfices d'une année peuvent être sans lendemain pour des raisons humainement prévisibles. C'est pourquoi nous avons dit que l'éthique d'entreprise était une éthique de compromis sans cesse renégociés.

Cette négociation s'inscrit d'ailleurs dans un cadre juridique. Notre pays est un état de droit et il y a un droit relatif à chacun des trois partenaires : un droit du travail pour les salariés, un droit du consommateur pour les clients, un droit de l'épargne pour éviter, par exemple, les délits d'initié (rôle de la COB).

Mais les partenaires peuvent également, pour renforcer leur poids, se regrouper en associations pouvant ester en justice. Il y a des unions de consommateurs ; il se forme de temps à autre des unions d'épargnants et, bien sûr, il y a les unions de salariés, syndicats, affiliés ou non aux grandes centrales nationales que sont, par ordre alphabétique, CFDT, CFTC, CGC, CGT et CGT-FO.

Le partenaire salarié est donc officiellement reconnu, protégé par des droits, appelé à voter régulièrement pour élire des représentants légaux, délégués du personnel, délégués au comité d'établissement, au comité d'entreprise ou au comité central d'entreprise le cas échéant. Il peut créer des syndicats, mais là nous constatons une première anomalie : comment se fait-il que n'aient le droit de se présenter au premier tour des élections aux comités d'entreprise que des syndicats affiliés aux centrales décrétées « représentatives » par les pouvoirs publics... il y a quarante-cinq ans ? Ce fait n'est pas de nature à crédibiliser les susdits syndicats, bien au contraire, et, pour la jeune génération, le phénomène est parfaitement incompréhensible.

Pour notre part, nous trouvons regrettable cet état de fait car il a contribué à décrédibiliser le circuit des élus et représentants légaux du personnel salarié en France et nous ne pensons pas que cela soit un bien. En effet, qu'il n'y ait pas une négociation autour d'une même table entre l'entreprise et les trois partenaires, client, épargnant, salarié, représentés physiquement, ne change rien au fait que l'entreprise ait bel et bien à effectuer un partage entre les exigences, supposées ou exprimées, de ces trois partenaires. L'entreprise rencontre régulièrement ses clients, en ordre dispersé ou par le truchement d'une union de clients ou de consommateurs. Elle rencontre régulièrement ses épargnants ou les représentants de ses épargnants aux conseils d'administration et aux assemblées générales. Il est naturel qu'elle rencontre les représentants des salariés pour négocier, quand la taille de l'entreprise l'exige, des accords de salaire, d'intéressement, d'avantages sociaux, etc. Il est donc souhaitable que ces représentants soient... représentatifs.

S'ils ne le sont pas, ils peuvent un jour disparaître carrément, ce qui n'est pas dangereux dans une PME de taille restreinte mais qui peut le devenir dans une entreprise de taille plus conséquente. La nature a horreur du vide et quand la base se regroupe en coordinations dites « sauvages », on peut craindre que des éléments non repérés mais bien formés aux techniques révolutionnaires de pointe ne s'emparent habilement des leviers de commande créés pour la circonstance ; le « spontanéisme » peut n'avoir rien de très spontané et être le fruit d'une bonne formation de type trotskiste et d'une longue préparation souterraine.

Nous pensons personnellement que dès qu'une entreprise dépasse la taille humaine où tout le monde connaît le patron et *vice versa,* il est souhaitable qu'il y ait une représentation formelle des salariés et que cette représentation soit, pour les dirigeants, un interlocuteur valable. A l'heure actuelle, le syndicalisme français, qui n'a jamais été brillant, connaît une crise particulièrement grave. Nous avons entendu nombre de dirigeants s'en réjouir à haute ou à demi-voix. Nous ne pensons pas qu'il soit souhaitable de pavoiser car l'individualisme des Gaulois est naturellement si fort et parfois si destructeur, que tout ce qui le renforce doit être perçu comme néfaste.

Mais, diront beaucoup de nos interlocuteurs, les syndicats n'ont-ils pas fait tout ce qu'il fallait pour en arriver à ce discrédit ? Certes, ils ont commis un certain nombre d'erreurs sur lesquelles nous reviendrons mais ils ont un certain nombre de circonstances atténuantes. N'oublions pas, par exemple, la fameuse loi Le Chapelier votée le 14 juin 1791 et qui, en limitant le droit d'association, favorisa abusivement le capitalisme libéral du XIXe siècle dans ses excès vis-à-vis des salariés et, par contre coup, le caractère violent, radical et politisé d'un syndicalisme privé de droits légaux pendant près d'un siècle. La naissance du syndicalisme français dans un contexte d'illégalité ne l'a pas aidé à devenir un partenaire constructif, puissant mais apolitique. L'attitude du patronat français du même XIXe siècle n'a pas été favorable non plus à cette éclosion souhaitable.

Toujours est-il que trois tendances principales se sont fait jour au cours de ce XIXe siècle.

– Une tendance anarchiste, bien dans la ligne culturelle d'une nation d'individualistes facilement contestataires de toutes les formes d'autorité ;

– Une tendance marxiste, favorisée par les conditions de travail très dures et l'absence de qualification d'un sous-prolétariat, provenant souvent de la campagne ;

– Une tendance réformiste, d'inspiration le plus souvent chrétienne, historiquement lancée par les légitimistes dont la défaite politique n'a pas favorisé leur « filiale syndicale » même si celle-ci fut reprise ultérieurement par la démocratie chrétienne.

Ces trois tendances existent toujours au sein des militants syndicalistes français. Il y a des anarchisants à la CFDT et à la CGT-FO, il y a des marxistes à la CGT et à la CGT-FO, il y a des réformistes chrétiens à la CFTC mais aussi à la CFDT et à la CGC et il y a des réformistes non chrétiens à la CGC, à la CFDT et à la CGT-FO. Comme on le voit, seules la CGT et la CFTC ont conservé une assez forte unité de pensée ; les autres centrales n'ont pas une pensée ferme et majoritairement partagée.

La CGT reste puissante dans certains secteurs de la vie industrielle mais ses liens historiques avec un parti communiste dont la décrue a été très forte l'ont considérablement amoindrie par rapport à l'après-guerre bien sûr, mais même par rapport au début du premier septennat Mitterrand. Les derniers avatars du marxisme-léninisme, les contorsions de la *perestroïka* et les débats internes du mouvement communiste français ne devraient pas être de nature à la consolider sur le plan idéologique et, hormis peut-être dans la fonction publique, le nombre de ses adhérents devrait continuer à décroître, d'autant que la jeune génération semble encore moins décidée que les précédentes à se laisser embrigader dans un syndicalisme idéologique ou politique.

La CFTC a été décimée par la scission CFTC-CFDT, survenue au milieu des années 60. Elle a été terriblement longue à s'en remettre ; trop de ses militants, pleins de bonne volonté, ont une formation insuffisante, tant sur le plan de la connaissance de l'économie moderne que sur celui de la pensée sociale chrétienne. Mais il n'est pas impossible qu'elle connaisse un réveil prochain, car il y a un effet « Jean-Paul II » qui peut lui profiter. La CFDT est probablement la centrale où il y a eu le plus de réflexion dans les vingt dernières années. Le discours de la CFDT n'est pas un discours figé ; il n'y a aucune inféodation de la centrale à une quelconque formation politique même si certains militants syndicaux militent également au PS. La CFDT est parfaitement consciente de l'évolution du nouvel état économique et elle cherche à s'y adapter, ce qui n'est pas facile quand on n'est ni franchement révolutionnaire, ni franchement réformiste, et qu'on est traversé par des courants anarcho-syndicalistes, voire trotskistes.

CGT-FO c'était, du temps de Bergeron, une véritable auberge espagnole où coexistaient de paisibles réformistes et des militants de Lutte Ouvrière. La doctrine marxiste y avait perdu beaucoup de sa force après la scission de l'après-guerre d'avec la CGT, mais il y a probablement, à l'heure actuelle, une certaine renaissance marxiste, peut-être liée à l'arrivée d'anciens marxistes-léninistes qui, suite à la crise du communisme, ont renoncé à Lénine sans renoncer à Marx. Cette centrale reste très puissante dans la fonction publique et le dénominateur commun de ses différentes tendances n'est peut être qu'un certain anticléricalisme.

La CGC n'a pas résisté à la mort d'André Malterne et à la faiblesse de qualité de son recrutement depuis une vingtaine d'années. Le drame de cette centrale c'est qu'elle devrait, puisqu'elle s'est spécialisée dans la représentation de l'encadrement, avoir dans ses dirigeants quelques cadres de haut niveau pour élaborer sa stratégie. Malheureusement pour elle, si d'aventure elle a su attirer dans leur jeune âge des cadres de haut potentiel, ceux-ci la quittent ou mettent leurs activités syndicales en veilleuse à la trentaine un peu passée, quand leur carrière personnelle les oblige à faire un choix que leur dicte sans hésitation l'environnement familial et socioculturel français. L'idée de faire carrière dans le syndicalisme cadre ne peut venir, dans notre culture, qu'à un cadre qui ne peut faire carrière autrement. Voilà qui ne favorise pas non plus l'avènement d'un syndicalisme de qualité.

Mais au fait, un syndicalisme de qualité peut-il avoir un rôle réellement important dans des entreprises qui auraient pris le visage du management moderne, qui choisiraient leur encadrement sur d'autres critères que ceux de la compétence technique, qui les formeraient et les éduqueraient pour en faire les animateurs d'équipes de salariés motivés et performants ? Le syndicalisme est-il utile si les dirigeants et les chefs hiérarchiques font leur travail, développent les hommes, communiquent, délèguent, partagent justement les fruits de la productivité ?

C'est là une question importante, que se posent notamment... les syndicalistes les plus lucides et à laquelle ils ne savent pas toujours comment répondre. Pour avoir été nous-même syndicaliste et avoir gardé de cette période un excellent souvenir à tous points de vue, nous voudrions sans aucunement prétendre épuiser le sujet, donner quelques pistes de réflexion.

Tout d'abord, le syndicalisme est formateur. Quand on rentre jeune dans une entreprise d'une certaine taille, on risque d'être phagocyté par l'entreprise dont la culture peut être un peu castratrice. Le syndicalisme est une ouverture sur d'autres entreprises, d'autres modes de fonctionnement. En outre, le pluralisme du syndicalisme français fait qu'on rencontre, voire qu'on affronte, des militants d'autres syndicats, ce qui oblige à se former, à approfondir ses propres positions, à tenter de comprendre celles des autres. Très vite, on est amené, même si on est de formation technique ou juridique, à se former sur le plan économique pour discuter, sans dire de sottises, avec la direction ou avec ses représentants, de ce qui touche la marche de l'entreprise et pouvoir en informer ses collègues. C'est l'intérêt de l'entreprise de compter en son sein des éléments formés en dehors de son propre moule culturel pour lui apporter un autre point de vue et lui éviter de tomber dans l'autosatisfaction. A notre connaissance, le patronat allemand qui a toujours en face de lui des syndicalistes formés, au fait des réalités économiques, appartenant à des centrales puissantes, ne semble pas s'en être mal trouvé. Quelle société peut progresser si elle n'est jamais contestée ? Contestation ne signifie pas idéologie, révolution, politisation et, comme la preuve est faite que le *one best way* n'existe pas, que la rationalité triomphante existe peut-être en mathématiques mais certainement pas dans le monde incertain de l'entreprise, alors vive la contestation si elle est créative, lutte contre la sclérose et le consensus « béni oui-oui » et se révèle force de propositions.

On peut toujours imaginer un syndicalisme réaliste, attentif à suivre l'évolution du monde industriel et commercial, formant tous ses militants à l'économie et à la communication, fort de ses convictions mais ouvert au dialogue, représentatif et donc négociateur avisé du partage des fruits de la productivité, aidant la hiérarchie à trouver des formules d'intéressement et de rétribution, incitatives et compréhensibles. Un syndicalisme défendant vigoureusement les intérêts légitimes de ses mandants tout en comprenant les exigences du service du client et la nécessité de fidéliser l'épargne, comprenant que la vie de l'entreprise ne doit jamais être mise en péril par des positions corporatistes ou idéologiques. Un tel syndicalisme n'est pas seulement supportable pour l'entreprise, il est utile, et dans le cas d'une entreprise de taille respectable, il est même indispensable car nous le répétons, la nature a horreur du vide et dans une grande entreprise, l'affaiblissement de la représentation légale des salariés, l'effacement du circuit concurrent de la ligne hiérarchique, constituent des dangers potentiels considérables.

En tout état de cause, quelle sera la politique d'une direction d'entreprise pourvue d'un syndicalisme à la française, c'est-à-dire existant mais peu puissant, contestataire mais peu constructif, divisé avec ce que cela comporte de risques de surenchères possibles ? Tout d'abord sortir, si c'était le cas précédemment, d'une attitude de « fixation » sur le phénomène syndical, d'une énergie importante déployée à la contention des syndicats. Se refuser à rentrer dans l'état de guerre, éviter de céder à l'émotionnel, déclarer la paix mais rétablir les faits chaque fois qu'ils sont dénaturés, et surtout... faire autre chose que de se placer systématiquement sur le terrain des revendications syndicales. Adopter la maxime de Foch : « Un tiers de défensive et deux tiers d'offensive ». L'offensive, c'est le lancement et l'animation de la politique sociale et humaine élaborée, basée sur le rassemblement des hommes, le développement individuel et la délégation des pouvoirs. La défensive, c'est la réponse aux revendications, qui doit d'ailleurs être, principe de subsidiarité oblige, donnée au niveau le plus bas possible : chef d'équipe, agent de maîtrise, cadre. Une direction ne doit répondre, elle-même, qu'aux réponses, qui sont de son niveau, c'est-à-dire philosophiques, politiques et stratégiques (c'est-à-dire relatives aux axes d'évolution de l'entreprise). Quand elle ne le fait pas, elle commet une grave erreur en se déstabilisant elle-même, en même temps qu'elle discrédite sa propre hiérarchie.

Enfin, une direction d'entreprise doit être pédagogue vis-à-vis de la représentation syndicale. Il est important d'expliquer, de façon simple mais illustrée régulièrement d'exemples vécus dans l'entreprise, ce qui a profondément changé dans le monde économique moderne, les exigences nouvelles des clients, la nécessité d'une démarche de qualité, les forces de la concurrence, les risques et les chances de l'entreprise, les domaines où l'entreprise doit progresser. Être pédagogue, c'est montrer que l'on ne méprise pas. Le « zéro mépris », dont parle justement Hervé Serieyx*, doit être appliqué dans la relation direction-syndicats, encadrement-représentants légaux du personnel : cela fait partie de l'éthique de l'entreprise.

La pratique de ce « zéro mépris », la qualité de la communication avec les délégués, l'attitude d'écoute, la maîtrise de ses réactions émotionnelles, permettent à plus ou moins longue échéance de nouer avec certains des relations personnelles, empreintes d'une bienveillance incontestable. En cas de crise toujours possible, ce genre de relations se révèle d'une utilité peu commune. Il nous souvient d'avoir pu, en mai 68, rentrer dans une usine fermée et gardée par des militants purs et durs, en étant véhiculé avec les plus grands égards par les susdits militants et laissé seul dans notre bureau pour y faire, sans aucune explication, ce que nous voulions y faire et le temps que nous le désirions. Or nos options philosophiques, politiques et religieuses, étaient parfaitement connues de tous, non partagées par les susdits militants, ce qui n'a jamais empêché le respect mutuel des personnes et la courtoisie des relations.

Mais allons plus loin que l'entreprise elle-même. Pensons aux professions confrontées au problème de la formation professionnelle pas toujours adéquate aux besoins. Les syndicats peuvent être des alliés objectifs précieux pour l'amélioration progressive de cette formation professionnelle. Nous avons eu l'occasion de siéger au comité économique et social de notre région et pu ainsi discuter avec les représentants des syndicats sur ce thème. Nous avons pu constater, qu'ayant eux-mêmes des enfants, ils étaient très sensibles à l'idée d'un travail regroupant le plus de forces possibles pour aboutir à la mise en place de formations adéquates aux besoins réels, approuvées par les entreprises et débouchant sur l'emploi. On voit donc l'intérêt évident que les entreprises ont à être pédagogues vis-à-vis de leurs propres représentants élus ou désignés car si les messages remontent aux instances syndicales, cela peut favoriser des évolutions positives en matière de formation professionnelle surtout depuis que les régions ont reçu la compétence pour prendre en charge ce problème si important pour l'avenir de nos entreprises.

Nous l'avons dit dès le début de ce chapitre, nous ne pouvons parler de la stratégie des syndicats à leur place. Mais nous pouvons dire aux dirigeants d'entreprise qu'ils ont, au moins en partie, les syndicalistes qu'ils méritent. L'homme est un être pourvu de libre arbitre mais il est influencé par les relations qu'il a avec les autres. Les syndicalistes ou les représentants légaux d'une entreprise ne peuvent pas ne pas être influencés par les relations qu'ils auront à longueur d'année avec la direction, avec l'encadrement et... avec la base, ce qui aujourd'hui, dans ce dernier cas, n'est pas toujours si facile que cela pour les militants. Nous sommes donc persuadé qu'avec de la persévérance, de la pédagogie, de la courtoisie et une bonne qualité de communication, les relations encadrement-représentants légaux peuvent se transformer positivement en véritable partenariat, pour le plus grand bien de tous. Nous pensons qu'une des clefs du problème passe par la formation économique de tout le personnel, quel que soit son niveau dans l'entreprise. Comme la formation économique, quand elle est faite de façon simple et pédagogique, a une retombée positive pour la vie personnelle du salarié puisqu'elle peut l'aider à gérer son propre budget, elle est facilement « vendable » aux intéressés et s'assimile d'ailleurs d'autant mieux que chacun peut voir que le budget d'une entreprise ne se gère pas très différemment de celui d'un foyer.

Le nouvel état économique (l'alternance politique jouant également son rôle) a eu des vertus pédagogiques. Le « néoréalisme » économique gagne du chemin et rapproche des positions jadis apparemment inconciliables. Nous pouvons donc aujourd'hui légitimement envisager que le circuit « élus-syndicats » ne se comporte plus, vis-à-vis du circuit « ligne hiérarchique », comme un ennemi mais simplement comme un concurrent... en économie de marché. Alors que le meilleur gagne pour le développement des entreprises et de tout le personnel.

Résumé

Une attitude positive, un langage réaliste, une information vraie, une formation économique, un respect des personnes, peuvent contribuer à transformer les relations avec les élus et les syndicalistes, même si le passé est chargé de souvenirs d'affrontements.

Dans le nouvel état économique, le rôle des syndicats peut être utile au bien commun. Dans les entreprises d'une certaine taille, le vide serait de toute façon dangereux. Les circonstances paraissent favorables à l'évolution des attitudes réciproques des partenaires.

BIBLIOGRAPHIE

Le pouvoir syndical
ADAM G.
Dunod, 1983

Clefs pour une histoire du syndicalisme cadre
DESCOTES M., ROBERT J.J.
Éditions Ouvrières, 1984

Les syndicats français et américains face aux mutations technologiques
DOMMERGUES P., GROUX G., MASON L.
Anthropos, 1984

Le mouvement ouvrier français : crise économique et changement politique
KESSELMAN M., GROUX G.
Éditions Ouvrières, 1984

Le zéro mépris
SERIEYX H.
Interéditions, 1989

Chapitre 9

RETOUR A LA TÊTE DE L'ENTREPRISE

Au cours de cette deuxième partie, nous avons voulu rechercher en quoi l'entreprise devait changer si elle voulait s'adapter au nouvel état économique tout en tenant compte des réalités sociologiques. Dans un premier temps, nous avons placé le problème sur un terrain philosophique tant il nous apparaissait évident que les modes de gouvernement et d'organisation des entreprises étaient toujours sous-tendus par une philosophie, une éthique ou une idéologie. Les caractéristiques du monde moderne - interdépendance et incertitude, évolution rapide des technologies et des produits, abondance et qualité de la vie dans les pays développés, sollicitations multiples et sécurité accrue - nous conduisent à penser que seule, une philosophie fondée de manière réaliste sur l'apport créateur et l'autonomie des personnes, leur développement individuel et un fort sentiment d'appartenance à la communauté, sur le service du client et le souci de l'épargnant, avait une chance de permettre l'élaboration d'une politique sociale et humaine, susceptible de rendre à la fois l'entreprise plus performante et les hommes plus heureux.

Sa philosophie de l'entreprise, du travail et de l'homme, chaque chef d'entreprise doit, sinon l'élaborer totalement, du moins se l'approprier à partir des lectures et des discours dont il a eu connaissance, complétés par les réflexions issues de sa propre expérience. Cette philosophie, pour s'incarner en politique sociale et humaine, doit se confronter au terrain, à l'action, comme le recommandait Gaston Berger : « Soyez des philosophes en action ». C'est pourquoi nous avons commencé la réflexion de politique sociale et humaine en repartant par « l'autre bout », en allant voir à la base ce qui se passait pendant l'action et pourquoi celle-ci se déroule parfois de façon cahotique, lente, coûteuse ou peu adéquate aux désirs du client. Nous avons perçu, et donc noté, qu'il y avait un effort à faire en matière de cohérence, de cohésion, de participation, de communication, de connaissance et de respect des règles du jeu ; nous avons trouvé des structures pas toujours adaptées, une délégation insuffisante, des hommes pas toujours bien utilisés, formés, préparés à une évolution d'entreprise pas toujours assez anticipée par les responsables. De là, tout naturellement, nous sommes remonté vers la direction pour le lui dire. Mais les circuits de remontée existent, ce sont la ligne hiérarchique et la ligne des représentants légaux. Nous nous sommes donc interrogé sur le rôle des chefs hiérarchiques et des syndicats ou élus. Nous n'avons pas mission à donner des conseils aux seconds, aussi avons-nous porté la plus grande part de notre réflexion sur le rôle des chefs hiérarchiques.

Maintenant nous venons retrouver le premier d'entre eux, le responsable de l'entreprise lui-même et nous lui disons : « Maintenant vous avez tous les éléments en main. La base et les responsables hiérarchiques, sauf exception, ne prendront pas d'initiative de changement, si vous ne bougez pas. D'abord parce que certains n'ont pas pris conscience des problèmes et que d'autres, plus conscients, ne prendront pas le risque d'être peut-être désavoués ou sanctionnés. Alors, si vous avez la certitude qu'il faut que l'entreprise change, si vous êtes convaincus que ce changement est principalement une question d'hommes, de comportements, d'habitudes et d'attitudes, si vous êtes un homme d'action,... agissez ».

Entendons-nous bien sur ce terme d'agir. Agir, compte tenu de ce que nous avons perçu, c'est s'engager en vue d'engager à sa suite le plus grand nombre « d'acteurs » au sein de l'entreprise. C'est déclencher une action de toute la communauté, c'est passer du « Je » au « Nous » pour que tous agissent. C'est abandonner tout rôle de soliste pour celui de chef d'orchestre.

Autre possibilité d'équivoque qu'il est important d'éliminer tout de suite : la réflexion de politique sociale et humaine élaborée aux chapitres précédents doit se traduire en actions « intégrées » à la voie de l'entreprise dont le rôle, rappelons-le, est d'abord de servir le client qui est son véritable patron, son donneur d'ordres. Il n'est pas question de continuer à faire d'un côté, le travail de l'entreprise et de l'autre, des relations humaines complètement déconnectées de la vie quotidienne des hommes au travail. Enfin pas question de séparer non plus l'action managériale pressentie des réalités économiques de l'entreprise, de sa compétitivité par rapport à la concurrence, de sa rentabilité, c'est-à-dire de sa crédibilité, notamment dans le monde des épargnants. Une politique sociale et humaine, réaliste, et le lecteur a dû s'apercevoir que le réalisme est notre plus grand souci, intègre la démarche « qualité totale », l'analyse de la valeur et la rigueur de gestion, tout autant qu'une charte du management visant à favoriser l'autonomie, le développement et l'union des hommes.

Il s'agit donc de donner à l'homme dans l'entreprise toute sa place, sa vraie place, c'est-à-dire la première, celle d'un sujet, pas d'un objet, mais celle d'un sujet, acteur d'entreprise, c'est-à-dire d'un entrepreneur interne qui s'est donné à lui-même comme objectif le service du client dans le souci de la rentabilité et qui, en le faisant, y prend son plaisir, se développe, réalise une partie de son destin personnel. Nous avons dit à dessein une partie ; si nos collègues japonais trouvent normal que l'homme recherche et trouve son épanouissement en quasi-totalité dans la vie professionnelle, nous les laisserons le penser mais nous ne les accompagnerons pas sur ce chemin. Certes, le temps passé au travail est important et à ce titre il est nécessaire que l'homme y trouve réalisation de soi, mais le destin personnel de l'homme s'accomplit également au travers des autres cellules de société où il est présent : famille, vie associative ou civique, arts et loisirs ; également dans une vie intérieure, où il peut faire retraite pour se retrouver lui-même et recharger ses accus avant de retourner dans la vie sociale.

Revenons à notre chef d'entreprise et rassurons-le tout de suite. Il pourrait en effet s'effrayer de l'ampleur de ce qu'il va entreprendre... et ne plus rien entreprendre du tout. Il pourrait se dire que déjà les axes du management nouveau lui semblent fort nombreux et complexes, et que l'intégration à la vie technico-économique, elle-même si complexe, de son entreprise posera tellement de questions dont il est convaincu de ne pas avoir les réponses, qu'il préfère le *statu quo.* A cela nous répondrons par la voie de la métaphore. Péguy a dit que les derniers aventuriers du monde moderne étaient les pères de familles nombreuses ! Demandez aux parents de familles nombreuses s'ils avaient toutes les réponses aux questions qu'ils ont été obligés de résoudre au cours de leur vie parentale ! Demandez aux créateurs d'entreprise s'ils avaient prévu tout ce qu'il leur est arrivé, aux navigateurs, aux coureurs automobiles, aux chirurgiens, aux amoureux, etc.

C'est le sel de la vie que d'avoir des questions nouvelles à résoudre. Mais ce n'est pas la seule réponse qu'il convient de donner. Il faut ajouter que le chef d'entreprise va peu à peu recevoir des renforts de qualité... s'il est décidé, dès le départ, à les rechercher et à ne pas travailler en solo. Il existe potentiellement, dans toute entreprise, un certain nombre de personnes, aujourd'hui peut-être inconnues, qui attendent cette mutation et vont se révéler alliées, complices, imaginatives et souvent locomotives. Enfin l'action transforme l'homme lui-même et nous avons l'expérience que les responsables qui ont pris cette voie avec une certaine appréhension se révèlent assez souvent beaucoup plus rapidement performants qu'ils ne le pensaient initialement. Rien d'étonnant à cela ; la voie de la participation et de la communication est, par essence, enrichissante puisqu'elle provoque l'échange et l'apport mutuel.

Notons également que si les progrès en sciences et techniques demandent, à un certain âge, des efforts considérables, les progrès dans le domaine de l'humain sont possibles à tout âge et ne demandent pas une mécanique intellectuelle en « super » état de marche.

Tout est donc possible à celui qui le veut vraiment, ce qui ne veut pas dire qu'il ne faut pas s'y préparer, nous y reviendrons dès le début de la troisième partie de cet ouvrage. Notre propos, à ce stade de la réflexion, est simplement de préciser que ce type de mutation doit être initié, accompagné et contrôlé, par le responsable de l'entreprise lui-même ou par le responsable de l'établissement décentralisé si celui-ci a l'autonomie nécessaire pour assumer l'opération. Cela ne veut pas dire que l'idée du changement a forcément germé d'abord dans la tête de ce responsable. Nous avons en mémoire un certain nombre de cas où ce sont des subordonnés, proches de leur patron, qui ont fait évoluer celui-ci au cours d'entrevues, d'échanges, de visites communes chez des confrères, de participations à des réunions organisées par des clubs ou des associations.

Mais dès qu'il s'agit de lancer l'action, le chef doit s'impliquer lui-même, s'engager de tout son poids et être présent aux points chauds pour conforter tout le monde... et réconforter le cas échéant. Rien de plus dangereux que de lancer une opération de changement de type de management à un niveau intermédiaire. Les agents de maîtrise ont, hélas, souvent fait les frais de ce genre d'opération, soit qu'on leur ait demandé de changer sans que leurs chefs directs en aient été prévenus ou n'y aient été eux-mêmes préparés, soit qu'on ait formé leurs propres subordonnés, la base, à un autre type de relations avec leurs agents de maîtrise, sans avoir formé ceux-ci. C'est la « révolution culturelle » assurée avec toutes ses séquelles : blocage prévisible de toute opération de changement pour dix ans au moins.

Bien au contraire, si l'entreprise est encore très taylorienne, avec forte centralisation, climat social d'affrontement (jeu à deux : direction-syndicat), il peut s'avérer nécessaire de commencer par réintégrer l'encadrement au management de l'entreprise avant de chercher à faire de la base des acteurs. En effet, la plupart des chefs hiérarchiques, dans ce type d'entreprise, jouent en fait un rôle d'experts ; ils ne managent ni les hommes ni les sous ! Il faut donc commencer par former l'encadrement au management avant de donner de l'autonomie à la base.

Autrement dit, le chef doit s'engager dans l'action, il ne doit pas la redouter mais il doit l'engager avec prudence. C'est d'ailleurs le but de cet ouvrage que d'aider les responsables à s'engager dans l'action, non pas en leur apportant les réponses aux questions qu'ils vont avoir à se poser sur le terrain, mais en essayant de leur montrer le type de questions qu'ils peuvent avoir à se poser.

Nous allons aborder, dans la dernière partie, le problème de la conduite de l'action et donc d'un certain nombre de moyens et de méthodes. Ces moyens et ces méthodes apparaîtront à juste titre bien « complets » à des responsables de petites ou petites-moyennes entreprises. Nous en sommes d'autant plus conscient que nous avons passé nous-même environ 4/7 de notre carrière en grande entreprise et 3/7 en petite ou petite-moyenne.

Nous pouvons, en revanche, assurer que les types de problèmes posés sont les mêmes quels que soient la taille de l'entreprise et son domaine d'activité(1) mais il est plus facile de les résoudre en PME, malgré l'absence de moyens sophistiqués, grâce à une communication formelle ou informelle qui touche rapidement toute l'entreprise avec le minimum de déformations.

Constatons enfin que nous avons mené la réflexion de ces deux premières parties en nous interrogeant d'abord sur ce qui se passait à l'extérieur de nos entreprises puis sur ce qui se passait à l'intérieur. Pour ce qui concerne l'extérieur, nous nous sommes intéressés à l'état économique, à l'état psychosociologique, aux mondes des valeurs avec quelques allers et retours. Pour ce qui concerne l'intérieur des entreprises, nous avons fait un peu de yoyo entre le sommet et la base, partant du haut pour y revenir, après avoir été en bas et dans les deux circuits intermédiaires. Nous pensons que tout au long de l'action qu'il entreprend, le chef d'entreprise doit rester ouvert sur la vie sociale, la vie économique, la vie politique. Dans l'entreprise, il doit faire son métier en restant à son niveau (qui est celui de la stratégie) mais il doit rester attentif, à l'écoute de ce qui se passe à la base, au sein des personnels d'encadrement (la maîtrise est la clef de bien des problèmes) ou dans le monde très particulier des experts.

Tout récemment, un de nos amis interrogeait un homme dont il avait fait la connaissance et qui lui avait fait une forte impression de solidité et de sagesse malgré son âge inférieur à la quarantaine. Il lui posait la question suivante : « Quelles sont les cinq qualités personnelles auxquelles vous attribuez votre réussite personnelle ? » Cet homme a répondu : « En premier, l'écoute, en second l'écoute, en troisième l'écoute, en quatrième l'écoute, en cinquième

---

(1) Il y a bien sûr des spécificités car il y a des métiers plus sédentaires et d'autres plus itinérants, du travail en journée et du travail posté, des entreprises régionales et d'autres multinationales, mais la nature humaine a des constantes fortes dans les pays de culture judéo chrétienne.

l'écoute ». Nous pensons également à un chef d'entreprise, aujourd'hui très âgé mais débordant d'activités bénévoles depuis qu'il a laissé la direction de son entreprise, et que nous n'avons jamais entendu parler de quelqu'un autrement qu'en termes positifs, signe que dans chaque personne il cherche toujours à trouver le meilleur.

Si nous voulons donner encore quelques conseils aux responsables d'entreprises prêts à s'engager dans le changement de management, nous leur dirons : prenez le temps de lire et prenez le temps de faire retraite au vert pour réfléchir et méditer. Lire parce que l'écoute, pour précieuse qu'elle soit (car elle est un échange d'être à être), ne permet pas de revenir sur ce qui n'a pas été assimilé du premier coup. Nous sommes ainsi faits que nous ne captons qu'une partie du message délivré par l'autre la première fois que nous l'entendons. L'émotionnel peut également parasiter notre réception. La lecture, elle, permet le retour, l'approfondissement, l'assimilation. Elle est donc, en outre, une excellente préparation à la réflexion solitaire, à la méditation. Mais la méditation peut être aussi le prolongement de l'action et il est important de prendre du temps à faire le bilan régulier de son action pour en tirer les leçons.

Nous ne terminerons pas ce chapitre sans évoquer le thème du leader, non parce qu'il est à la mode, mais parce que c'est un thème inévitable. On sait très bien qu'il y a des personnes de très grande qualité, ouvertes aux autres, pleines de discernement, d'une conscience éthique manifestée en toute occasion, mais incapables de diriger une équipe ou n'en ayant nullement la vocation. En revanche, il y a des leaders de type divers qui exercent le rôle de chefs d'entreprises et... qui ont intéressé les psychanalystes. On pourra lire dans l'ouvrage collectif Strategor ⋆ quelques pages sur l'approche psychanalytique de leadership. Il y aurait des leaders à prédominance narcissique, des leaders possessifs, des leaders séducteurs et des sages. A la description qui en est faite, nous pensons que le nouveau type de management s'accorde tout à fait au dernier type : le leader sage.

Citons l'extrait : « Dominant sa vie pulsionnelle, il utilise pour le bien de la communauté au milieu de laquelle il vit, la presque totalité de son énergie psychique : il est bienveillant, sévère et juste [...] Il présente à ses interlocuteurs une image paternelle, mais non paternaliste [...] Grâce à sa maturité, il facilite la carrière de ses collaborateurs qui pourront à leur tour diriger. Le leader sage peut travailler avec tout type de structures psychiques ; même les « phobiques » ne se sentent pas menacés par lui car il sait se tenir mentalement à la distance voulue [...] On ne rencontre pas souvent ce type de leader dans les organisations [...] » C'est peut-être ce qui explique les problèmes de motivation dans nos entreprises, car l'homme a besoin de modèles pour se construire. Peut-être également que la crise de société que nous avons identifiée dans notre précédent ouvrage a favorisé davantage l'éclosion de leaders narcissiques, possessifs ou séducteurs. Enfin, il est probable que les leaders sages pratiquent assez fortement l'adage : « Pour vivre heureux, vivons cachés » et ne recherchent pas la publicité.

Nous conclurons ce chapitre en répétant que la politique sociale et humaine moderne, celle qui vise à favoriser l'émergence d'un maximum d'acteurs adultes au sein de l'entreprise, puise son origine et sa finalité dans la personne du chef d'entreprise (ou d'unité décentralisée) : son origine, parce qu'elle ne peut s'élaborer de façon cohérente que si elle a une source philosophique intégrant une réflexion de fond sur la personne humaine, le travail et l'entreprise elle-même, sa finalité, parce qu'elle doit s'intégrer à la stratégie d'entreprise et la féconder profondément pour déboucher dans l'action. Or la démarche stratégique est bien du niveau du responsable le plus haut qui, même s'il l'élabore de façon participative, en est le promoteur et le gardien. Telle que nous l'avons présentée, la politique sociale et humaine implique le service du client et le souci de l'épargnant ; elle ne doit donc trouver aucune difficulté à s'incarner en objectifs bien concrets, eux-mêmes intégrés dans la stratégie générale de l'entreprise et réalisés en même temps que les objectifs technico-économiques.

C'est cette intégration dans l'action qui est le gage de la réussite du changement. Au chef d'entreprise de conduire ce changement.

Résumé

Les principaux bénéficiaires du changement se situent à la base où d'exécutants, beaucoup pourront se retrouver acteurs.

Les changements de comportement toucheront particulièrement la filière des chefs hiérarchiques.

Mais c'est le responsable au sommet qui a la responsabilité d'initier l'action et de conduire le changement, après avoir rassemblé les éléments d'une politique sociale et humaine, sous-tendue par une philosophie de la personne, du travail et de l'entreprise.

BIBLIOGRAPHIE

Renversons la pyramide
CARLZON J.
Interéditions, 1986

Conduire et Servir
CARRARD J.
Cabédita-Morges, 1989

Stratégie de l'entreprise et motivation des hommes
GELINIER O.
Les Éditions d'Organisation, 1984

Strategor : Stratégie, structure, décision
Interéditions, 1988

CONCLUSION DES DEUX PREMIÈRES PARTIES

Beaucoup de chefs d'entreprises savent pourquoi les modes de management doivent changer : la concurrence se fait plus dure, le client plus difficile, l'environnement plus incertain. Beaucoup perçoivent également que la société a changé, que le personnel n'est pas toujours très motivé, que les leaders ne sont pas toujours suivis.

Mais parmi eux, certains ne savent pas vraiment en quoi il faut changer et ils risquent d'être la proie de gourous médiatiques qui feront dans leur entreprise plus de mal que de bien. Pourtant les solutions ne sont pas compliquées et relèvent, sur le plan intellectuel, davantage du réalisme, de la réflexion et du bon sens que de l'absorption de théories sophistiquées.

Reste que la réflexion, pour essentielle qu'elle soit, ne dispense pas de l'action. De la philosophie, il faut passer à l'élaboration d'une politique puis se fixer des objectifs, intégrés à la stratégie de l'entreprise et enfin agir. Dans la troisième partie, nous allons aborder l'action : ce sera la conduite du changement.

Troisième partie

CONDUIRE LE CHANGEMENT

Nous espérons dans les deux parties précédentes avoir convaincu le lecteur que, dans la plupart de nos entreprises, un certain nombre de changements sont nécessaires pour qu'elles soient mieux à même de jouer leur rôle au sein de la société. Nous l'avons dit, ce rôle est à la fois économique et humain mais ne faudrait-il pas dire plutôt qu'il ne s'agit que d'un rôle humain, puisque l'économie est une facette de l'activité humaine ? Peu importe, d'ailleurs, nous ne sommes pas là pour faire de l'exégèse mais pour proposer des modes d'action en vue du changement.

Amener un changement dans une communauté humaine n'est jamais facile. Mais nous avons l'expérience qu'un responsable d'établissement ou d'entreprise peut faire considérablement évoluer la communauté dont il a la charge s'il le veut vraiment, s'il a la durée devant lui, s'il est décidé à le faire avec les hommes et les femmes qui en sont les membres.

Inutile de dire que cela requiert de la patience, de l'énergie, de la ténacité... et une bonne dose d'humilité. Ajoutons que cela nécessite aussi d'avoir une vision positive des hommes et de la vie, ce mélange de confiance en soi, de confiance en les autres et d'espérance en l'avenir sans lequel on risque le découragement ou l'exaspération. Autant dire que tout le monde n'a pas vocation à jouer ce rôle « social » de chef d'entreprise ou de chef d'établissement, à l'époque où les firmes ont à s'adapter au nouvel état économique, où leurs responsables doivent tenir compte de l'état de la société, où les salariés n'ont pas forcément pris conscience des nouvelles contraintes auxquelles sont soumises leurs entreprises. Mais la vocation et même le charisme ne suffisent pas à bien maîtriser la conduite du changement. Il faut y ajouter un peu de méthode. Nous ferons la supposition dans cette troisième partie que le chef d'entreprise ou le chef d'établissement qui a l'autonomie suffisante (cela existe dans un certain nombre de grandes et moyennes entreprises) est convaincu que la communauté dont il a la charge doit changer pour s'adapter à un monde qui a changé.

Nous supposerons également qu'il est persuadé que ce changement va poser le problème des pouvoirs, de leur diffusion le plus bas possible, donc le problème des responsables hiérarchiques et de leur autorité, que ce changement se traduira probablement par des modifications de structures, d'organisation, de rôles au sein de ces structures, par une redéfinition des modes de rétribution des services rendus, etc. Nous avons identifié au cours de la deuxième partie de cet ouvrage tous ces aspects du changement. Nous avons vu également que ces changements pouvaient remettre en cause des comportements, des attitudes, des mentalités, des habitudes, chez tous les acteurs, du p.-d.g. à l'homme de base, du syndicat à la ligne hiérarchique en passant par les experts. Alors, mission impossible ? Non, mais chantier d'importance à ne pas démarrer sans avoir bien perçu :

1) que l'on s'engage personnellement (ce qui ne veut pas dire que l'on s'engage seul) ;

2) qu'une fois engagé, on ne peut plus faire machine arrière, car la déception engendrée coûterait trop cher ;

3) que les enjeux, considérables, peuvent être résumés par le slogan *Le développement des entreprises par la promotion des hommes* qui indique les liens étroits de l'humain et de l'économique.

Au cours de cette troisième partie, nous essaierons donc de montrer que la conduite du changement exige de la méthode et l'utilisation d'outils, aujourd'hui bien connus mais pas toujours employés à bon escient et dans le bon ordre.

Chapitre 10

LE DÉVELOPPEMENT PERSONNEL DU RESPONSABLE

Nous pensons avoir suffisamment montré l'ampleur du changement à initier dans la plupart de nos entreprises, pour que ceux qui ont la charge de conduire l'action aient pris conscience de la nécessité de s'y préparer : on ne se lance pas dans le tour du mont Blanc à pied, sans s'assurer qu'on a des chances raisonnables d'arriver au bout !

Le changement de stratégie humaine des entreprises ne pose pas, sauf exception, de problèmes insurmontables, mais il exige, de la part de celui qui le mène, une préparation, un entraînement, un effort de développement personnel. Entendons bien qu'il s'agit d'un développement personnel non pour accroître sa performance individuelle mais pour accroître son rayonnement humain et la performance de la communauté dont on a la charge.

Comme nous l'avons dit, le changement va engager une « équipe » de direction. Le responsable d'une entreprise (ou d'une unité) a bien la responsabilité d'une communauté de 200 ou de 50 000 personnes mais il anime essentiellement une équipe de moins de dix personnes. Cela ne veut pas dire qu'il n'a aucun rayonnement sur les autres à qui il aura l'occasion de parler individuellement ou collectivement de temps en temps, mais, soyons clair, on n'a d'influence importante que sur ceux que l'on a directement en charge, que l'on peut écouter quasi quotidiennement et qui sont les témoins de ses réactions aux événements de l'histoire de l'entreprise, comme aux menus incidents de la vie de l'équipe.

C'est souvent la répercussion de ces réactions sur les membres de l'équipe qui crée peu à peu le climat de l'entreprise. Qu'on le veuille ou non, le chef reste toujours l'exemple ou le contre-exemple. Celui qui maltraite son équipe génère forcément des relations humaines où le mépris tiendra une place importante, même si, ici ou là, l'un ou l'autre, au prix souvent d'un véritable héroïsme personnel, crée un ilôt de respect mutuel, de communication et d'union. Mais une organisation est faite pour fonctionner avec des gens normaux, pas avec des héros, même s'il est vrai qu'une petite proportion de gens, exceptionnels du point de vue de leurs relations avec les autres, constitue toujours le « plus » qui conduit aux grandes réussites.

Revenons donc au responsable de l'entreprise ou de l'unité. Incontestablement, il va être regardé dès qu'il engagera l'action. Il ne pourra pas dire longtemps : « Faites ce que je dis, ne faites pas ce que je fais ». Il faut donc qu'il se soit bien préparé à faire lui-même ce qu'il va demander aux responsables de la ligne hiérarchique, sachant qu'on sera tout naturellement exigeant à son égard. Il s'agit donc bel et bien de se former, on devrait même dire de s'éduquer. Or ce qui frappe en matière de formation, c'est que les responsables pensent souvent que leurs subordonnés doivent se former mais rares sont ceux qui pensent qu'ils doivent se former eux-mêmes. Pourtant, il est bien évident que, plus on exerce de responsabilités, plus on doit s'y préparer, et il nous semble que plus on est haut dans la hiérarchie, plus on doit avoir le souci d'améliorer la qualité de sa préparation à son rôle.

A cela, certains vont répondre que la préparation des managers s'est bien améliorée depuis bon nombre d'années et que les entreprises ne manquent pas d'envoyer leurs futurs dirigeants suivre des cycles de formation, leur demandant souvent un effort de longue durée, le sacrifice d'une partie de leurs loisirs et de leur vie de famille. Nous répondons à cela que ces cycles de formation sont en général très riches en disciplines techniques : gestion, marketing, stratégie technico-économique, en connaissance de l'environnement social, culturel et politique, mais d'une très grande pauvreté en ce qui concerne la formation de la personne en vue d'accroître son rayonnement humain.

Accroître ses connaissances est de l'ordre du savoir qui est une forme de l'avoir et permet d'acquérir un pouvoir. A défaut d'autorité reconnue, cela peut permettre d'améliorer son image. Mais on ne trompe pas longtemps son entourage en jouant sur son image : les imposteurs finissent toujours par être démasqués. Le seul moyen d'éviter alors l'effondrement de son pouvoir reste de diviser pour régner ou de terroriser, ou encore de jouer à la fois du terrorisme et de la division ; dès lors, tout changement de stratégie humaine dans l'entreprise est condamné et on peut revenir tranquillement à la case départ d'une organisation taylorienne.

Nous ne disons pas cela pour démontrer que les cycles de formation au management, disponibles sur le marché, sont inutiles ou de médiocre qualité. Il est tout à fait utile, pour un futur manager, d'avoir connaissance des disciplines techniques qui constituent le champ d'activité professionnelle de ses meilleurs experts, ne serait-ce que pour améliorer la bonne compréhension mutuelle chef-experts ; et, pour ce qui concerne ces disciplines, la qualité des stages, heureux effet des bienfaits de la concurrence, atteint très souvent le niveau d'excellence souhaité. C'est en fait l'insuffisance du champ d'action de ces cycles de formation qui est en cause. On peut d'ailleurs très légitimement se demander si le renforcement de la personnalité est justiciable de ce type de formation. Nuançons tout de suite cette interrogation en reconnaissant que la personnalité se manifeste par des actes dont certains sont justiciables d'une formation technique tout à fait transférable lors d'un stage. Par exemple, l'organisation du temps permet de gagner en disponibilité et les techniques d'expression écrite et orale, jointes à l'apprentissage de l'écoute, améliorent la qualité de la communication ; disponibilité et qualité de communication sont bel et bien deux éléments qui favorisent le rayonnement de la personnalité. Mais nous avons déjà fait remarquer que les techniques de communication et les techniques de manipulation étaient très semblables et que c'est l'éthique de la personne qui fait la différence. Quant à l'organisation du temps, elle peut permettre à quelqu'un d'utiliser la disponibilité acquise à soigner son image plutôt qu'à consacrer du temps aux autres.

Alors, où se situe le domaine de la formation de la personne ? C'est à la fois simple et ambitieux. Il s'agit pour le responsable de former son intelligence, sa volonté et son cœur. Son intelligence, pour être celui qui pose les bonnes questions plutôt que celui qui donne les réponses, rôle imparti au subordonné ou à l'expert. Sa volonté, car l'adhésion libre des salariés à un responsable exige de ce dernier une éthique et donc une ascèse personnelle : on ne peut commander aux autres si on n'est pas capable de se commander à soi-même. Son cœur enfin, car l'animation d'une équipe implique d'être centré sur elle et non d'être centré sur soi-même : la disponibilité que demandent les subordonnés n'est pas seulement disponibilité en temps mais attention portée aux autres.

Comment améliorer la formation de sa personnalité ? D'abord en prenant conscience du besoin. Dès lors qu'on a compris que la responsabilité est un service en quelque sorte « social », qu'elle crée des devoirs avant de générer des droits, et que les subordonnés attendent du responsable une « valeur ajoutée » qui augmente leur propre valeur, on est sur la bonne piste.

LA FORMATION DE L'INTELLIGENCE

Dans les différents domaines techniques, il est évident que la valeur ajoutée par le chef ne peut venir d'un surcroît de connaissances, car si c'était le cas, personne aujourd'hui ne pourrait diriger d'entreprise, d'usine, de bureau d'études, de centre de recherche. Dans un domaine technique, le chef ne peut apporter qu'un supplément d'intelligence, ce qui implique qu'il l'exerce régulièrement, c'est-à-dire qu'il consacre une partie non négligeable de son temps à réfléchir, à structurer sa pensée, à se consacrer à des domaines nouveaux. Vivre sur son acquis, rester dans la routine, fuir la nouveauté sont des dangers mortels pour le fonctionnement de l'intelligence. Les experts, confrontés à la nécessité de résoudre les problèmes nouveaux posés par la clientèle ou la concurrence, sont aujourd'hui davantage protégés peut-être de l'usure de leur intelligence. Le chef risque de s'habituer à arbitrer entre les experts, parce qu'il faut bien le faire, mais en ne faisant plus l'effort de les comprendre vraiment, et il est vrai que cela demande parfois de gros efforts, compte tenu du langage ésotérique employé par certains.

Le problème est donc de continuer à exercer son intelligence en évitant la spécialisation et la haute technicité et d'accroître sa culture, c'est-à-dire sa capacité à relier entre eux les domaines de la connaissance. La lecture reste un élément irremplaçable de la formation de l'intelligence car elle permet de revenir sur les passages qui ont fait difficulté à première vue. On trouve également aujourd'hui de très nombreuses cassettes audio que l'on peut écouter en voiture, par exemple. Enfin, il y a les conférences-débats organisées par de nombreux instituts et centres de formation continue. Reste que l'intelligence se forme au contact de « maîtres » et que la recherche de l'efficacité a dévalorisé l'intelligence généraliste, la philosophie, l'épistémologie au profit de techniques plus rentables à court terme, ce qui fait qu'on peut se demander s'il n'y aura pas, s'il n'y a pas déjà, une très grave pénurie de « maîtres à penser ». Il ne faut évidemment pas confondre le maître à penser avec le gourou qui, loin de former le disciple pour le rendre autonome, prétend lui imposer une recette miracle à appliquer sans faire preuve d'esprit critique. Hélas ! trop de responsables succombent à la séduction de ces gourous, médiatiques mais fort peu médiateurs, avant de s'apercevoir qu'ils ont été abusés.

Nous pensons qu'il serait utile de créer des centres de formation continue où pourraient se rencontrer des hommes exerçant des responsabilités au niveau stratégique dans des domaines très différents (entreprise, fonction publique, politique, armée, art, etc.) pour réfléchir ensemble avec des maîtres véritables, c'est-à-dire des médiateurs qui enseignent à se poser les questions, qui donnent des méthodes de pensée, et non avec des idéologues qui imposent un système tout fait. Le questionnement, tellement à l'honneur dans la maïeutique, ne semble pas dépassé à l'époque moderne, bien au contraire. Quand les connaissances techniques augmentent à la vitesse où elles le font aujourd'hui, il est plus que jamais nécessaire de prendre du recul et de s'interroger sur les finalités. La philosophie de la connaissance est aujourd'hui plus importante pour les responsables que les connaissances elles-mêmes, ce qui ne dispense pas, bien au contraire, de commencer sa vie en exerçant un métier et en apprenant une technique, car quelle serait la valeur d'un esprit critique qui ne se serait jamais confronté à la dure réalité de l'action concrète ?

Mais un responsable d'entreprise ou d'unité est quelqu'un qui exerce un nouveau métier, celui de manager. Il n'est plus fabricant, commerçant, chercheur, développeur de produits ou de procédés, il a changé de rôle et changé de métier. Dans ce nouveau métier, la rationalité fait place à la conduite de l'action en univers changeant et incertain ; la technique fait place à la conduite des hommes ; l'esprit d'analyse perd son importance au profit de l'esprit de synthèse. En outre, l'intelligence du responsable doit impérativement se communiquer, ce qui implique qu'elle se structure à cet effet ; les qualités pédagogiques du manager sont un élément important du rayonnement de sa personne, car il lui faut « vendre » les projets, expliquer les contraintes, vulgariser pour tous les options techniques de chacun. Plus délicat encore est le domaine de l'intelligence des hommes. Il y a certes une connaissance de ce qu'est la nature humaine (conditionnements et libre arbitre) qui est de l'ordre de stages de formation en sciences humaines et en philosophie, mais l'intelligence des hommes est d'un autre ordre, mélange d'intuition et d'expérience, capacité d'appliquer les connaissances acquises avec réalisme et bon sens. Cette intelligence-là s'apprend par l'observation, par la sagesse transmise par les anciens, par l'éducation et l'exemple donnés au cours de la carrière par les chefs que l'on a eus au-dessus de soi.

Reste qu'il sera toujours utile, pour un responsable, de prendre du recul par rapport au quotidien et de méditer avec des pairs sur les champs d'action du management. La « suroccupation » des managers français, leur excessive concentration sur leur affaire, le peu de temps qu'ils consacrent à l'entretien de leur intelligence, la conviction peut-être trop forte, acquise par les anciens élèves des grandes écoles les mieux cotées, qu'ils ont fait leurs preuves en ayant réussi un concours difficile à vingt ans, tout cela ne milite pas pour la consécration d'un temps suffisant à la réflexion, à la méditation, à la formation.

Mais quittons le domaine de l'intellect pour aborder celui de l'éthique. Le responsable n'est pas là seulement pour penser juste mais pour décider des actions à entreprendre. Ces actions vont mettre en cause des hommes doués de libre arbitre, et si l'entreprise a besoin aujourd'hui d'acteurs libres, créatifs, entreprenants, elle ne peut faire abstraction des problèmes d'éthique, *comme nous l'avons vu au chapitre 5 notamment.* Le responsable doit donc savoir qu'il sera lui-même apprécié en termes d'éthique et, d'une manière ou d'une autre, qu'on lui demandera de faire preuve des quatre vertus cardinales : justice, force, prudence et tempérance.

La justice, tout d'abord, car tout le monde sait qu'il n'y a pas plus démotivant que l'injustice, la non-reconnaissance des droits et du mérite de chacun, la partialité, le copinage...

La force ou le courage, ensuite, qui permet aux subordonnés de retrouver, dans les difficultés, un chef sur qui s'appuyer alors que la faiblesse morale du chef engendre chez les subordonnés l'inquiétude et l'angoisse. On connaît des entreprises où règne le stress institutionnel, signe de la faiblesse des chefs, dont le terrorisme masque mal l'angoisse qu'ils ressentent devant les dangers menaçant leur entreprise.

La prudence, particulièrement nécessaire dès lors que le nouvel état économique oblige au risque que comporte la délégation : savoir donner les pouvoirs à bon escient, diffuser l'autonomie en la proportionnant aux capacités de chacun, saisir les opportunités en ménageant les sécurités.

La tempérance enfin, qui modère les passions, évite de céder à l'émotionnel, et recentre le chef sur le bien commun. Ô combien importante dans l'univers médiatique et passionnel dans lequel nous vivons pour éviter la tentation de rentrer dans le cycle infernal des petites phrases où l'on se fait plaisir mais qui peuvent faire des dégats considérables dans l'entreprise que l'on dirige !

La formation des responsables à l'éthique n'existe pratiquement pas aujourd'hui en France. Certes, la pratique des vertus d'ordre éthique exige la formation de la volonté, mais la connaissance de l'éthique en tant que discipline faisant partie de la philosophie peut être enseignée. Il y a là certainement un manque, lié probablement à la crise de société que nous avons décrite dans notre précédent ouvrage. Quant à la formation de la volonté, il est possible que son besoin s'exprime actuellement par les stages de « saut à l'élastique », même si nous pensons que ce n'est peut-être pas la méthode la plus adéquate pour atteindre l'objectif. Il y a bien des manières de continuer à exercer sa volonté, que ce soit par le maintien d'une ascèse diététique (alcool, tabac, nourriture) ou sportive (pratique régulière d'une activité physique) ou relationnelle (s'interdire plus de trois colères par an, comme le conseillait l'Amiral Joire-Noulens aux élèves-officiers de l'École navale !), mais il est clair que la maîtrise de soi est nécessaire dans un monde d'interdépendance et de relations où chacun a besoin des autres.

C'est la nécessité de la complémentarité des hommes dans la réalisation des projets qui donne aujourd'hui plus d'importance que jamais à l'éthique. Un manager n'est pas un homme-orchestre, il est un chef d'orchestre. Sa force ne réside pas dans le fait qu'il n'a pas de trous dans ses connaissances et qu'il réunit en sa personne toutes les capacités. C'est l'équipe qui doit réunir les capacités et se procurer les connaissances. A ce niveau, le chef est lui-même membre de l'équipe ; il lui apporte ses acquis personnels mais aussi ses lacunes. C'est un signe de force morale que d'accepter d'avoir des lacunes et donc de dépendre des apports des membres de l'équipe. C'est un signe de justice que de rendre à chacun son dû dans l'équipe, c'est-à-dire de reconnaître la contribution de chacun. C'est un signe de prudence que d'anticiper sur les besoins de l'équipe et de constituer celle-ci par recrutement ou formation pour qu'elle réponde aux besoins de l'entreprise (ou de l'unité). La formation éthique ne vise donc pas à l'émergence d'un surhomme mais à l'émergence d'un homme, conscient de ses richesses et de ses insuffisances, qui se connaît et qui s'accepte, qui manage l'ensemble des richesses de l'équipe pour le progrès du bien commun.

« Connais-toi toi-même » conseillait déjà Socrate à ses disciples. Pas de développement personnel sans examen sérieux de ses capacités et de ses insuffisances. Il existe des séminaires de développement personnel où chacun peut prendre conscience de ses capacités et de ses insuffisances. C'est en général assez décapant et il est recommandé de ne pas être trop fragile pour y assister. L'animateur doit être lui-même suffisamment habile pour aider chacun à se voir tel qu'il est, sans en sortir déprimé : il ne s'agit pas de reproduire les dégâts, faits à une époque par la dynamique de groupe, dégâts qui ont conduit au suicide des participants fragiles envoyés fort imprudemment par leur entreprise dans ce traquenard. Pour ce qui concerne le développement personnel d'un responsable, c'est à lui de décider s'il se sent capable de supporter ce décapage, à lui de choisir le stage et l'animateur en prenant ses renseignements ; à lui... de partir en courant dès le premier jour s'il se sent par trop déstabilisé ! Le problème n'est pas d'être sans indulgence vis-à-vis de soi mais plutôt de ne pas s'illusionner, de ne pas se masquer la réalité. Le monde moderne est très exigeant, trop dur diront ceux qui veulent l'affronter seul. Le responsable est, dit-on souvent, un homme seul. C'est à la fois vrai, à la fois faux. Vrai parce que la décision est effectivement un acte dont on répondra seul. Faux parce que la consultation (avant la décision) et la réalisation de l'action mettent en jeu une équipe dont les membres, par leur créativité, leurs initiatives, leur réactivité, et leur synergie, peuvent faire un bloc à toutes épreuves. Le responsable, s'il s'examine sans complaisance, dira comme nous l'a dit un ami, cadre dirigeant dans un grand groupe industriel : « A notre place, nous sommes toujours inférieurs à notre mission ». Phrase prononcée sans le moindre défaitisme, sans la moindre angoisse, mais en toute humilité par un homme énergique, courageux, pugnace... et apprécié de tous ceux qui avaient été ses équipiers. Il n'était pas sans défaut ni sans lacunes mais sa force morale et sa capacité à reconnaître les qualités des autres en faisaient le chef aimé et respecté d'une équipe performante.

Ce qui nous amène à la formation du cœur, c'est-à-dire à l'attention bienveillante aux autres. On dit de certains chefs qu'ils exploitent les autres, pressent le citron pour le rejeter une fois qu'il est épuisé, etc. Sans entrer dans des considérations métaphysiques ou religieuses, il nous est possible de constater qu'aujourd'hui cette attitude ne peut être rentable qu'à court terme. En effet, la protection sociale est forte et les sollicitations extérieures à l'entreprise nombreuses et attrayantes. Si le nombre des planqués, véritables passagers clandestins dans l'entreprise, s'est multiplié au fil des ans, ce n'est probablement pas par hasard. Si le nombre des orphelins, démotivés, déçus par l'entreprise, mais trop honnêtes pour en tirer cyniquement les conséquences comme les précédents, s'est également multiplié, ce n'est pas non plus par hasard. Or toute la démarche de la « qualité totale » exigée par le nouvel état économique implique des salariés, acteurs dans l'entreprise, disposant de pouvoirs, d'autonomie, faisant preuve d'initiative et de créativité. De tels acteurs ne sont pas des exploités ni des méprisés. Comme l'exemple vient d'en haut, c'est bien le responsable qui doit donner l'exemple de cette attention bienveillante aux autres, de ce respect, de cette considération, de cette simplicité. Rappelons-nous l'enquête déjà citée : le salarié attend de son chef qu'il s'occupe de lui. Si le responsable d'une entreprise ou d'une unité traite sa secrétaire comme une esclave (même si c'est un esclavage doré) et ses collaborateurs directs comme des vassaux, taillables et corvéables à merci, il générera dans toute l'entreprise des comportements analogues et en recueillera, à terme, les fruits amers : peu d'alliés sûrs, des opposants irréductibles et surtout un grand nombre de déçus et de planqués.

Peut-on se former à l'attention aux autres ? Il n'y a pas de stages pour cela, mais la vie sociale est un merveilleux terrain de possibilités : cela s'appelle le bénévolat, la vie associative, la politique locale, etc. Force nous est de reconnaître que les responsables d'entreprises y sont relativement peu nombreux, avec toutes sortes de bonnes excuses : les voyages professionnels, les réunions tardives, la fatigue, etc. Yvon Gattaz, du temps où il était président du mouvement ETHIC, avait lancé l'idée du « décitemps » : tout manager devait, selon son vœu, consacrer le dixième de son temps professionnel à la vie sociale, politique (au sens de la vie de la cité) et non exclusivement à son entreprise. Il y voyait à la fois un facteur d'enrichissement personnel pour les chefs d'entreprise et un facteur d'enrichissement de la collectivité par l'apport gratuit de ces chefs d'entreprises.

Un certain nombre de mouvements patronaux, tels que le Centre Français du Patronat Chrétien, le Centre des Jeunes Dirigeants, l'ETHIC déjà nommé, forment leurs adhérents et les encouragent à jouer un rôle dans la cité. Cela nous paraît d'autant plus utile que notre société française est « élitiste », en donnant au mot élitisme un sens restrictif de culte de l'élite pour l'élite. Comme le dirait un informaticien, nos élites sont « câblées » individualistes et se jugent entre elles sur la performance individuelle. Nous pensons pour notre part qu'aucune communauté humaine ne peut se passer de personnes ayant les capacités d'assumer des responsabilités, d'ouvrir des pistes nouvelles, de prendre des risques hors du commun, c'est-à-dire de personnes de qualité exceptionnelle. La question est de savoir si l'éducation donnée à cette élite l'amène à faire profiter la communauté de ses dons ou à se servir de ses dons à son seul usage. Et nous savons aujourd'hui que dans l'entreprise cette question est posée, implicitement ou explicitement, par les salariés. Ne l'est-elle d'ailleurs que dans l'entreprise ? La désaffection dont souffre une partie croissante de la classe politique de la part d'une partie croissante des citoyens *(voir le taux d'abstention aux élections)* n'est-elle pas due au même phénomène ? Nous avons constaté que l'autorité est trop souvent confondue avec la confiscation des pouvoirs, le culte de la personnalité et l'autocratisme par un certain nombre de dirigeants d'entreprises. Nous savons aujourd'hui que cet autoritarisme, s'il n'est plus contesté de façon visible comme dans un passé récent, l'est d'une façon larvée, beaucoup plus pernicieuse parce que moins évidente. C'est pourquoi nous tenons à alerter les dirigeants sur les conditions dans lesquelles ils peuvent s'engager dans les voies du management moderne : ce sont celles d'une autorité, vécue comme un service.

La mode du projet d'entreprise et du management participatif, car malheureusement pour beaucoup c'est une mode, est révélatrice des dispositions d'esprit de certains dirigeants : elle les pousse à entreprendre une action à laquelle ils ne sont pas préparés. Pour des raisons évidentes de discrétion, nous ne pourrons pas, dans ce chapitre, donner des descriptions de cas que nous avons pu observer de près. Nous nous contenterons de donner une typologie succincte, tirée de ces observations, en choisissant deux exemples assez classiques.

LE DYNAMIQUE INCONSCIENT

Stéphane a, comme on dit, la « pêche ». Il déborde de dynamisme, saute d'un avion dans l'autre, passe d'une négociation avec des clients à une visite d'usine pour repartir mener un comité central d'entreprise. Il est sympathique, optimiste, les difficultés le stimulent et il ne ménage pas sa peine. L'admiration de ses collaborateurs ne lui a pas donné la grosse tête ; il ne se comporte nullement en autocrate, mais son dynamisme le fait galoper souvent loin devant tout le monde. C'est une locomotive dont les wagons ne suivent pas. Sa jovialité, sa gentillesse, sa transparence en matière d'information lui font croire qu'il est participatif. En fait, il ne se rend pas compte qu'il donne non seulement les caps à tenir mais en général la manière de les tenir et que si l'exécution ne va pas à sa vitesse il a tendance à prendre lui-même la barre !

Il se rend bien compte que la base ne suit pas vraiment. Son naturel fait que les délégués qu'il rencontre dans les réunions du comité n'ont pas tendance à l'agresser mais plutôt à se plaindre de la « hiérarchie » dont ils laissent à entendre qu'elle ne pratique pas comme lui le dialogue et la participation. Voilà qui le renforce dans l'idée qu'il faut lancer le management participatif dans l'entreprise. La démarche « projet d'entreprise » lui apparaît comme la solution. Comme d'habitude, vif comme l'éclair, il réunit son comité de direction, lui explique qu'il faut bâtir un projet d'entreprise, lui donne la recette et lui paie un consultant pour mettre les choses en forme au cours d'un séminaire résidentiel de moins de 48 h. Cela se passe du jeudi soir (arrivée pour l'apéritif) au samedi après le déjeûner de clôture. Lui-même vient le jeudi soir et, après le dîner, donne au petit groupe formé par le consultant et le comité de direction les éléments de base du projet, ses ambitions pour l'entreprise, les axes de politique générale à suivre, les points forts à valoriser, les points faibles à redresser et il insiste bien sur le fait que la rédaction du projet devra contenir un solide couplet sur la participation. Il part, ravi de les laisser travailler ensemble de façon non directive puisqu'il s'en va, persuadé qu'il est lui-même un exemple de participation bien comprise. Quand il revient le samedi vers midi, le travail est fait et l'ambiance est excellente. Dans le cadre agréable de cette auberge, située à une quarantaine de kilomètres de Paris, le consultant a animé le groupe qui a pondu sans difficulté un texte qui se tient très bien : agréable à lire, il balance bien les couplets à tonalité économique et ceux où l'accent est mis sur le rôle irremplaçable des hommes. La hiérarchie est invitée à consulter, à déléguer, à former, à dialoguer. La conclusion est un rien pompeuse mais juste ce qu'il faut. Stéphane, pour bien prouver qu'il n'est pas directif, n'y change rien ; il approuve et... décide, sans plus attendre, du lancement du projet. Il va lui-même dans tous les établissements faire un spectacle devant l'ensemble du personnel pour crédibiliser le projet élaboré par le comité de direction. A charge, auparavant, au comité de direction de donner l'information à la hiérarchie pour ne pas la court-circuiter.

Tout se passe comme prévu. Tournée des établissements, speech du « patron » après l'accueil de bienvenue du responsable local, distribution à tous du projet d'entreprise, pot amical... et rien ne change ! Stéphane est totalement inconscient du fait qu'il se comporte de façon totalement directive même s'il le fait dans la gentillesse et la bonne humeur. En fait, tout le monde a l'habitude de lui faire remonter un grand nombre de décisions et il rend le service de décider très vite, avec un niveau d'information souvent insuffisant.

Son désir de changer le style de l'entreprise pour la rendre plus efficace est sincère, mais il n'a pas pris conscience du fait que c'est à lui de changer d'abord son comportement. Personne ne lui a jamais dit et comme il vit à deux cents à l'heure, il n'a jamais pris le temps de « faire retraite », de s'interroger, ou de se faire remettre en question par les autres. Compte tenu de sa bonne volonté, un séminaire décapant lui ferait le plus grand bien ; il se découvrirait tel qu'il est et ferait certainement des efforts pour changer. Sa connaissance des hommes n'est pas à la hauteur de sa compréhension des dossiers où il allie logique et intuition avec beaucoup de bonheur. Stéphane devrait se former mais qui le lui dira ?

L'AUTOCRATE FRAGILE

Comme Stéphane, Albert est polytechnicien mais son origine sociale est plus modeste. Il a dû travailler dur pour acquérir son diplôme. Il n'a pas bénéficié d'un environnement familial « porteur » sur le plan culturel. Son éducation a été rude, sans cadeau, et c'est ce qui l'a habitué à se traiter lui-même sans douceur. Il reconnaît n'avoir pas été freiné par sa famille mais il s'est quand même fait tout seul, sans leçon particulière, sans aide scolaire à la maison et sans confort ni silence pour faire les devoirs et réviser les leçons. Le *hard labour* des classes préparatoires ne l'a ni effrayé par avance, ni laminé à l'usage. A Polytechnique, il a continué à travailler dur mais il a fréquenté quelques camarades de niveau social élevé, généralement eux-mêmes fils et parfois petit-fils d'anciens élèves de la Grande École ! C'est ce qui lui a permis de connaître et d'épouser une jeune fille de cette grande bourgeoisie à laquelle il rêvait secrètement d'appartenir depuis déjà quelques années.

Aujourd'hui, il dirige une division d'un grand groupe industriel. Il est arrivé à ce poste par son travail acharné, par sa compétence acquise au fil des ans, acceptant mobilité géographique et changement de métier, s'imposant partout par sa mécanique intellectuelle rodée à la logique plus que par son intuition, par sa mémoire soigneusement entretenue plus que par sa finesse, par son « suivisme » des bonnes locomotives de l'entreprise plus que par son apport novateur. Il est arrivé également parce qu'il a exigé des autres autant qu'il exigeait de lui-même, sans indulgence, sans complaisance et souvent sans respect de leur vie de famille : lui-même est d'ailleurs si peu souvent ohcz lui !

Il a réussi mais il n'est pas aimé et il le sait. Il n'est même pas admiré car il est davantage perçu comme bourreau de travail que comme intelligence brillante ce qui, dans notre pays, est un handicap certain ! Il a réussi mais il n'est pas encore au sommet du groupe et il sait que la compétition, pour y arriver, sera encore beaucoup plus rude que celle qu'il a vécue jusqu'à présent. Au fond de lui-même, il est inquiet car il sait qu'on le guette et il se sait vulnérable. Dans les soirées « utiles », celles qu'il fréquente parce qu'on y rencontre des personnalités importantes, sa femme est à l'aise mais lui beaucoup moins. Sa mémoire lui a permis d'acquérir bon nombre de connaissances extraprofessionnelles, mais il n'est pas autant cultivé. Quant aux mondanités, aux compliments charmeurs faits aux femmes des présidents ou des hauts fonctionnaires, ce n'est vraiment pas sa « tasse de thé ».

Pour arriver plus haut, il sait qu'il faut maintenant améliorer son image. Or son groupe n'est pas vraiment un modèle de management participatif. En lançant dans sa division le management *new look,* il peut se créer ce qui lui manque, une image de novation et de créativité. Mais, prudence, sur ce terrain qui n'est pas le sien, il a besoin de conseil et de soutien. Une alliance avec le Directeur des ressources humaines du groupe lui paraît une voie toute tracée, car de cette manière, il met dans le coup quelqu'un proche du Président, ce qui en cas de succès sera précieux ; parallèlement il laisse à l'expert ès relations humaines la responsabilité du choix de la méthode et du consultant qui accompagnera l'opération.

Albert a bien manœuvré. Le Président n'est pas mécontent de voir un de ses responsables de division se lancer dans ces « méthodes nouvelles » et donner ainsi à son groupe une image un peu moins rétro. Le Directeur des ressources humaines est aux anges ; enfin il va pouvoir expérimenter sur le terrain ce à quoi il croit très fort. Les autres directeurs de division font chorus, tout en souhaitant secrètement qu'Albert fasse un bide, ce qui éliminerait peut-être un concurrent sérieux à la succession du Président ! Albert fait preuve d'une très grande modestie vis-à-vis du Directeur des ressources humaines qu'il traite ostensiblement comme un grand expert, se présentant lui-même comme un homme de bonne volonté fort ignare en la matière. Notre expert boit du petit lait. Dans ce groupe d'ingénieurs où la technique est reine et l'économie courtisane de haut rang, c'est bien la première fois qu'on fait autant de cas de l'humain. Il explique patiemment à Albert la part qu'il devra prendre à l'opération baptisée « Projet de la division X », la nécessité de son engagement personnel, les réunions à prévoir pour le comité de division, puis la déclinaison en sous-projets, etc. Albert accepte tout, il est le bon élève, consciencieux et travailleur. Il a, bien entendu, accepté parmi les pressentis, le consultant que l'expert semblait préférer et s'en remet à lui pour la méthode à suivre. L'équipe de direction de la division paraît plus perplexe. D'abord la participation, ce n'est pas le style de la maison où tout descend toujours du sommet de la pyramide. Ensuite eux-mêmes n'ont pas vraiment le réflexe de contribution. Heureusement, le consultant connaît son métier, il provoque la créativité, sollicite les apports, donne la parole à tous, s'arrange pour qu'Albert joue le rôle de leader participatif et l'opération semble démarrer sous les meilleurs auspices.

Les difficultés vont se faire jour progressivement. Projet de division et management participatif, oui mais comme disent les ingénieurs, il faut bien continuer à produire et dans le quotidien, on suit un plan d'actions, on travaille sur des objectifs dont le moins qu'on puisse dire est qu'ils n'ont pas été élaborés selon des schémas participatifs. La qualité dont on se préoccupe davantage depuis quelques années est contrôlée par des ingénieurs qualéticiens et la démarche n'est pas celle de la qualité totale avec implication de la base. Albert est peu à peu pris entre un jeu qu'il a engagé et qu'il joue plus par calcul que par conviction et des habitudes de travail qui ont fait leurs preuves, ont donné des résultats et... assuré jusqu'à présent la carrière d'Albert. Un certain nombre de responsables dans la ligne hiérarchique ont adopté avec enthousiasme la nouvelle démarche ; ils la pratiquaient déjà « secrètement » dans leur secteur. Pour eux, il est clair que toute la division doit changer de style, dans certains cas de structure et d'organisation, en tout cas de procédures pour la détermination des objectifs, la négociation des moyens et des délais, le contrôle des performances. Ce qui met en cause des comportements d'hommes... et notamment celui d'Albert ! Le consultant est rapidement mis au courant ; ce n'est pas vraiment une surprise pour lui. Le Directeur des ressources humaines est alerté ; il entreprend de rencontrer Albert et de lui expliquer longuement ce qui est en cause. Albert est de plus en plus inquiet car il se sent profondément déstabilisé. Il prend conscience du fait qu'il n'a pas d'autorité véritable, qu'il n'a que des pouvoirs, et ces pouvoirs, voilà qu'on voudrait les lui enlever par la délégation. En outre, on lui explique qu'on délègue les pouvoirs mais pas la responsabilité ! Autrement dit, on veut lui laisser assumer les risques que lui feront courir les initiatives prises par ses subordonnés. Il découvre qu'il va lui falloir négocier les limites de l'autonomie de ses subordonnés avec eux.

Informer passe encore mais communiquer, écouter, négocier, reconnaître le droit à l'erreur, ne plus être informé de tout, c'est l'effondrement de tout un système et Albert, le bourreau de travail, celui que tout le monde prend pour un dur, n'a pas la force morale d'assumer ce changement. C'était un tigre mais un tigre de papier. La seule erreur du Directeur des ressources humaines a été de ne pas avoir entrepris de former Albert et de le faire former avant le début de l'opération. Le Président, seul, aurait pu l'obtenir d'Albert si le Directeur des ressources humaines l'avait convaincu que cette phase préalable était obligatoire. Il ne l'a pas fait, surestimant la capacité d'Albert à s'adapter, surestimant en fait sa force intérieure.

Le projet de la division est mort peu à peu. On ne l'a pas stoppé, on a cessé d'entretenir la flamme. Les enthousiastes se sont battus comme la chèvre de monsieur Seguin, courageusement mais sans espoir. Peu à peu, ils ont accepté des mutations dans le groupe ou sont partis dans d'autres sociétés. A la base, le nombre d'orphelins a augmenté, les planqués ricanent sous cape, les opposants irréductibles triomphent. Il faudra plus de dix ans pour entreprendre à nouveau quelque chose dans la division. Albert, quant à lui, sait qu'il ne sera jamais président du groupe ; il a fait passer son c.v. à quelques chasseurs de têtes amis, discrètement bien sûr.

Nous ne poursuivrons pas ces portraits plus longtemps. Notons simplement que nous avons d'autres cas présents à l'esprit. Celui d'un chef d'entreprise qui, prudemment, avait demandé à ses subordonnés de choisir un terrain d'expérimentation très limité, un service de production au sein d'une usine avant d'entamer éventuellement une opération analogue sur toute l'entreprise. Il avait constaté assez rapidement l'excellence des résultats, liée, d'après ce qu'on lui disait, à un changement des mentalités. La base était devenue créative et contributive parce que l'encadrement avait lui-même changé de style de commandement. La clef de toute l'opération avait été, semble-t-il, une excellente formation à la communication. Le chef d'entreprise se fit présenter le formateur, fut passionné par l'entretien, demanda à suivre une formation analogue en « interentreprises » puis convoqua le responsable de la formation et interdit d'étendre la formation à tout le personnel d'encadrement comme cela semblait souhaitable et souhaité. Le formateur, étonné, demanda au chef d'entreprise à être reçu et lors de l'entrevue, s'entendit tenir le discours suivant : « Cher Monsieur, ce que vous faites est remarquable, mais, voyez-vous, j'ai encore trois ans à passer à la direction de cette entreprise. J'ai dirigé toute ma vie d'une certaine manière et vous donnez à l'encadrement des outils avec lesquels ils pourront lutter efficacement pour m'arracher un à un ces pouvoirs auxquels je suis habitué et auxquels je tiens. Je suis trop bien installé pour changer ainsi mes habitudes et mes comportements à trois ans de mon départ. Nous continuerons cette expérience prudemment dans un service volontaire pour chaque établissement de la société et, à mon départ, mon successeur pourra généraliser l'opération. »

Nous avons nous-même entendu un dirigeant nous tenir d'emblée le même propos : « Le changement en dessous de moi, d'accord, mais pas moi ! C'est trop tard et je n'ai pas envie ! » Cela a le mérite non seulement de la franchise mais encore de la prudence, vertu cardinale. Entreprendre un changement du management sur une entreprise engage le chef d'entreprise à changer lui-même ses comportements. S'il n'y est pas prêt, s'il ne veut pas s'y préparer, il est prudent de ne rien engager et c'est ce qui lui a été conseillé. En revanche, que tous ceux qui ont compris que l'efficacité des entreprises de demain exigerait ce changement, réalisent bien ce qui les attend et qu'ils s'y préparent. Les leaders dont les entreprises ont le plus besoin sont ceux qui s'efforcent d'acquérir une « sagesse » et c'est à la portée de tous, avec de la patience, de l'humilité et du travail.

Résumé

Conduire le changement de politique sociale et humaine d'une entreprise est une affaire sérieuse. Il convient de s'y préparer.

Les chefs d'entreprises envoient plus facilement leurs collaborateurs en formation qu'ils n'y vont eux-mêmes. C'est pourtant eux qui ont le métier le plus difficile.

Se préparer à conduire le changement relève plus de l'éducation que de l'instruction. Ce n'est pas un problème de connaissance mais de discernement, de réflexion éthique, de disposition de l'esprit.

Les responsables d'entreprises qui veulent acquérir une sagesse pratique continuent à lire, maintiennent des activités sociales bénévoles et s'efforcent de rencontrer des leaders d'autres secteurs d'activité que l'entreprise.

BIBLIOGRAPHIE

Le manager minute
BLANCHARD, JOHNSON
Les Éditions d'Organisation, 1987

Mieux utiliser tout son cerveau
CHALVIN D.
ESF Éditeur, 1986

Créativité ? Créativité... Créativité !
DEMORY B.
Les Presses du Management, 1990

Kaizen
IMAI M.
Eyrolles, 1989

Le défi culturel
LUSSATO B.
Nathan, 1989

Le chaos management
PETERS T.
Interéditions, 1988

Mais comment peut-on être manager ?
PIVETEAU J.
INSEP, 1988

Le langage du changement
WATZLAWICK P.
Le Seuil, 1986

Deux cerveaux pour apprendre
WILLIAMS L.
Les Éditions d'Organisation, 1986

Chapitre 11

CONSTITUTION D'UNE ÉQUIPE DE DIRECTION COHÉRENTE POUR CONDUIRE LE CHANGEMENT

Dans tout ce chapitre, nous supposons acquises la formation et la préparation psychologique du chef d'entreprise ou du chef d'unité. Nous supposons que les effets de cette formation de cette préparation ont été bénéfiques. Le leader est comme on dit « bien dans sa peau ». Imparfait comme tout un chacun, il sait qu'il a des lacunes mais cela ne le traumatise pas car elles ne lui semblent pas essentielles et il les estime largement compensées par les points forts qu'on lui reconnaît généralement et dont il sait tirer parti : son intuition, son sens des hommes, son aptitude à mettre les autres à l'aise, son esprit de synthèse, etc.

En résumé, pour ce qui le concerne, il aura plus de facilité à rassurer ses collaborateurs : se connaissant des lacunes, il acceptera que les autres en aient. Confiant en lui, il pourra prendre le risque de faire confiance aux autres. Il est rassuré et il est également décidé, c'est-à-dire qu'il ne désire pas le changement par snobisme ou par souci de son image mais parce qu'il est vraiment convaincu que manager d'une façon nouvelle, avec le souci de faire de tout le personnel, en quelque sorte, des entrepreneurs, des sous-traitants internes de l'entreprise, des acteurs à part entière, est aujourd'hui vital. Convaincu, il a des chances d'être convainquant mais il sait que le changement en matière humaine se heurte toujours à des résistances, voire à des blocages et il est prêt à être pugnace et opiniâtre. Il est donc armé de patience, prêt à répéter les choses maintes fois sous des formes différentes, à prouver le mouvement en marchant à petits pas, à faire une pause chaque fois qu'il est nécessaire pour mieux repartir dès que l'horizon se dégage.

Il faut enfin noter que deux cas peuvent se présenter : soit le responsable vient de prendre ses fonctions par suite d'un recrutement, d'une mutation ou d'une promotion, soit il était déjà en place depuis quelque temps. Chacune des deux situations a ses avantages et ses inconvénients. Si l'on vient d'être nommé, on a l'avantage de la « virginité » et l'inconvénient de ne pas connaître le terrain. L'avantage de la virginité est évident, on ne peut pas s'entendre dire : « Pourquoi ne pas avoir commencé plus tôt, pourquoi brûler ce que vous avez adoré ? »

L'inconvénient est qu'il faudra probablement lutter contre le genre d'argument « Ce que vous dites peut marcher ailleurs, mais dans notre métier, dans notre entreprise, avec notre type de personnel, cela ne marchera jamais ». Si l'on est déjà présent au poste depuis un certain temps, l'avantage est bien sûr de connaître le personnel, le métier, l'entreprise, l'environnement social mais l'inconvénient est d'avoir managé d'une autre manière : on est un peu dans la situation de Saül après qu'il ait connu son chemin de Damas ; lui savait qu'il était converti mais les chrétiens en étaient moins convaincus et pour cause ! Cela ne l'a pas empêché de devenir saint Paul, l'apôtre des païens. L'analogie n'est pas innocente car lancer le management nouveau est bien un travail de missionnaire ; il faut avoir la foi, garder l'espérance et payer de sa personne. Mais la solitude peut avoir raison des plus forts et c'est pourquoi nous conseillons de ne pas démarrer le processus sans s'être constitué une équipe solide et unie.

Qu'est-ce qui constitue l'équipe d'un responsable d'entreprise ou d'unité ? Ceux qui, en premier lieu, sous ses ordres directs, ont eux-mêmes des personnes à commander car ils seront les démultiplicateurs du changement (au passage nous disons à dessein les « démultiplicateurs », pas les « relais » : un relais absorbe de l'énergie au lieu de la faire croître). En second lieu, les experts dont il peut être entouré ou s'entourer pour lui apporter un soutien technique, économique, juridique... etc. Enfin un ou une secrétaire (mais nous aurions tendance à dire une) qui deviendra en fait l'assistant(e) de toute l'équipe de direction en même temps que le (la) secrétaire du responsable. Nous sommes convaincu, par expérience, que beaucoup de patrons ne savent pas travailler avec une assistante, ne savent pas la former, recrutent à un niveau trop bas ou sous-emploient celle qu'ils ont recrutée au bon niveau. Une des raisons qui nous pousse à dire qu'une femme est souvent préférable à un homme pour ce poste est tout simplement qu'il y a en général dans les équipes de direction, une majorité d'hommes quand ce n'est pas la totalité, et qu'une vision trop masculine de la réalité est toujours une vision réductrice (comme le serait d'ailleurs une vision exclusivement féminine) : la complémentarité des points de vue homme-femme permet toujours de mieux cerner le réel. Nous avons été maintes fois frappé par la pauvreté de la réflexion des entreprises appartenant à des branches industrielles « machistes » où les femmes cadres sont en pourcentage infime. Il s'agit souvent d'entreprises de la mécanique, de la métallurgie, du textile, industries représentées au XIXe siècle, ce siècle où l'exaltation des valeurs viriles au sein de la bourgeoisie d'affaires a atteint des sommets : on n'en est pas encore tout à fait sorti.

Nous n'excluons pas dans notre réflexion le cas d'une PME où l'ensemble des personnes concernées peut être, patrons et secrétaire compris, réduit à cinq personnes. Le problème sera à la fois plus simple à résoudre si tout se passe bien dans la phase de sensibilisation, puis rapidement douloureux si une des personnes concernées renâcle car les possibilités de reclassement ne sont pas les mêmes que dans une moyenne ou grande entreprise. Dans tous les cas, nous proposons d'entreprendre l'opération de constitution d'une équipe cohérente en vue de l'action en trois étapes :

1) une étape d'interviews individuelles
2) une étape d'approndissement collectif
3) une étape de production d'une politique d'action

LA SENSIBILISATION INDIVIDUELLE (PHASE 1)

Avant d'engager une action, il convient de faire l'état des lieux. Puisque notre action consiste à consolider ou à remodeler une équipe d'hommes, il faut d'abord connaître les hommes et tester leurs réactions vis-à-vis d'une perspective de changement de management. Le seul cas où il peut être nécessaire, si l'on vient de l'extérieur, d'amener son équipe est le cas d'une entreprise en perdition où il y a une urgence de sauvetage et où l'équipe en place a largement démontré son incapacité en tous domaines, avec généralement beaucoup de laxisme. Nous nous placerons dans le cas où il y a, en dessous du responsable, une équipe qui n'a pas démérité, même si son style de management est plutôt de style directif, insuffisamment participatif. Ce cas est assez courant parce que l'excès de directivité, s'il ne donne pas tout l'essor et toute la qualité souhaitables, n'aboutit généralement pas rapidement à des résultats économiques désastreux comme le fait un management laxiste. Ce qui fait que beaucoup de responsables et de cadres ont en général assez bonne conscience dans l'exercice de cette directivité parce que si elle mène l'entreprise à une lente sclérose, elle ne la conduit pas à une catastrophe : chaque fois que l'on constate une baisse des résultats, on « resserre les boulons », et les résultats s'améliorent à nouveau pour une petite période. Mais de resserrage en resserrage, on finit par tuer toute créativité, toute prise de risque, toute innovation. C'est ce qui est arrivé à des entreprises qui paraissaient invulnérables. C'est ce genre de situation classique qui nous intéresse. Il s'agit donc de tester la capacité d'une équipe en place à adopter de façon efficace le nouveau type de management.

Avant d'entamer les entretiens individuels, il est bon de profiter des réunions de travail collectif pour lancer la réflexion. Une bonne méthode est d'utiliser le mode interrogatif : « Ne croyez-vous pas que l'époque actuelle exige certains changements (de comportements, de manière de travailler, de manière de commander, etc.) ? Avez-vous lu tel article ou tel bouquin ? Qu'en pensez-vous ? » Il peut être utile de faire venir un conférencier de qualité pour faire entendre le même message à toute l'équipe en même temps puis de faire un premier débat à bâtons rompus sur le management moderne.

Il s'agit là simplement de préparer le terrain pour les entretiens individuels, de commencer à sensibiliser les esprits. Mais il est important de revenir plusieurs fois sur le sujet, éventuellement d'illustrer des propos en utilisant des événements de la vie quotidienne permettant de montrer qu'une autre manière d'agir aurait peut-être permis de gagner du temps, d'éviter un heurt inutile, d'améliorer l'ambiance de travail. Après quoi, il faut commencer à prendre des rendez-vous avec chacun de ses collaborateurs pour discuter sérieusement du sujet. Sérieusement, cela veut dire un laps de temps suffisant (au moins deux heures la première fois) et surtout hors de portée du téléphone. Aller déjeuner ensemble, frugalement mais agréablement, puis poursuivre la conversation entamée au repas peut être une bonne méthode. Nous pensons que les premières discussions collectives ont pu faire apparaître déjà l'existence de trois catégories de personnes : ceux qui avaient déjà entamé leur réflexion propre sur le sujet et souhaitaient aller de l'avant, ceux qui sont franchement réticents ou hostiles, ceux qui ne sont pas contre mais ne seront pas moteurs. A notre avis, il faut toujours commencer par s'entretenir avec les alliés potentiels. Conforter son camp, lui donner des arguments, commencer à évoquer avec lui les problèmes concrets de la maison ou de l'établissement relevant du style de management, c'est toujours une bonne tactique. Si l'on est nouveau, on apprend beaucoup de choses, si l'on est ancien, on puise ensemble dans l'histoire de l'entreprise des arguments vécus pour renforcer sa position.

Toutefois pour des raisons psychologiques évidentes, il faut déclencher la prise de rendez-vous au cours d'une réunion collective pour que tout le monde en soit averti en même temps tout en s'arrangeant pour que l'ordre des interviews permette de rencontrer en premier ceux que l'on croit les plus favorables et en dernier ceux que l'on pense les plus hostiles. En effet, si l'on commence par les plus réticents, il y a beaucoup de chance qu'ils en parlent négativement à leurs familiers dès leur retour et que cela crée dès le départ un climat d'inquiétude ou d'hostilité. Ces premiers entretiens provoqués par le chef doivent être suivis d'entretiens provoqués par les subordonnés. Ce qui implique le caractère ouvert de la première entrevue. Le responsable doit y montrer clairement sa volonté de conduire un changement et indiquer l'esprit dans lequel il le fait : c'est pourquoi nous avons consacré un chapitre à la nécessité d'avoir une philosophie sous-jacente aux pratiques de management que l'on veut introduire dans l'entreprise. L'avantage également d'avoir une philosophie claire, c'est qu'on peut se permettre d'être peu directif en matière de stratégie d'action et donc de faire contribuer fortement chacun à l'élaboration de cette stratégie. Entre la philosophie qui est intemporelle, et la stratégie qui fixe des actions, des délais, des contrôles, se situe la politique humaine et sociale qui, elle, donne des axes d'action prioritaire sans entrer dans la fixation précise des objectifs, des délais et des moyens. Dans les entretiens, le responsable doit être inébranlable sur sa philosophie. Quant à la politique humaine et sociale, elle devra faire l'objet du consensus final de l'équipe et être parfaitement cohérente avec les autres politiques de l'entreprise, financière, commerciale, technique, etc. Le responsable doit donc être, en matière de politique humaine et sociale, à la fois volontariste et ouvert. Volontariste puisqu'il affiche sa volonté de changer les choses en cohérence avec sa philosophie et ouvert puisque tout le monde doit apporter sa contribution en tenant compte des contraintes qu'il perçoit et de la nécessaire cohérence avec les autres politiques de l'entreprise.

Il faut également savoir que, parmi les membres de l'équipe, certains vont réagir vite, d'autres auront des réactions retardées. Il faut donc laisser aux seconds le temps de réfléchir, de réagir et de revenir avec des remarques, des objections, des compléments. S'il n'y a pas urgence majeure, et c'est ce que nous avons supposé, il est toujours préférable de se hâter avec lenteur, c'est-à-dire de ne pas laisser traîner les choses mais de prendre le temps de les approfondir. Il ne faut pas oublier que la communication étant un élément essentiel du management moderne, cette première série de prises ou de reprises de contact doit s'effectuer dans un esprit de communication vraie, d'échanges ouverts, d'écoute patiente. Rappelons que le regroupement des axes de politique humaine et sociale, tel que nous l'avons évoqué au chapitre 6, permet justement d'aborder les échanges sur cette politique à élaborer en termes suffisamment généraux pour permettre à l'interlocuteur d'y contribuer fortement.

Rappelons ces trois thèmes :

1) Que faut-il faire pour augmenter l'union, le sentiment d'appartenance, l'esprit de corps, le « patriotisme » d'entreprise ?
2) Qu'est-ce qu'on peut faire pour permettre à chacun de s'épanouir dans son travail par la réalisation d'un projet professionnel personnel ?

3) Qu'est-ce qu'on fait pour amener chacun à devenir un acteur à part entière dans l'entreprise, un entrepreneur interne en quelque sorte ?

Avec trois questions ouvertes de ce type et une affirmation vigoureuse de convictions « philosophiques », *au sens de notre chapitre 5,* c'est-à-dire la volonté de travailler dans un certain esprit, il y a matière à échanges à la fois riches et cohérents. Il va de soi également que le responsable verra peu à peu se dessiner le profil de la « réponse » de chacun de ses collaborateurs, qu'il pourra identifier progressivement les alliés sûrs et contributeurs, les indifférents, les sceptiques, les méfiants, les hostiles.

Avant d'entamer la phase d'approfondissement collectif, il nous paraît utile que le responsable se penche sur le cas éventuel des indifférents, des méfiants, des sceptiques et des hostiles. Mais pour cette seconde partie de la première phase, l'ordre des entrevues doit être inversé, d'abord les hostiles ensuite les méfiants ou les sceptiques, enfin les indifférents. En effet, si les premiers entretiens ont permis de déceler de l'hostilité, il est important de crever très rapidement l'abcès avant qu'il y ait risque de gangrène surtout si le collaborateur en question est lui-même un responsable hiérarchique (s'il n'est qu'un expert sans subordonnés, la question est beaucoup moins grave).

On aborde là un type d'entretien crucial. En effet, un responsable ne peut tolérer dans son équipe de divergence de fond sur sa politique humaine et sociale mais il faut qu'il s'assure qu'il s'agisse bien d'une divergence de fond. En effet, la communication n'est pas quelque chose qui va de soi et il peut y avoir eu un malentendu. Nous avons, à plusieurs reprises, pu constater que le respect de l'homme, l'écoute, le souci du développement personnel de chacun, est parfois interprété par certains comme du laxisme. Si le responsable est nouveau et n'a donc pas pu faire preuve encore de sa capacité à faire respecter les règles du jeu et à sanctionner leur non-respect, son discours à tonalité humaniste peut être pris par certains comme un discours démagogique : il est donc nécessaire de s'expliquer franchement. Si, en revanche, après explication loyale, il s'avère qu'il ne s'agit pas d'un malentendu mais d'une hostilité qui peut être conceptuelle, éthique, essentielle ou simplement liée aux personnes ou encore à la relation hiérarchique mal acceptée, il faut clairement préciser que le choix est simple : « Se soumettre ou se démettre ». Se démettre peut revêtir des formes différentes selon l'entreprise ou l'établissement ; pour une entreprise appartenant à un groupe, cela peut être une mutation dans une autre division ou filiale, pour un établissement cela peut être une mutation dans un autre établissement. Mais se démettre peut également être une démission ou un licenciement. Dans le cas où une mutation n'est pas possible, il est important de vérifier si le collaborateur est loyal dans son hostilité ou pernicieux, c'est-à-dire s'il garde son hostilité en lui ou la diffuse largement dans l'entreprise ou à l'extérieur. L'hostilité loyale permet de traiter le problème tranquillement avec l'intéressé dans les meilleures conditions alors que l'hostilité déloyale peut exiger une opération chirurgicale rapide : c'est un problème de prudence.

Personnellement, nous pensons qu'il est possible de garder dans une équipe quelqu'un à un poste d'expert même s'il est hostile, à condition qu'il soit loyal et dans un tel cas, l'hostilité peut fondre si les réformes entreprises s'avèrent positives. Toujours est-il qu'il ne faut jamais laisser traîner ce genre de situation, il faut l'aborder clairement avec l'intéressé le plus vite possible et régler le problème selon le principe :

1 – **expert**
 a) hostile loyal : peut être conservé.
 b) hostile pernicieux : doit être averti dans un premier temps ou doit partir s'il n'y a pas d'évolution positive

2 – **chef hiérarchique**
 a) hostile loyal : doit partir mais peut être recasé à un poste d'expert (urgence moyenne)
 b) hostile pernicieux : doit être averti qu'il devra partir très vite ou doit partir immédiatement si son hostilité fait des dégâts rapides.

Le problème des sceptiques ou des méfiants est beaucoup moins aigu et en outre, le scepticisme ou la méfiance peuvent avoir des causes très diverses qu'il faut essayer d'analyser. Là encore, il est nécessaire de reprendre contact pour tirer au clair les causes de ces attitudes de retrait. Il y a ceux qui ont déjà donné et qui ont été échaudés, c'est-à-dire qu'à une époque ils ont été engagés dans une action de changement qui a capoté ou s'est éteinte avec le temps, d'où une déception qui a laissé des traces : il n'est pas toujours facile de rendre l'enthousiasme à des déçus, en tout cas pas immédiatement et pas tant qu'ils ne verront pas des actes tangibles et positifs. Il y a ceux qui sont de nature méfiants mais prêts à changer s'ils constatent que le responsable est fiable. Plus ennuyeuse, et c'est souvent le cas des sceptiques, est l'attitude de ceux qui masquent, par une apparence d'incrédulité ou de réticence, leur volonté très ferme de ne pas s'impliquer et plus encore de ne pas s'engager. Il est essentiel de débusquer ces « non-engagés » car s'ils peuvent jouer (et remarquablement pour certains) un rôle d'expert, ils ne peuvent en aucun cas animer une équipe. Dans tous les cas, loyauté exige, il faudra leur demander de ne pas étaler leurs états d'âmes et le cas échéant, envisager un changement de rôle (de chef à expert).

Le problème des indifférents est encore moins aigu. On en trouve beaucoup chez de grands experts qui sont passionnés par leur technique et se désintéressent totalement des problèmes de management. Il s'agit souvent de personnes qui ont un ou deux collaborateurs, souvent aussi passionnés de technique que leur chef et peu exigeants pour le reste, pourvu que quelqu'un d'autre se préoccupe de leur salaire et de leur classification ! Il s'agit là de problèmes qui souvent n'en sont pas vraiment.

Après avoir fait le tour des collaborateurs, réglé éventuellement les problèmes urgents (l'hostile pernicieux !) et engagé la réflexion de tous sur les problèmes d'élaboration de politique humaine et sociale mais de façon individuelle, le responsable, sachant sur quels alliés il peut compter, va pouvoir engager la deuxième phase, celle de l'approfondissement collectif.

L'APPROFONDISSEMENT COLLECTIF : LA PREMIÈRE CHARTE DE MANAGEMENT (PHASE 2)

La mise en route de cette étape signifie, pour le responsable, qu'il estime maintenant pouvoir aller de l'avant avec ses collaborateurs : il a suffisamment d'alliés sûrs pour espérer entraîner les autres. Il s'agit maintenant de faire de ces collaborateurs des acteurs du changement. Pour cela, ils devront être non seulement convaincus mais convaincants. Le mieux est qu'ils se bâtissent eux-mêmes un argumentaire et qu'ils le bâtissent ensemble, ce qui assurera la cohésion de l'équipe en même temps que la cohérence du message à démultiplier. Mais c'est bien le responsable qui va fixer lui-même le cadre de cet argumentaire. Il va donc demander à son équipe de travailler pour élaborer un texte qui devra :
- contenir des arguments répondant à la question : « Pourquoi devons-nous changer notre mode de management ? » ;
- spécifier les domaines principaux que doit affecter le changement et dans quel but ;
- insister sur les valeurs, qui sous-tendent le changement.

Le responsable doit montrer clairement l'importance qu'il attache à ce travail collectif. Dans les entretiens individuels qu'il a eus avec chacun, il a voulu les sensibiliser à un problème qu'il estime vital pour la collectivité dont il a la responsabilité. Désormais, il désire impliquer ses collaborateurs directs en leur demandant de produire eux-mêmes un document mais il a l'intention de leur demander de s'engager à l'appliquer et à le promouvoir. Il est bien entendu que l'engagement sera beaucoup plus fort pour les hiérarchiques que pour les experts, mais la solidarité du groupe devra être totale.

De « concernés » il s'agit de passer à « impliqués », « engagés » et « solidaires ». Le responsable doit affirmer qu'il sera le premier à se sentir engagé et solidaire. Impliqué, il le sera au départ et à l'arrivée de ce travail réalisé par son équipe.

Au départ, en fixant le cadre de l'œuvre mais également en répétant clairement devant l'ensemble de l'équipe, ce qu'il aura dit à chacun au cours des entretiens individuels, c'est-à-dire :
– les raisons pour lesquelles il s'est décidé à entreprendre ce changement (arguments donnés dans la première partie de cet ouvrage) ;
– les objectifs qu'il se fixe à terme pour l'ensemble de la collectivité (faire de tous des acteurs à part entière de la réussite de celle-ci) ;
– les valeurs, l'éthique, qui sont sous-jacentes à ce changement et auxquelles il se déclare attaché.

A l'arrivée, en donnant son aval au texte, en lui conférant le poids d'un document de travail qui l'engagera avec toute son équipe pour la suite des événements.

Toute l'équipe aura donc fait le chemin concerné → impliqué → engagé et solidaire.

La partie où le chef doit être le plus bref dans son exposé est celle du « En quoi changer ? » : c'est précisément à cet endroit que l'équipe doit être la plus impliquée pour être, ultérieurement, la plus engagée. Si le responsable fixe lui-même tous les termes du contrat, la participation est nulle et la directivité totale : cela revient à dire que l'on « décrète » la participation de la façon la moins participative possible.

En se contentant de donner les raisons, les objectifs et les valeurs, le chef fait vraiment son travail de chef. En demandant à son équipe d'apporter sa contribution à la réussite des objectifs, il se montre vraiment participatif. Cela ne l'empêchera nullement d'apporter lui-même sa contribution et de négocier, le cas échéant, avec ses collaborateurs le rajout ou la suppression de tel ou tel élément.

Il nous paraît important que, dès l'élaboration de cette première charte de management (interne à l'équipe de direction), le processus de travail soit lui-même placé sous le signe de la participation et de la négociation. C'est ce que le responsable doit vraiment faire comprendre lorsqu'il lance le travail de son équipe.

Nous voulons dire également que le lancement de cette opération doit être annoncé en dehors des réunions habituelles de travail de l'équipe de direction : il s'agit de signifier par là que, sans être solennel, ce lancement est la première étape d'une opération de long terme, d'une course de fond, qu'il y aura de nombreuses autres étapes, que l'équipe de direction se prépare donc à être « sous les feux de la rampe » pour ne pas dire « sous le feu des armes » pour longtemps. Cela mérite autre chose que le point nº 5 de l'ordre du jour d'une réunion de routine ! Mais dès lors que ce lancement est le seul thème à l'ordre du jour de la réunion de l'équipe de direction, cela veut dire que le responsable s'est lui-même bien préparé à tenir le choc de l'équipe réunie au complet dans laquelle cohabitent les alliés sûrs et... les autres. Ce qui nous ramène à la fois au chapitre précédent (*Développement personnel du chef*) et au premier thème du précédent chapitre (*Les contacts individuels*) qui auront dû permettre de se forger de solides alliés. Il n'est pas interdit, bien au contraire, de préparer ladite réunion avec les alliés les plus sûrs et de leur donner, à toutes bonnes fins, le maximum d'arguments pour le jour J.

Comment réaliser cette réunion de lancement ? Nous pensons qu'il est judicieux de la tenir en dehors du cadre habituel de travail, c'est-à-dire de se mettre au vert, loin du téléphone, dans un cadre agréable, confortable, retiré. Il faut prévoir du temps, mettons une matinée entière. Alors pourquoi ne pas retenir des chambres dans un hôtel et arriver la veille au soir à l'heure du dîner ? La première soirée, après le dîner, pourrait être consacrée par le responsable à exposer les raisons pour lesquelles il est décidé au changement. La demi-journée du lendemain serait alors consacrée à une réflexion sur les objectifs poursuivis, les valeurs, les comportements des acteurs et notamment ceux de la ligne hiérarchique ; elle se terminerait par la demande faite par le responsable à son équipe d'un texte qui, nous l'avons vu, apporterait une contribution forte au thème « En quoi changer », à côté des arguments sur le pourquoi changer ? Et dans quel but ?

Une variante de cette formule que nous avons vu expérimenter avec bonheur par des responsables, consiste à faire venir à la première soirée un « témoin », extérieur à l'entreprise, qui explique pour quelles raisons, à son avis, les entreprises désireuses de se développer, voire de survivre, sont aujourd'hui dans l'obligation de procéder à un très sérieux *aggiornamento* de leur mode de management. La nuit portant conseil, on se retrouve le lendemain au petit déjeuner et tout de suite après, le responsable poursuit dans la foulée de ce qui a été dit la veille.

Il affirme donc qu'étant pour sa part convaincu des nécessités d'adopter un management qui fasse de chacun un acteur à part entière, il a décidé d'entamer le processus du changement. C'est à ce stade qu'il va préciser les objectifs qu'il poursuit et les valeurs auxquelles il croit et qu'il désire promouvoir.

Squelette du message :

L'économique et l'humain sont liés (ce sont les hommes qui bâtissent l'économie et l'économie sert les hommes). Il ne faut pas opposer les deux domaines.

On ne peut demander aux hommes d'être des acteurs efficaces dans l'entreprise si l'entreprise ne les traite pas en sujets, ne contribue pas à leur développement personnel.

En conséquence, le management moderne doit développer l'autonomie des acteurs, leur permettre de développer leur propre projet professionnel, ce qui exige, en contrepartie, un fort sentiment d'appartenance à la communauté.

Le management, c'est le fait de toute la ligne hiérarchique, depuis le haut (celui qui parle) jusqu'au premier échelon de responsabilité situé au-dessus de la base.

Cette ligne hiérarchique doit être engagée et solidaire sur une charte de management qui doit se construire de façon participative.

Nous sommes à la première étape de cette action et vous devez y apporter votre contribution. Je vous demande de dire, à votre avis, en quoi nous devons changer dans notre manière de diriger pour que l'entreprise soit plus unie, que les hommes s'y développent et qu'ils puissent y agir avec l'autonomie maximum pour faire une entreprise efficace, capable de servir ses trois partenaires principaux, client, salarié, épargnant.

Après cet exposé de départ, le responsable va animer une réunion d'échanges qui peut porter sur le fond mais doit également déboucher sur l'action, à savoir qu'à la fin de la matinée, l'équipe doit être décidée à travailler en vue de produire, dans un délai qui sera fixé.

Il est entendu que le responsable garde en réserve la possibilité de fournir à l'équipe, si celle-ci le désire, un intervenant extérieur susceptible de lui donner une méthodologie de travail en commun, en vue de la production du document. L'expérience montre en effet que beaucoup de cadres français ne savent pas travailler en groupe, perdent beaucoup de temps à critiquer les apports des autres au lieu de les intégrer, n'utilisent pas toutes les ressources de la créativité, hiérarchisent mal les idées, ne savent pas les présenter de façon synthétique. Nous reviendrons plus loin *(dans le chapitre sur la formation)* sur ces aspects de la préparation des managers à leur rôle. Cette possibilité d'aide doit être gardée en réserve et répondre à une demande de l'équipe pour ne pas imposer une méthode.

Il est important tout au long de cette matinée que le chef donne l'exemple de ce qui doit faire partie des attitudes fondamentales d'un responsable, à savoir :
– unir son équipe
– valoriser chacun de ses membres, quand l'occasion s'en présente
– faire participer tout le monde
– pratiquer la transparence (pas de langue de bois), répondre à toutes les questions (1)
– écouter beaucoup, sans interpréter
– jouer un rôle sécurisant (il ne s'agit pas d'inquiéter : le changement est en soi suffisamment déstabilisant)
– viser à donner l'autonomie et la délégation
– montrer sa volonté d'aller de l'avant

Animer une telle réunion implique également deux qualités qui se travaillent :
– l'anticipation, car il vaut mieux avoir prévu le maximum d'objections ou de questions qui risquent d'être faites ou posées au cours de la séance ;
– la pédagogie, car il vaut mieux être compris quand on explique quelque chose !

Dernière chose, le responsable doit préciser qu'entre la fin de cette matinée (déjeuner en commun inclus évidemment) et la date fixée (de façon négociée mais pas repoussée aux calendes grecques), il est à la disposition des membres de l'équipe pour répondre individuellement ou collectivement à leurs interrogations, demandes de précision etc. Ajoutons enfin qu'une assistante de direction bien formée aurait sa place toute trouvée dans la réunion, en ferait le compte-rendu, pourrait assister, à la demande de l'équipe, aux réunions que celle-ci se fixera, prendre en charge tous les problèmes de calendrier, relances, convocations, comptes-rendus, etc. et donner son point de vue, à titre consultatif, ce qui pourrait plus d'une fois se révéler judicieux. Enfin rien ne doit empêcher les membres de l'équipe de consulter, en tête à tête et de façon discrète, leurs collaborateurs dans la mesure où ils les estiment susceptibles de donner des avis intéressants, de ne pas parler à tort et à travers et d'avoir une attitude *a priori* positive (les futurs « alliés »).

Normalement, en moins de deux mois, une équipe de direction doit soumettre au responsable un texte de quelques pages à amender puis à avaliser définitivement dans les quinze jours. Ce texte n'engage que l'ensemble de l'équipe de direction et il lui est, pour le moment, interne ; il n'est pas prévu

(1) Nous voulons dire par là qu'il ne faut rien éluder mais il est toujours permis de répondre que la question mérite un approfondissement avant réponse définitive.

de le diffuser, mais il est prévu de l'utiliser comme référence aux actions futures. C'est la charte de management de l'équipe de direction. Il est temps d'envisager l'étape suivante.

L'ÉLABORATION D'UNE POLITIQUE D'ACTION : L'AVANT-PROJET DES DIRIGEANTS (PHASE 3)

La charte de management est en quelque sorte la règle du jeu ; c'est le management lui-même qui conditionne la réalité vécue dans l'entreprise, faite de décisions d'actions, de réalisations, de bilans d'actions et ainsi de suite. Tout cela pour tenter de construire une entreprise capable de répondre à ses finalités, satisfaire le client et rendre son dû au salarié et à l'épargnant. Nous l'avons vu, les trois axes essentiels du management sont :

- l'union des hommes (appartenance, patriotisme d'entreprise)
- le développement personnalisé des salariés
- la diffusion des pouvoirs en vue de l'autonomie des acteurs

C'est cela qu'il va falloir instaurer dans toute l'entreprise dans le cas d'un chef d'entreprise, dans tout l'établissement dans le cas d'un chef d'établissement. C'est pourquoi nous avons précisé qu'il s'agissait d'une course de fond, pas d'une opération ponctuelle, nécessitant réflexion et préparation. Chaque responsable hiérarchique devra devenir le responsable, à son niveau, de l'opération engagée pour en être le démultiplicateur. Il disposera d'autonomie, ce qui implique, en contrepartie, un fort sentiment d'appartenance. L'appartenance est liée à la cohérence du niveau immédiatement supérieur. Tout commence donc à la cohérence et à la cohésion du niveau le plus haut, c'est-à-dire à celle de l'équipe de direction. L'élaboration d'une charte de management est déjà une action visant à la cohésion et à la cohérence de l'équipe mais il faut maintenant aller plus loin car on ne fait pas du management pour le management mais du management pour la bonne marche de l'entreprise (ou de l'établissement).

L'équipe de direction de l'entreprise (ou de l'établissement) a donc maintenant à élaborer sa politique d'action, tournée vers le client, assortie d'une politique de gestion, garantissant l'épargnant, et d'une politique sociale et humaine dont la charte de management est la pièce maîtresse, pour répondre aux exigences du personnel. Quand on parle de qualité totale, il faut entendre le terme de total comme le signe que les choses forment un tout et non qu'on prend en compte tous les éléments. Il ne s'agit pas de régler tous les problèmes mais de comprendre que les décisions dans l'entreprise nécessitent toujours une vue d'ensemble car tous les éléments sont en interaction les uns avec les autres. Ce sont les hommes qui décident et qui réalisent mais ils le font avec des moyens techniques et des moyens financiers pour des clients (internes ou externes, peu importe, car de proche en proche c'est toujours le client externe qui commande) et tous ces « systèmes » - finance, commerce, production, recherche, administration - communiquent entre eux (bien ou mal) en vue de satisfaire le client, en utilisant des moyens (de façon performante ou peu efficace) avec des hommes (motivés, déçus, planqués ou opposants).

En haut, c'est le système de pilotage, celui qui essaie d'appréhender le long terme. En bas, ce sont les systèmes de réalisation qui essaient d'agir de façon efficace dans la réalité quotidienne. Entre les deux, c'est tout l'étagement du long terme au court terme et la division organisée du travail. L'équipe de direction, chargée du pilotage long terme, doit montrer qu'elle maîtrise bien son propre système technique, économique et humain, finalisé par le service du client. Ensuite, communiquer au reste de l'entreprise (ou de l'établissement) la vision de long terme qu'elle s'est faite pour que, de proche en proche, toutes les équipes intermédiaires jusqu'aux équipes de base puissent elles-mêmes se piloter dans des domaines plus restreints et sur des espaces de temps plus courts. Enfin, « vendre » la charte de management puisque c'est le management « nouveau style » qui doit permettre à l'entreprise de fonctionner du haut en bas d'une façon cohérente, et du bas en haut d'une façon efficace.

Expliquons le plus clairement possible ce double mouvement haut → bas et bas → haut, car il est la clef du management moderne (*déjà évoqué au chapitre 6*).

Les projets, c'est ce qui permet d'agir efficacement car on sait où l'on va. (« Il n'est pas de bon vent pour celui qui ne sait pas où il va » - Sénèque). La cohérence d'une entreprise exige donc que les projets s'emboîtent, comme les poupées russes, du plus long terme au plus court terme. Si le chef d'entreprise a une vision de cinq ans, cela permet à ses subordonnés de s'organiser à trois ans ou à un an et ainsi de suite jusqu'à l'équipe de base qui n'a peut-être qu'une visibilité d'un mois ou d'une semaine. Il s'agit bien d'une cohérence verticale descendante avec, à chaque niveau, cohésion horizontale entre les membres de l'équipe.

Pour ce qui concerne la réalisation, c'est le contraire, tout part du bas. Il faut permettre aux décisions d'action de se situer le plus bas possible *(application du principe de subsidiarité vu au chapitre 6).* A chaque niveau, on décide et on agit (pour ce qui concerne la réalisation) « par exception », c'est-à-dire on ne fait et on ne décide que ce qui n'a pas pu être fait ou décidé à l'échelon en dessous. Là aussi, il y a nécessité de cohésion horizontale (auto-organisation au maximum) mais la cohérence verticale se fait de bas en haut. Les pouvoirs se répartissent du bas vers le haut.

Il y a, bien sûr, interaction du long terme et du court terme. La manière dont se passe le court terme permet de corriger ce que la vision avait d'erroné et l'évolution de l'environnement de l'entreprise fait que la vision change et envoie vers le bas de nouveaux éléments à prendre en compte dans l'action. Les hommes eux-mêmes changent, se forment, s'informent et sont un paramètre à prendre en compte dans le système. Chaque responsable hiérarchique est le pilote d'un système complexe où s'affrontent les réalités vécues, les projets qui motivent et le libre arbitre des acteurs.

Voilà ce que l'équipe de direction va devoir faire passer comme message dans toute l'entreprise (ou dans l'établissement) en commençant elle-même par l'exercice de réflexion prospective sur le devenir de l'entreprise (ou de l'établissement). Faire passer en même temps le message que cette prospective n'est pas la liste des objectifs (à trois, cinq ou dix ans) de l'entreprise (ou de l'établissement), mais une vision qui permettra de mieux se fixer, de façon à la fois volontariste et réaliste, les susdits objectifs étape après étape. Il s'agit bien d'une politique d'action dont un des éléments est que cette politique doit être communiquée pour se décliner jusqu'aux équipes de base de l'entreprise. Ce qui permettra aux équipes de base d'agir de la façon la plus autonome possible et, par contrecoup, libérera l'équipe de direction de toute préoccupation de court terme (*a fortiori* de toute préoccupation quotidienne) sauf par exception (rarissime dans le quotidien).

Le responsable va donc entreprendre maintenant avec son équipe la rédaction d'un deuxième texte, synthèse des politiques technique, économique, commerciale, sociale, etc., de son entreprise (ou établissement). Cette production exige une réflexion prospective, une ambition, mais une ambition réaliste, c'est-à-dire partant d'un diagnostic sur les points forts et les points faibles de la collectivité. Une ambition qui, pour se réaliser, devra passer par des modes adaptés. Autrement dit, c'est un texte qui devra répondre aux questions :
– Qu'est-ce que nous sommes aujourd'hui ? *(points forts, points faibles)*
– Comment évolue notre environnement ? *(marché, concurrents, contexte politique, social, économique)*
– Que voulons-nous être ?
– Comment y arriver ? *(entre autres, par notre charte de management).*

Un tel texte n'est pas un projet d'entreprise mais il le prépare. Il est le produit de la réflexion prospective des dirigeants sur l'entreprise, la première étape d'une démarche qui doit mobiliser toute l'entreprise ultérieurement ; de ce fait, cette réflexion devra être rédigée pour pouvoir être diffusée, commentée, expliquée. Elle devra également être conçue pour provoquer la contribution progressive de toute l'entreprise puisqu'elle doit viser à donner l'autonomie à chacun au service du bien commun. Cette réflexion ne doit donc être à aucun moment déconnectée de son objectif mobilisateur ; elle doit au contraire s'accompagner de l'élaboration d'une méthode de mobilisation basée sur la communication et la demande de contribution.

Nous pensons que l'entreprise efficace est celle où, *grosso modo,* l'action se prépare de la façon suivante à chaque niveau :

- le chef montre la direction à suivre, désigne les objectifs à atteindre, indique les progrès à faire et consulte les subordonnés qui doivent s'exprimer de façon positive ou négative mais de toute façon argumentée, ce qui permettra éventuellement au chef d'affiner ses vues ;
- les subordonnés à leur tour font des propositions d'actions précises pour contribuer à la réalisation des projets du chef. La concertation reprend pour arriver à un accord sur les moyens, les délais, les ordres de priorité ;
- en bout de course, le chef décide des actions à entreprendre dont il restera responsable, quelle que soit la délégation qu'il aura donnée à ses subordonnés pour assurer leur autonomie dans l'action (*voir plus loin le chapitre sur la délégation*) ;
- après l'action, le bilan effectué permettra au chef de nourrir sa réflexion ultérieure de l'expérience acquise au cours des actions effectuées et le cycle recommence.

En anticipant, sur la suite de cet ouvrage, nous voulons clairement indiquer que l'autonomie des subordonnés, facteur de motivation et d'efficacité, exige de la part des responsables une anticipation permanente, une vision à long terme et la communication de cette vision prospective aux subordonnés. Nous n'insisterons jamais assez sur ce point car trente-cinq ans d'expérience professionnelle nous ont largement montré à quel point l'encadrement français vit dans l'action, dans le court terme, confondant sans cesse l'important avec l'urgent. Il est donc capital que l'équipe de direction montre, par son exemple, qu'elle est décidée à changer ce mode de management. Dans l'étape que nous décrivons actuellement, elle se prépare à donner cet exemple ; elle élabore sa vision d'avenir et la méthode de communication-contribution.

A ce stade, le lecteur comprendra pourquoi l'élaboration de la charte de management de l'équipe de direction est un préalable à cette phase de réflexion prospective et méthodologique. En effet, le management nouveau est basé sur un climat de confiance mutuelle chefs-subordonnés sans lequel tout le reste ne serait qu'un formalisme de plus, un gadget à la mode, ce que sont malheureusement beaucoup de projets d'entreprise, lancés avec beaucoup d'orchestration et vécus dans une affligeante pauvreté de contribution de la part de la base. Cette confiance ne peut se gagner que par un savoir-être des responsables hiérarchiques plus important que leur savoir et même que leur savoir-faire. La charte de management est un engagement à se comporter selon des règles de savoir-être.

Remontons encore d'un cran ; les entretiens individuels ont dû permettre au responsable de vérifier s'il pouvait lancer l'opération avec les hommes composant son équipe. La prudence, répétons-le, est une vertu de responsable. Il est parfois préférable d'attendre que les esprits mûrissent ou qu'une ou deux mutations aient été opérées avant de se lancer dans une opération qui n'a pas le droit à l'échec. C'est donc dès les entretiens individuels que le responsable se fait une idée du rythme auquel pourra se dérouler cette phase de constitution d'une équipe de direction solide, prête à manager la phase suivante. Mais l'évolution des esprits au cours de la phase 1 peut permettre d'accélérer la phase 2 et d'arriver rapidement à cette phase 3.

Pour la réalisation de cette phase 3, on peut s'inspirer de ce qui a été fait à la phase 2, c'est-à-dire réunion de l'équipe par le responsable avec, à l'ordre du jour, l'explication de la phase 3.

L'objectif de cette phase 3 est un objectif de court terme : élaborer la réflexion prospective des dirigeants et les politiques qui permettront à cette prospective de se réaliser concrètement, mais il est en même temps l'occasion de réfléchir à la méthodologie d'action à élaborer pour atteindre l'objectif de plus long terme qui est la mobilisation de toute l'entreprise, c'est-à-dire la conduite d'une démarche « projet d'entreprise » *(décrite au chapitre 12).*

Au cours de cette réunion, le responsable va donc fixer un calendrier à son équipe qui pourrait être le suivant :

Acte 1 - Chacun élabore soigneusement, pour ce qui concerne son domaine, sa vision prospective de l'avenir. Il peut consulter ses subordonnés pour éclairer sa réflexion et également poser des questions à son chef mais il est libre et ne doit pas se sentir enfermé dans des contraintes.

Acte 2 - Réunion de toute l'équipe au vert pendant 36 à 48 heures. Au programme :
– Brainstorming collectif (chacun apporte ce qu'il a préparé, peut l'enrichir, si les réflexions des autres stimulent sa créativité, aucun apport n'est critiqué).

– Regroupement des produits du brainstorming.
– Hiérarchisation des directions d'actions par ordre d'importance (l'important c'est ce qui permet de faire progresser la communauté) - Elimination des « parasites ».
• Les thèmes sont ceux des questions déjà répertoriées.
• On peut utiliser un animateur extérieur, ce qui permet au responsable de participer comme les autres au travail collectif.
• Le responsable de l'équipe a, bien sûr, un rôle particulier dans la hiérarchisation des directions d'actions puisqu'il assume la responsabilité de la politique générale de la communauté (entreprise ou établissement).
– Désignation d'un groupe de rédaction (peu de personnes dont une ayant la plume facile !).

Acte 3 - Élaboration d'un texte fidèle aux éléments retenus au cours du travail de l'acte 2, par un groupe restreint de rédaction, et communication de ce texte à toute l'équipe.

Acte 4 - Examen collectif du texte, amendement et adoption.

Acte 5 - Première réunion de réflexion sur la démarche « projet d'entreprise ».

Ce dernier acte est à la fois une fin et un commencement. A ce stade, l'équipe de direction doit commencer à être soudée autour de son chef. Avec lui, elle a réfléchi aux raisons du changement, elle a élaboré une charte de management, elle s'est donnée des ambitions, sait sur quels points forts elle peut s'appuyer, quels points faibles devront être améliorés, dans quelles directions il faut aller, compte tenu de l'évolution de l'environnement. Il faut communiquer cette vision, mobiliser tout le monde pour la concrétiser. C'est bien ce qu'on appelle généralement la démarche « projet d'entreprise » et cela mérite une réflexion spécifique. Jusqu'à présent, l'équipe de direction a essentiellement travaillé en « interne » ; elle va maintenant se préparer à rayonner sur toute l'entreprise. Cette dernière réunion de la phase 3 sonne le coup d'envoi de l'étape suivante que nous allons maintenant examiner. Mais sur le terrain, il n'est pas mauvais que le responsable vérifie la volonté d'engagement de tous pour la poursuite des opérations. Nous supposerons par la suite que ses collaborateurs se sont tous engagés mais si, dans les faits, l'un des collaborateurs donne des signes de faiblesse, il faudrait régler son cas avant de poursuivre (2).

---

(2) Nous avons été le témoin d'un cas de démission spontanée d'un cadre supérieur ayant peu à peu intégré la nouvelle dimension de son poste et ne se sentant pas l'envie de changer ses habitudes. Nous avons également vu des cadres supérieurs préférer changer de rôle et passer d'un poste hiérarchique à un poste d'expert, tout aussi honorable et rémunéré mais moins exposé.

Résumé

Le responsable conduit le changement en s'appuyant sur une équipe.

L'équipe se constitue progressivement à partir d'une connaissance réciproque du chef et de ses équipiers.

Elle se constitue également par un travail de réflexion en commun qui vise à donner à l'équipe des règles du jeu communes, destinées à s'étendre à tout le personnel (charte de management) et à mobiliser l'équipe sur un projet d'évolution de l'entreprise (avant-projet des dirigeants).

La production de cette charte et de cet avant-projet constituent une opération destinée à la fois à souder l'équipe elle-même et à préparer la mobilisation de tous.

Cette première étape du changement (en 3 phases successives) permet au chef de se faire une idée des attitudes profondes de chacun, d'en discuter avec eux et d'en tirer, le cas échéant, des conclusions sur leur avenir au sein de l'équipe (changement de rôle et départ ne peuvent être exclus a priori).

BIBLIOGRAPHIE

Le manager et son équipe
CARDON A.
Les Éditions d'Organisation, 1986

Le management d'une équipe
SIMONET J. et R.
Les Éditions d'Organisation, 1989

Chapitre 12

VERS LA DÉMARCHE « PROJET D'ENTREPRISE »

Si le terme de « projet d'entreprise » n'était pas communément employé, nous ne sommes pas sûr que nous l'aurions choisi. Un homme peut avoir un projet (1) ; une petite équipe d'hommes peut avoir un projet en commun, mais peut-on réellement dire qu'une entreprise a un projet ? Cela nous paraît difficile, surtout si l'entreprise est de grande taille. Prenons même le cas d'un établissement à taille humaine, mettons 250 personnes ; pourra-t-on dire que l'établissement a un projet ? Quand bien même on ferait voter les 250 personnes pour ou contre le projet et qu'il y ait une majorité de pour, il y aurait une minorité de contre. Et qui aurait élaboré le projet ? Le directeur, l'équipe dirigeante, une commission de volontaires ou de désignés, à partir de quelles données ? On voit la difficulté à parler du projet d'une communauté d'hommes dont il ne faut pas oublier qu'ils sont destinés à servir des clients (en bout de chaîne, extérieurs à l'entreprise et variables dans le temps) et à affronter une concurrence qui a sa propre stratégie.

Nous ne pensons pas qu'on puisse, sans abus de langage, parler de projet d'entreprise. En revanche, on conçoit très bien que des dirigeants, responsables de la bonne marche de leur entreprise ou de leur établissement, ne souhaitent pas vivre dans le court terme, improviser leurs actions, se passer du dynamisme de leurs collaborateurs. On comprend très bien, cela paraît même souhaitable, qu'ils aient, eux, une ambition pour l'entreprise ou l'établissement dont ils assument la responsabilité. On imagine tout naturellement qu'ils souhaitent faire partager cette ambition à la majeure partie, voire à la quasi-totalité de leurs collaborateurs. Qu'ils aient besoin de leur créativité et de leur contribution pour la réaliser et qu'ils fassent tout pour parvenir à ce qu'une dynamique commune les anime, que l'entreprise ou l'établissement progresse d'année en année et que chacun puisse trouver dans sa vie professionnelle des satisfactions qui contribueront à son épanouissement personnel.

(1) Ou personnel ou pour la communauté dont il a la charge.

Si d'aventure ils parviennent à leurs fins, si un salarié, pris au hasard, est capable de dire quels sont les objectifs poursuivis dans l'équipe où il travaille, en quoi ces objectifs s'inscrivent dans la dynamique de l'entreprise ou de l'établissement, et quelle part il prend lui-même à leur réalisation, alors là, on pourra dire qu'il s'est passé quelque chose d'important et qu'il y a, dans cette communauté, des salariés qui se sentent des acteurs à la fois autonomes et solidaires. Si, en outre, le même salarié se sent justement rétribué pour sa contribution à la réussite commune, pense qu'il progresse professionnellement et que son supérieur hiérarchique direct s'intéresse à son évolution, alors les dirigeants pourront se dire que vraisemblablement leur communauté peut affronter des périls importants avec des chances très raisonnables d'en sortir victorieuse et probablement encore plus forte. Certains diront alors qu'il y a un véritable projet d'entreprise puisque chacun se sent engagé dans la réussite de la communauté, mais ce projet d'entreprise aura été l'aboutissement d'une démarche qui aura peut-être duré quelques mois, voire quelques années.

Nous ne nous opposerons pas au terme « projet d'entreprise » pour le principe, s'il n'est utilisé qu'en termes de démarche (mais peut-on dire qu'on a fini ce genre de démarche ?) et si on a pu contrôler d'une manière ou d'une autre l'apport dynamique des salariés, la réussite de la communauté et la satisfaction personnelle de ses membres. Mais ce qui nous intéresse bien évidemment c'est la démarche elle-même, ses exigences et ses contraintes, la manière dont on peut la mener, les obstacles qu'il faut éviter. Nous pensons pouvoir affirmer que, sans action importante et de longue haleine, un projet élaboré par une équipe de dirigeants, si raisonnable et réaliste soit-il, n'a aucune chance d'être adopté par la communauté : on ne décrète pas l'adhésion des salariés ; l'adhésion est un acte d'homme libre, la contribution davantage encore et c'est bien de salariés-acteurs, contribuant de toute leur créativité et de tout leur dynamisme, que les entreprises ont le plus urgent besoin dans le nouvel état économique.

C'est pourquoi l'équipe dirigeante, réunie autour de son responsable, va devoir bâtir un plan d'action, destiné à provoquer de façon durable la contribution de tous au service de la communauté. C'est pour cela qu'elle a élaboré une première charte de management : pour jouer ensemble, il faut des règles du jeu connues et respectées. C'est pour cela aussi qu'elle a élaboré sa vision de l'avenir, précisé ses ambitions, rendu cohérentes ses politiques avec ses ambitions et affirmé les valeurs auxquelles elle croit indispensable de se référer pour avoir des chances de réussir. En effet, pour apporter une contribution positive à la communauté, il faut bien savoir dans quelle direction l'apporter ; si des progrès sont à faire, il faut savoir dans quel sens, etc. Le travail effectué par les dirigeants était donc nécessaire, mais il reste... le plus dur : obtenir l'engagement du plus grand nombre. Or nous l'avons vu, dans beaucoup d'entreprises, le nombre de ceux qui se sentent vraiment motivés n'est pas si important que cela. Sans parler des planqués ou des hostiles, il y a les indifférents, les sceptiques, les méfiants, les hésitants, les vaguement concernés et les fort peu impliqués. Alors que faire ? Respecter un certain nombre de règles de bon sens.

1 - Être réaliste

L'enthousiasme, dit-on, est communicatif et cela nous semble exact. Mais le terme de communicatif est éclairant : cela veut dire qu'il faut communiquer pour déclencher l'enthousiasme. Or pour communiquer, il faut pouvoir échanger et il faut du temps. Cela veut dire qu'on ne communique qu'avec ses collaborateurs directs, sauf de temps à autre au cours d'une rencontre formelle (élargie) ou au cours d'une rencontre plus informelle. Ce n'est pas que nous nions l'importance psychologique de tels échanges mais ils ne peuvent être considérés comme des moyens habituels d'action. Quant à l'information de masse, c'est de l'anticommunication bien qu'on utilise le terme de communication pour la désigner par abus de langage. Autrement dit, la méthode utilisée par le responsable pour consolider et motiver son équipe est celle qu'il va falloir utiliser pour démultiplier le processus. Donc, soyons réalistes, chaque membre (hiérarchique) de l'équipe dirigeante va devoir provoquer à son niveau une démarche analogue à celle qu'a suivie le responsable de l'entreprise ou de l'établissement. Mais nous croyons utile que ces différentes opérations soient, en quelque sorte, lancées par le responsable de l'entreprise ou de l'établissement lui-même.

2 - Assurer la cohérence des opérations descendantes

Il y a toujours un risque à laisser les subordonnés de rang 2 déclencher leur propre travail d'équipe sans les confirmer soi-même devant tous les collaborateurs de rang 3. Les moins assurés peuvent être déstabilisés par certains de leurs subordonnés, les messages et les enjeux peuvent être diversement présentés par les uns et les autres ; enfin les subordonnés de rang 3 peuvent légitimement penser qu'une opération aussi importante devrait être lancée par le responsable lui-même pour qu'il témoigne ainsi de son propre engagement. Nous pensons, par expérience, qu'effectivement il est nécessaire de lancer l'opération de consolidation et de contribution des équipes par un exposé, suivi d'échanges du responsable entouré de son équipe, à destination de l'ensemble des collaborateurs de rang 3. De cette façon :

– le chef s'engage personnellement ;
– il explique lui-même les enjeux du changement ;

– il confirme ses subordonnés en expliquant toute la part qu'ils ont prise à l'élaboration de l'avant-projet des dirigeants et de leur charte de management ;

– il demande lui-même aux collaborateurs de rang 3 d'entreprendre avec leurs chefs respectifs un travail de contribution au progrès de l'entreprise (ou de l'établissement).

De façon évidente, il ne rentre pas dans les détails puisqu'il a fait cette réunion pour lancer le travail des différentes équipes autour de leur chef ; pas question de commencer des explications qui retireraient aux rang 2 une partie de leur rôle : délégation oblige. Mais on voit immédiatement l'avantage qu'il y a à donner la philosophie et les enjeux de la démarche devant deux échelons hiérarchiques ; quand les chefs de rang 2 feront chacun la même démarche devant l'ensemble de leurs collaborateurs de rang 4, il y aura tous les rang 3 présents à l'exposé du responsable d'entreprise ou d'établissement pour garantir la non-dérive du message démultiplié par le rang 2. Mais lancer l'opération devant l'ensemble des rangs 2 et 3, c'est déjà officialiser la démarche dite du projet d'entreprise(2). Peut-être faut-il auparavant prendre quelques précautions ou se livrer à quelques investigations. (Voir tableau p. 139)

3 - Connaître l'état des lieux

Au chapitre précédent, nous avons vu le responsable travailler avec son équipe pour élaborer une première charte de management et la vision d'avenir des dirigeants sur l'entreprise ou l'établissement. Même si les participants ont discrètement consulté quelques collaborateurs, ils ont émis un point de vue qui est avant tout le leur. Ce qu'ils perçoivent, eux, comme points forts et points faibles, n'est peut-être pas ce qui est perçu à la base. En termes de management, il y a également une possibilité de décalage important entre ce qui est vécu aujourd'hui sur le terrain et le projet de charte que se propose d'appliquer l'équipe dirigeante. Pourquoi n'avoir pas commencé par faire un audit général avant d'entamer le travail avec l'équipe dirigeante ? Pour deux raisons principales : la première est qu'en donnant la parole à son équipe d'abord, le chef lui témoigne sa confiance alors qu'en lançant une enquête d'emblée, il aurait peut être été perçu comme défiant vis-à-vis de ses collaborateurs.

La seconde est qu'il n'est pas mauvais de faire du brainstorming sans être influencé par les résultats d'une enquête portant sur l'ensemble du personnel.

---

(2) En effet, autant il est possible de consulter une personne en tête à tête ou même l'équipe de ses collaborateurs en leur demandant de rester discrets, autant une réunion d'une trentaine de personnes ne peut plus prétendre à la confidentialité.

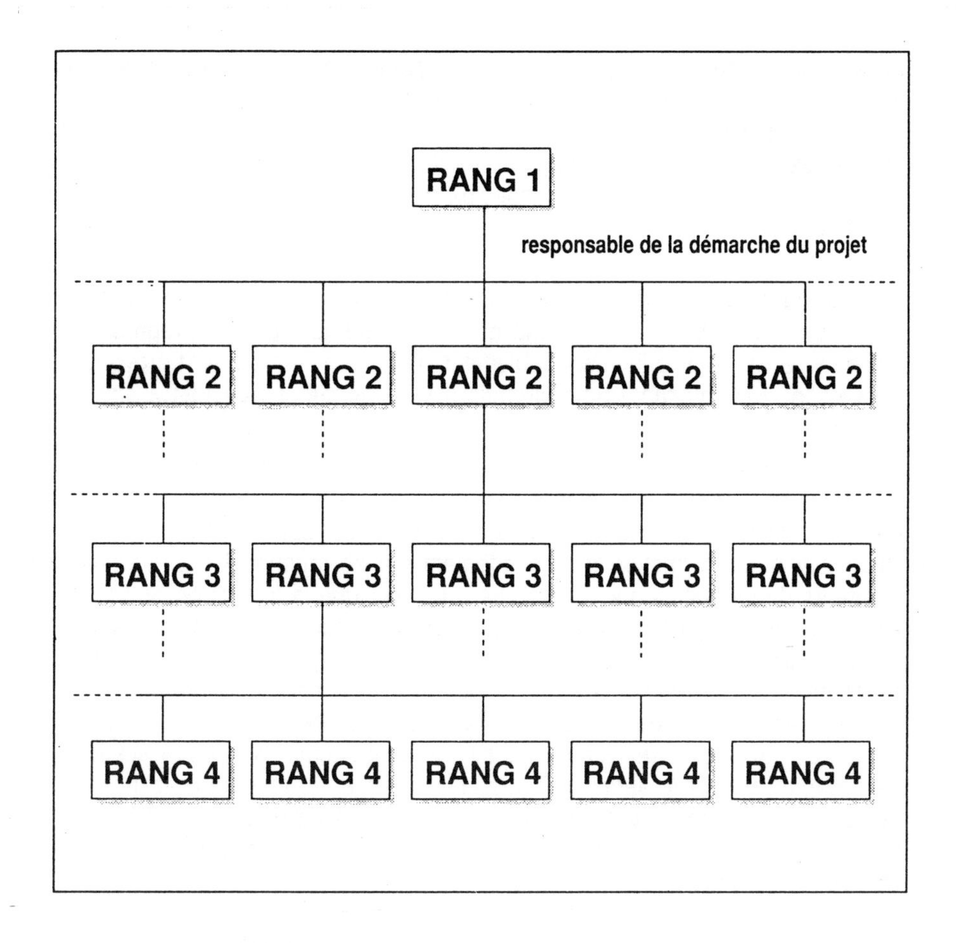

En revanche, une fois le travail de réflexion et de synthèse opéré, il est utile avant d'entamer une action, de vérifier la pertinence de l'analyse et plus encore d'adapter la forme du message à la capacité de l'interlocuteur de bien le recevoir et d'y répondre d'une manière constructive. Si le chef est nouveau, il recevra de cette manière une brassée d'informations utiles, complémentaires de celles qu'il aura reçues par la voix hiérarchique. S'il est déjà dans la place, il pourra vérifier si la perception qu'il a de la réalité est cohérente avec celle des différentes catégories de personnel, cadres, agents de maîtrise, techniciens, employés, ouvriers, etc.

Allons plus loin ; lancer une enquête d'opinion dans le personnel ou faire faire l'audit « points forts/points faibles » de l'organisation, c'est déjà montrer qu'on a l'intention d'agir et c'est donc préparer les esprits à la démarche « projet d'entreprise ». Il est évident que si on lance une enquête d'opinion dans le personnel, il faut être décidé à en publier la synthèse des résultats, ce qui implique qu'on utilise un organisme extérieur à l'entreprise pour l'effectuer car la crédibilité de la synthèse en sera accrue. En effet, des personnes extérieures à l'entreprise obtiendront plus d'informations, provoqueront moins d'autocensure et seront moins suspectes de dire au patron ce qu'il a envie d'entendre.

Mais dès qu'on lance une enquête, il faut être prêt à agir et c'est bien la raison pour laquelle nous pensons qu'il est préférable d'avoir préparé son équipe à l'action puisqu'immanquablement l'audit ou l'enquête vont provoquer la réaction : « Maintenant que nos chefs savent, vont-ils se décider à agir ? »

Nous avons vu des responsables de directions importantes, dans des grandes entreprises, faire opérer une enquête par un organisme extérieur, n'en communiquer les résultats qu'à leurs collaborateurs directs et décider finalement d'une formation au management qui ne toucherait que les collaborateurs de leurs collaborateurs ! Inutile de dire que la frustration de tout le personnel et de tout l'encadrement a été forte et que la motivation des uns et des autres risque d'en souffrir. La raison de ce genre d'attitude est que l'enquête faisait clairement apparaître des dysfonctionnements profonds, par exemple en matière de communication, de délégation, d'équité dans les rétributions, qu'elle mettait donc en cause des comportements, des confiscations de pouvoirs, et qu'elle aurait dû pousser certains à se remettre en cause, ce qui, dans l'esprit des intéressés, était impensable. Il est préférable de ne rien faire que de donner l'illusion qu'on va faire quelque chose pour ensuite se dérober piteusement.

Nous donnerons à la fin de ce chapitre quelques résultats d'enquêtes ou d'audits, opérés dans des entreprises souvent très différentes, pour montrer qu'en fait, ce sont toujours à peu près les mêmes thèmes qui ressortent, avec bien sûr des spécificités liées à la nature et à l'histoire des entreprises.

Ces résultats permettront au lecteur de se faire une idée des thèmes généraux qui risquent d'apparaître à la suite d'une enquête qui serait opérée dans sa propre entreprise. La plupart du temps, sont mises en cause des questions relatives à :
– la méconnaissance des stratégies, des grandes priorités de l'entreprise ou l'incohérence entre ces axes de long terme tels qu'ils sont communiqués, et les exigences du travail quotidien ;
– le cloisonnement des services (avec éventuellement la guerre des chefs) ;
– l'absence de règles du jeu claires pour ce qui concerne la délégation ;

– l'inadaptation des structures à la conduite des projets, à la réalisation des objectifs ;
– l'irréalisme des objectifs fixés compte tenu des moyens ;
– les changements de cap trop fréquents ;
– le stress permanent et la vie dans l'urgence ;
– le court-circuitage de la hiérarchie ;
– la gestion du personnel (rémunérations peu cohérentes, perspectives de carrière mal connues, évaluation insuffisante et/ou mal communiquée, etc.) ;
– le comportement relationnel des chefs hiérarchiques (absence de courage, ouverture du « parapluie », esprit de caste, terrorisme ou laxisme, instabilité émotionnelle, injustice, non-disponibilité, communication mauvaise, etc.).

Il est important également de savoir que les enquêtes qui font apparaître un ensemble de dysfonctionnements importants sont les mêmes qui laissent entrevoir que les intéressés aiment leur entreprise, y trouvent également des côtés positifs (métier intéressant, bonne camaraderie, succès de l'entreprise dans un marché concurrentiel, etc.) et ne souhaitent en fait qu'une chose, que leur entreprise marche encore mieux, que leurs relations avec leur chef direct soient bonnes, qu'ils puissent progresser, qu'on les traite en personnes humaines dignes d'intérêt et de confiance.

Autrement dit, l'avantage de l'enquête est évident pour une direction qui a l'intention d'agir et qui est prête à remettre en cause les organisations, les rôles de certaines personnes, les comportements, en s'incluant dans lesdites remises en cause. En effet, l'enquête va créer une pression de demande par le bas qui renforcera la pression de la volonté venant d'en haut. Elle permettra en outre, grâce au caractère spécifique des résultats lié à la nature de l'entreprise ou de l'établissement, de repérer les problèmes qui semblent les plus importants à résoudre pour l'entreprise ou l'établissement en question. Or il est important qu'une démarche de changement puisse, tout en gardant sa vision stratégique (liée à la volonté des dirigeants), intégrer la demande de la base qui, sans que l'esprit de l'opération globale soit remis en cause, a besoin de voir rapidement résolus des petits problèmes pratiques, bien irritants dans le quotidien.

Résumons ces quelques éléments de réflexion sur la démarche « projet d'entreprise » :
– c'est une opération de communication qui concerne les politiques, les ambitions et les valeurs de l'entreprise, telles que la direction les voit ;
– c'est une opération de communication sur les règles du jeu du management qui doit mettre en rapport l'offre (charte de management initialement élaborée par le haut) et la demande (dysfonctionnements subis par les subordonnés) ;

– c'est une demande de contribution de tous, chacun à son niveau de responsabilité et en cohérence avec ses pairs, en vue de réaliser le progrès de l'entreprise par l'action de tous.

Il est clair que cette démarche implique une intégration de tout ce qui s'est déjà fait et de ce qui est en train de se faire de positif ici et là. Clair également que cette démarche implique un aller-retour permanent entre les niveaux de décision (phénomène de yoyo).

Clair enfin que tout dysfonctionnement qui peut être résolu rapidement doit l'être. Reprenons l'image du tour du mont Blanc à pied : si l'on a un caillou dans la chaussure, on commence par l'enlever avant de se livrer à des considérations sur les possibilités de bivouaquer dans trois jours !

L'opération « projet d'entreprise » peut commencer si toute l'équipe de direction en a bien assimilé les exigences. A titre indicatif, voici quelques commandements à méditer :

- **Nous** sommes solidaires.
- **Nous** ne laisserons pas de question sans réponse.
- **Nous** nous concerterons pour assurer notre cohérence.
- **Nous** acceptons de nous remettre en cause, dans nos comportements et par la délégation de nos pouvoirs.
- **Nous** savons qu'il s'agit d'une course de grand fond.
- **Nous** prendrons des engagements et nous les tiendrons.
- **Nous** dirons ce que nous ferons et nous ferons ce que nous dirons.
- **Nous** écouterons tous nos collaborateurs directs.
- **Nous** prendrons ce que nous faisons au sérieux sans nous prendre nous-mêmes au sérieux.

Ce dernier membre de la dernière phrase est particulièrement important à méditer en France. Nous avons toujours été frappé du nombre de ceux qui se prenaient au sérieux dans notre pays. Quand nous allons dans les pays de culture germanique ou anglo-saxonne, nous sommes heureux de trouver plus de simplicité dans les rapports, ce qui n'exclut pas le professionnalisme bien au contraire. C'est probablement cette prise au sérieux de soi-même qui incite les responsables à vivre débordés, à ne jamais être disponibles, à ne pas déléguer les pouvoirs, de façon à ce qu'on soit obligé de passer par eux. Bien que l'origine éthymologique soit différente, humour et humilité commencent par les mêmes lettres. Beaucoup de responsables devraient cultiver l'humour pour gagner en humilité, ce qui améliorerait considérablement le climat des relations chef-subordonné. N'oublions jamais que la démarche « projet d'entreprise » n'est pas une procédure formelle, si bien conduite soit-elle, c'est surtout un état d'esprit.

Revenons donc à l'équipe dirigeante et regardons-la bâtir son plan d'action et envisager un premier calendrier :

1re date :
Lancement de la démarche par le responsable (rang 1), entouré de l'équipe dirigeante (rang 2) en présence des collaborateurs de rang 3.

2e date :
(située dans une fourchette, avec une date limite) - Travail de chacune des équipes de rang 2 (entourée de ses collaborateurs de rang 3) pour :
- élaborer sa contribution à l'avant-projet des dirigeants (en l'enrichissant le cas échéant) en termes de projet ;
- élaborer sa charte de management (en cohérence avec celle de l'équipe des dirigeants mais enrichie, amendée...) ;
- détecter les dysfonctionnements à résoudre ;
- proposer des actions destinées à résoudre certains problèmes détectés et/ou à commencer à réaliser la contribution de l'équipe au progrès de l'entreprise.

3e date :
Convention rang 1 - rang 2 - rang 3 pour faire le bilan du travail effectué par les équipes dirigées par les rangs 2.

Première synthèse effectuée par le rang 1 qui aura le souci de valoriser tout l'apport de ses subordonnés et des collaborateurs de ses subordonnés.

Décision de lancer l'opération analogue rang 2 - rang 3 - rang 4 si tout s'est bien passé.

Quand l'équipe dirigeante bâtit ce plan d'action, elle doit immédiatement se poser, concernant les rangs 2 et les rangs 3, les mêmes questions qu'a dû se poser le responsable lui-même (rang 1) et que nous avons abordées au chapitre 10.

Rang 2
- Savons-nous communiquer ? Expliquer ? Ecouter ?
- Connaissons-nous nos alliés ? Les dispositions d'esprit de nos subordonnés ?
- Saurons-nous les faire travailler en groupe ?
- Avons-nous le « coffre » pour entendre les remises en cause éventuelles ?
- Sommes-nous prêts à agir, à changer, à nous changer ?

Toutes questions de l'ordre du savoir-être et du savoir-faire de management.

Rang 3

- Savent-ils communiquer ? S'exprimer ? Ecouter ?
- Sont-ils plutôt experts ?

La démarche « projet d'entreprise » va probablement poser progressivement des questions d'organisation et de structure mais elle en pose immédiatement de rôles (chef ou expert), de comportement (disponibilité d'esprit à la communication et acceptation des remises en cause), de formation (méthodes participatives, techniques de communication, etc.). Pour ce qui concerne la formation, c'est le plus simple, il suffit de se former et les outils ne manquent pas ni les formateurs sur le marché (mais il faut viser la qualité !). Pour ce qui concerne les comportements (et donc les rôles), c'est moins facile car les comportements sont de l'ordre de l'éducation et, nous l'avons vu, on peut supporter un expert mal éduqué mais un chef doit donner l'exemple. Il faut donc savoir que la démarche posera le problème du rôle de certaines personnes rétives au changement de comportement.

Quant aux problèmes de structure, ce ne sont pas les premiers à devoir être abordés. Pourtant nous constatons que ce sont souvent les premiers que l'on aborde quand une entreprise change pour s'adapter à ses contraintes, à ses clients, à son environnement. Nous avons constaté, à maintes reprises, à quel point c'était une erreur mais la raison de cette erreur est simple : les structures apparaissent comme un élément rationnel dans le changement et cela rassure le côté abusivement cartésien des chefs français.

Tant qu'on étudie les structures, on ne remet pas en cause les hommes et on ne prend pas le risque de la prospective. Le long terme et les hommes, c'est l'incertitude et le libre arbitre, c'est la vision, la communication et l'émotionnel. Voilà qui n'est guère rassurant ! Par contre, se retirer dans le secret de son cabinet, consulter en tête à tête quelques experts et comparer rationnellement les mérites des organisations fonctionnelles ou matricielles, des organisations par produits ou par projets, des organisations « polycellulaires », en « marguerites » ou en « pyramides », voilà qui peut donner des jouissances exceptionnelles au cerveau « gauche » des technocrates ! Le drame est qu'après ce genre d'étude, on peut décider de la mise en place d'une structure idéale sur le papier mais à laquelle ne sont pas adaptés les hommes bien réels, eux, dont l'entreprise dispose aujourd'hui. Nous n'éludons pas le problème des structures et nous y reviendrons ultérieurement mais nous pensons que la détection des capacités des hommes présents dans l'entreprise à tenir tel ou tel rôle est beaucoup plus importante. Autrement dit, quand chacun aura bien compris où va l'entreprise (sa direction, son service...), il va immédiatement se poser la question de savoir quel peut être son rôle et il faudra le rassurer très vite à ce sujet. Si au lieu de lui expliquer où va l'entreprise et où il peut aller lui-même, on commence par toucher les structures, on déclenche immédiatement des réactions émotionnelles et du stress.

La démarche « projet d'entreprise », mise en route dans une entreprise ou dans un établissement, pose donc des problèmes de formation, des problèmes de carrière (rôle des hommes), des problèmes d'éducation (comportement), des problèmes d'organisation et de structure. Quand on voit l'importance qu'a prise dans les entreprises la fonction « gestion des sous », on comprendrait mal que la fonction « gestion des hommes » reste un parent pauvre. C'est pourquoi nous poursuivrons cette réflexion sur la conduite du changement en abordant le problème du rôle des directions des ressources humaines (terme générique qui se traduit dans les entreprises par d'autres noms pouvant être révélateurs, comme direction des relations sociales, direction centrale du personnel, direction générale des ressources humaines, etc.). L'important nous paraît être que les entreprises ont peu à peu pris conscience de la place importante de l'homme, même si toutes n'ont pas encore compris que la place de l'homme était la première, car c'est celle d'un acteur et non celle d'un moyen.

Résumé

Le projet d'entreprise ne peut être que l'aboutissement d'une démarche inscrite dans la durée, itérative et pragmatique.

La démarche « projet d'entreprise » est une démarche de communication, de participation, de remise en cause des dysfonctionnements.

Elle doit être entreprise avec prudence, exige un effort de formation, implique des changements de comportements.

Elle se traduira par des mutations de personnes et des changements de structure.

Elle intègre la satisfaction du client (qualité totale), la participation du salarié (charte de management), le souci de l'épargnant (rentabilité et rigueur de gestion).

BIBLIOGRAPHIE

Le projet d'entreprise
BOYER L., EQUILBEY N.
Les Éditions d'Organisation, 1986

ANNEXE 1

Enquête par voie écrite

Une grande entreprise industrielle à établissements multiples demande à un organisme spécialisé de réaliser une enquête par la voie d'un questionnaire anonyme envoyé à tout le personnel.

Le questionnaire porte sur les domaines suivants :

– La qualité de l'information reçue par chacun en matière :
  - d'organisation de l'entreprise ;
  - d'organisation du service où travaille l'intéressé ;
  - de possibilités de formation ;
  - de possibilités d'évolution dans l'entreprise ;
  - d'évolution du marché, de la concurrence ;
  - de politique salariale de l'entreprise.

– L'image de marque de la société à l'extérieur.
– La communication avec la hiérarchie.
– La consultation de l'intéressé avant les prises de décisions qui le concernent.
– La connaissance des objectifs poursuivis :
  - par l'entreprise ;
  - par la direction locale ;
  - par le service.

– Les liens perçus par l'intéressé entre ses tâches quotidiennes et les buts poursuivis par l'entreprise, la direction, le service.

Le dépouillement de l'enquête, effectué par l'organisme spécialisé a fait apparaître très nettement :

– De grandes différences entre les établissements pour ce qui concerne la circulation de l'information.
– Une assez bonne communication verticale jusqu'au niveau des cadres moyens, beaucoup plus mauvaise à partir du niveau agent de maîtrise et en dessous.
– Une consultation extrêmement faible de la base.
– Des distorsions fréquentes entre les décisions quotidiennes et les grands objectifs annoncés.
– Une très mauvaise perception des pratiques de l'entreprise concernant la gestion du personnel (mutations, augmentations, formation).
– Une différence très mal ressentie entre la considération accordée aux cadres et celle accordée aux non-cadres.
– Une assez bonne perception par les salariés de l'image de marque de l'entreprise, de sa compétitivité et de son évolution.

Enquête par interview

Un établissement industriel (mécanique et métallurgie) a fait procéder à une enquête par interview d'un échantillon stratifié (cadres, techniciens, agents de maîtrise, employés, ouvriers) de son personnel. L'établissement compte 1 500 personnes.

180 personnes des différentes catégories ont été entendues individuellement (30 étaient volontaires, 150 tirées au sort dont 30 ont refusé et ont été remplacées, personne n'a été désigné).

6 groupes correspondant aux différentes strates (2 niveaux d'agents de maîtrise) ont été interviewés collectivement. La constitution des groupes s'est faite également par volontariat et tirage au sort accepté (une dizaine de personnes par groupe).

Les interviews ont porté sur :
- le travail (intérêt, pénibilité, etc.) ;
- la rémunération (niveau, critères de fixation, évolution, etc.) ;
- la carrière ;
- les relations hiérarchiques et latérales ;
- l'information et la communication ;
- la formation ;
- la sécurité et les conditions de travail ;
- le climat social.

La synthèse effectuée par l'équipe d'interviewers fait apparaître :
- un cloisonnement assez fort de l'établissement ;
- une mentalité encore assez générale d'économie de production ;
- une mauvaise communication de la vision d'avenir des dirigeants sur l'entreprise ;
- un manque de disponibilité des chefs hiérarchiques ;
- une organisation assez taylorienne et un commandement de style autoritaire ;
- une consultation extrêmement faible ;
- une formation très insuffisante ;
- une rémunération perçue comme inférieure au niveau du marché ;
- des relations sociales souvent conflictuelles.

Ce qui n'empêche pas les mêmes interviewés :
- d'aimer leur entreprise et d'avoir confiance en son avenir ;
- d'aimer leur travail (malgré, pour certains, sa pénibilité) ;
- d'être fiers de la qualité technique de leur entreprise ;
- de se déclarer ouverts aux nécessaires changements.

Un exemple d'initiation de la démarche projet d'entreprise

Il s'agit d'une entreprise industrielle produisant des engins complexes, faisant appel à des technologies sophistiquées. Moins de 10 000 personnes, réparties en une dizaine d'établissements, dont un très grand bureau d'études, beaucoup de personnel très qualifié.

L'équipe de direction a souhaité que les établissements s'engagent dans la démarche « projet » et que le projet d'entreprise soit issu à la fois de la vision des dirigeants et de la réflexion des établissements. A cet effet, une première convention est organisée avant la période des congés, pour initier l'opération ; elle rassemble une centaine de cadres dirigeants de l'état-major central et des états-majors de tous les établissements, plus un échantillon de jeunes cadres choisis pour leur rayonnement personnel.

Le but est de faire réfléchir les participants aux évolutions de l'environnement, aux nécessités de changements dans l'entreprise, aux points forts et points faibles de celle-ci, à ses valeurs, à ses ambitions. En matinée, deux conférences-débats animés par des intervenants extérieurs. L'après-midi, travail en groupes d'une dizaine de personnes et production de quelques éléments de diagnostic, pistes d'action, propositions d'engagement.

Les directions d'établissement, au retour des vacances, préparent avec leur état-major l'organisation de conventions locales analogues. Ces conventions vont se dérouler successivement en quelques semaines dans tous les établissements, avec la participation de trente à plus de cent personnes d'encadrement, selon la taille et la nature de l'établissement. La journée se déroule de la même façon qu'au cours de la première convention. Elle donne le coup d'envoi dans chaque établissement d'un travail associant plusieurs niveaux hiérarchiques et qui va durer plusieurs semaines.

Neuf mois plus tard, nouvelle convention centrale des participants de la réunion initiale en présence de l'équipe dirigeante de l'entreprise. Chaque chef d'établissement fait le point du travail effectué par ses équipes et donne les conclusions tirées par lui-même et son état-major. L'après-midi, les participants se retrouvent au sein d'une dizaine de groupes soigneusement mélangés, et, à partir de tous les éléments apportés le matin, se prononcent sur ce qui leur semble être prioritaire. En fin de journée, l'équipe dirigeante donne sa vision de l'avenir, conforte tous les participants dans leur démarche et, tout en laissant à chaque établissement l'autonomie de ses développements particuliers, fixe une demi-douzaine d'axes de progrès humains, économiques et techniques, sur lesquels elle souhaite que tous s'engagent. La démarche « projet d'entreprise/projet d'établissement » est désormais lancée.

Chapitre 13

LA FONCTION HUMAINE DANS LES ENTREPRISES

Nous l'avons dit, l'homme doit retrouver dans les entreprises la place qu'il aurait toujours dû avoir, ce qui n'a pas été le cas, nous l'avons nous-même vécu. L'homme doit devenir, à tous les niveaux, un acteur à part entière, du p.-d.g. au technicien de surfaces, comme on nomme aujourd'hui celui qu'on appelait jadis, de façon méprisante, le manœuvre-balai. Mais on ne s'improvise pas acteur à part entière dans l'entreprise en sortant du système éducatif, surtout si le cursus scolaire s'est effectué sans aucune incursion dans le monde professionnel. L'alternance est encore peu développée en France, l'apprentissage trop souvent considéré par le système éducatif comme le signe d'un échec et par certains employeurs comme une main-d'œuvre bon marché envers laquelle on se sent peu de devoirs. Quant à ceux qui ont été pendant de longues années employés comme exécutants, même si c'est en exécutants instruits (comme « OS intellectuels » nous a dit, un jour, un jeune ingénieur issu d'une prestigieuse grande école), il est clair que leur mutation en acteurs participatifs et écoutés ne se fera peut être pas sans heurt, réticence, timidité ou explosion « libertaire » !

Dans la conduite du changement, l'homme est au centre de l'action, tout à la fois sujet et objet de la mutation, puisqu'il agit et bénéficie de l'action. Mais cette mutation étant en même temps au service du client et de l'épargnant, les actions intègrent tous les aspects techniques, économiques et humains. De même qu'il y a des experts pour assurer la pertinence des actions techniques, des contrôleurs de gestion pour assurer celle des actions économiques, il apparaît naturel qu'il y ait des experts pour assurer celle des actions touchant les hommes. Ces actions s'appellent recrutement, orientation, reconversion, formation, rémunération, mutation, promotion, licenciement, départ en retraite, pour celles qui, de façon plus marquante, jalonnent la carrière des salariés. Mais dans le quotidien, le facteur humain est permanent. Et il prend le nom d'échange, d'écoute, d'expression, d'évaluation de la performance, d'information, de motivation, d'explication, etc. C'est dire que la fonction humaine permanente est prise en charge par le chef hiérarchique direct, comme est prise par lui la responsabilité des décisions technico-économiques. Il n'empêche que dans les domaines technico-économiques, il y a des spécialistes qui sont souvent à l'origine de novations importantes, par exemple les services de recherche, de développement, de marketing, d'informatique, de gestion financière, d'organisation, etc. Quelles que soient leurs qualités humaines personnelles, il est raisonnable de penser que les chefs hiérarchiques auront besoin de spécialistes pour les aider à progresser et à innover en matière humaine. Il y a tellement de modalités de recrutement, de rémunération, d'intéressement, de formation, d'information, qu'il n'est pas facile de se tenir au courant des évolutions quand on est soit dans l'action soit dans l'élaboration de nouveaux projets destinés à améliorer le service des clients internes ou externes.

C'est bien pourquoi la fonction humaine a toujours été non seulement le fait des hiérarchiques mais celui de fonctionnels spécialistes. Il faut même observer que cette fonction humaine a été souvent littéralement enlevée aux opérationnels hiérarchiques, confisquée en quelque sorte. Nous avons souvenance qu'au début de notre carrière, nous avons dû mener une dure bataille de reconquête de la fonction humaine, indûment retirée à l'opérationnel que nous étions. Oh ! certes, les services administratifs et services du personnel de l'époque n'étaient guère novateurs mais ils ne se contentaient pas d'un rôle d'expert administratif et juridique, que nous ne leur contestions pas d'ailleurs, ils intervenaient de façon totalement abusive, non dans les règles du jeu de la rémunération mais dans la fixation précise de celle-ci par exemple, ce qui était intolérable pour le jeune chef hiérarchique que nous étions. Au fond, ils faisaient le contraire de ce qui était leur véritable rôle, peu ou pas novateurs mais trop interventionnistes. C'était l'héritage d'une époque taylorienne où les services de personnel s'appelaient « chef du personnel », ce qui est hautement symbolique.

Les chefs hiérarchiques n'avaient aucun pouvoir, les pouvoirs étant aux mains du chef du personnel et de ses séides qui étaient chargés de contenir les syndicats, d'exécuter les basses besognes de la direction, de rémunérer et de sanctionner le personnel. Les hiérarchiques n'exerçaient leur rôle que sur le plan technique (à l'époque, notre formation et notre information économique étaient quasi nulles). Les choses ont beaucoup changé dans certaines entreprises et, dans notre génération, un certain nombre d'entre nous ont eu la chance de devenir de vrais petits patrons animant une équipe responsable de leur centre de coût ou de profit, moteurs du changement. C'est pourquoi c'est toujours une surprise, peu agréable pour nous, de voir encore des entreprises tayloriennes où les responsables hiérarchiques restent confinés dans la technique, ont des éclairages économiques très partiels et aucun moyen de gérer et de développer les hommes. Si la motivation et l'ambiance restent à un niveau honorable, c'est miraculeux, mais les miracles sont rares et les constats que nous faisons montrent que ces entreprises, si elles sont de moins en moins le théâtre de conflits graves (encore que cela arrive trop souvent pour certaines d'entre elles) sont guettées par la sclérose, la démotivation et... l'échec économique.

Nous ne pensons donc pas que la fonction humaine doive être retirée aux hiérarchiques, bien au contraire. Le rôle d'un bon fonctionnel, comme le disait un de nos amis il y a déjà plus de vingt ans, est de travailler ardemment à sa propre disparition ! Rassurons tout de suite les fonctionnels, il y a toujours des progrès à faire et dès que l'on a pu transférer le « pouvoir » aux opérationnels, de nouveaux domaines sont apparus où il faut défricher, mettre au point les méthodes, les outils, puis faire œuvre pédagogique, transférer et ainsi de suite. Dans le domaine des ressources humaines, il y a tant à faire aujourd'hui pour donner aux hiérarchiques des méthodes, des outils, les informer, les former, qu'il n'y a pas de risque d'étiolement de la part de la fonction humaine qui restera pour longtemps un domaine important pour des fonctionnels désireux de faire progresser leur entreprise.

A fortiori, en pleine période de conduite du changement, il peut être précieux pour un dirigeant de pouvoir compter sur l'existence organique de fonctionnel(s) des ressources humaines. Mais alors, est-il impossible à un responsable de petite entreprise de conduire ce type de changement ? Bien sûr que non, mais cela veut dire que le petit patron sera lui-même son propre fonctionnel en ressources humaines sauf si l'un de ses collaborateurs directs a le temps et le charisme pour jouer ce rôle, en plus de son habituel rôle opérationnel. Notons qu'alors la petite entreprise pourra se faire conseiller par un consultant extérieur à l'entreprise : le problème sera d'en trouver un qui soit un ancien homme de terrain et qui connaisse notamment le monde de la PME (cela existe de plus en plus, mais il existe aussi des charlatans ou des théoriciens inutilisables : la démarche de « qualité totale » implique de bien choisir ses fournisseurs !). Quoi qu'il en soit et, sans préjuger de l'organisation de la fonction ressources humaines dans l'entreprise *(nous y viendrons plus loin),* examinons en quoi peut consister cette fonction pour la partie qui n'est pas du ressort des hiérarchiques directs.

Si nous admettons que le hiérarchique direct sera toujours le décideur, le fonctionnel pourra jouer trois rôles : celui d'inspirateur, celui de conseil, celui d'expert. Restera encore à part un troisième domaine, de service celui-là, celui d'un véritable « service de personnel » qui fournit une prestation aux lignes opérationnelles dans le cadre d'une relation client-fournisseur ; par exemple, exécution de la paie, formalités légales d'embauche, licenciement, retraite, rapports avec les organismes sociaux (URSSAF, AF, etc.), organisation des élections, enfin tout ce qui est d'ordre logistique, administratif et légal dans les problèmes touchant le personnel. Pour ce qui concerne les personnes, on voit donc qu'il y a le rôle hiérarchique, le rôle du service du personnel et le rôle fonctionnel que nous allons maintenant examiner sous ces trois aspects, inspirateur, conseil, expert.

LE RÔLE D'INSPIRATEUR

Le fonctionnel des relations et ressources humaines doit être un « prospectif » anticipant en permanence, pour le plus grand bien de son entreprise, sur ce qui est en train de changer, non seulement au sein de la communauté humaine où il vit professionnellement, mais également à l'extérieur car nous l'avons vu, quand la société change, les hommes de l'entreprise apportent avec eux une partie de ce changement qu'ils perçoivent dans la vie de famille, dans la vie de loisirs, dans la vie associative, politique ou religieuse. Qui pourrait nier que mai 68, la minijupe, la pilule, le Concile de Vatican II, la guerre d'Algérie, la drogue, aient eu des effets sur le monde professionnel ? L'interaction entre les phénomènes techniques, économiques et humains est permanente. De même, l'interaction entre l'entreprise et son environnement est constante. Ce qui se passe dans la société peut avoir une influence importante sur le recrutement, la conduite de la carrière des individus, la manière dont ils peuvent percevoir leur formation, leur future retraite, etc. Ce qui se passe au sein de l'entreprise, par exemple l'internationalisation des marchés, le partenariat avec une entreprise d'un autre pays, l'évolution rapide de la technologie, la perte d'une situation de monopole, etc. va également provoquer des mutations considérables des modes de travail, des habitudes, des comportements.

Pour nourrir sa réflexion prospective, le fonctionnel des ressources humaines sera amené à se tenir au courant de l'évolution des sciences humaines et s'efforcera de trouver dans les publications (revues ou ouvrages de bonne vulgarisation) ce qui peut l'aider à y voir clair. Certes, il faut du discernement et du bon sens pour tirer le bon grain de l'ivraie, mais l'avantage de vivre en entreprise est que l'on dispose d'un champ d'observation important, d'un microcosme vivant sous ses yeux qui permet à quelqu'un de réaliste d'évaluer la qualité de ce qu'il a pu trouver dans une lecture. Les sociologues, par exemple, ont joué bien souvent un rôle utile pour nous alerter. Rappelons-nous les ouvrages successifs de Crozier, *Le phénomène bureaucratique, La société bloquée, L'acteur et le système,* qui ont fait réfléchir en leur temps et, notamment pour le dernier, n'ont rien perdu de leur pertinence. Les progrès des sciences cognitives et même, quand ils ont été vulgarisés, certains travaux des neurophysiologues nous ont aidés à mieux comprendre comment fonctionnait notre mécanique cérébrale et partant, les difficultés de communication qui peuvent exister entre deux personnes fonctionnant sur deux registres très différents. La psychologie et la psychanalyse, quand elles n'ont pas pris un tour idéologique, ont apporté leur contingent de pistes de réflexion.

Un fonctionnel des ressources humaines doit être, vis-à-vis des hiérarchiques, un bon vulgarisateur de ce qu'il a pu apprendre et glaner ça et là, après l'avoir bien sûr validé par ses propres observations. Mais il peut aussi utiliser une méthode active pour jouer son rôle d'inspirateur vis-à-vis de son entreprise, en organisant des voyages d'études à l'étranger(1). Voir ce qui se fait ailleurs est toujours utile, non pour seulement l'imiter mais pour s'interroger et découvrir, par analogie, ce que l'on pourrait faire chez soi, à condition de l'adapter à la culture de son pays et de son entreprise. Nous connaissons des entreprises qui ont, à l'instigation de leur fonctionnel des ressources humaines, envoyé un ou deux groupes de cadres au Japon et/ou en Californie ; il faut bien sûr en avoir les moyens. On peut faire moins cher et envoyer uniquement son p.-d.g. faire le même genre de voyage d'études, puisqu'il existe des organismes qui proposent ce « produit » en interentreprise avec accompagnateurs qualifiés ayant un bon réseau de correspondants dans les pays visités. Pour que le voyage soit utile, l'homme des ressources humaines peut avoir préparé un questionnaire ou des thèmes de réflexion avec ceux qui feront le voyage. Au retour, il organisera la réalisation d'une synthèse des observations et des propositions et la présentation de cette synthèse à l'encadrement de l'entreprise.

Autre possibilité pour jouer ce rôle d'inspirateur, utiliser un « compère » c'est-à-dire un conférencier tonique, capable d'animer un débat après l'avoir lancé par une intervention volontairement un peu provoquante. On voit qu'il y a bien des moyens, directs ou indirects, pour jouer ce rôle d'inspirateur. En fait, c'est la confiance qu'on porte à l'homme lui-même qui permettra à celui-ci d'inspirer ou de ne pas inspirer une évolution de la politique humaine de l'entreprise : c'est un problème de crédibilité personnelle. Disons un mot des facteurs de crédibilité identifiables, ce sont :

– des qualités pédagogiques (savoir expliquer, illustrer ses propos d'exemples concrets, avoir l'esprit de synthèse) ;

– des qualités de communication (savoir écouter notamment) ;

– une expérience vécue, importante et variée (fonctionnel des ressources humaines auprès d'un haut responsable est un métier de « sage », pas un métier de jeune) ;

(1) On peut faire des voyages d'études ou des visites dans son propre pays mais l'effet du dépaysement ne jouant pas, le choc psychologique est moins fort et la créativité du groupe s'en trouve amoindrie.

– un passé de hiérarchique opérationnel réussi (cela permet de parler aux opérationnels un langage qu'ils comprennent).

Ce dernier point nous paraît important. L'origine des hommes de « personnel » a été souvent dans le passé l'administration, le service juridique... ou l'armée. Il nous semble que la fonction « ressources humaines » convient mieux aujourd'hui à un ancien responsable opérationnel ayant si possible tenu un rôle hiérarchique dans au moins deux métiers pris parmi recherche-développement, production, commerce, ou exercé la responsabilité d'un centre de profit intégré... Car on n'est réellement convaincant qu'avec ses pairs et comme un fonctionnel ne peut avoir qu'une autorité d'influence, il faut bien qu'il puisse appuyer ses convictions sur des arguments vécus, accessibles à ceux qui les reçoivent et qui sont des opérationnels des domaines cités ci-dessus.

Parcourons maintenant les domaines dans lesquels un fonctionnel peut inspirer une évolution de la politique humaine de l'entreprise. Ce sont ceux que nous avons recensés au chapitre 6 de cet ouvrage et qui sont de l'ordre :

– du renforcement de la cohésion, du sentiment d'appartenance ;

– de la gestion dynamique des ressources humaines (individuellement et globalement) ;

– de la diffusion des pouvoirs le plus bas possible.

C'est tout à fait le rôle d'un homme « ressources humaines » que d'inspirer l'idée de la démarche « projet d'entreprise », que de proposer une gestion prévisionnelle des carrières, que de provoquer la mise en route d'une démarche « qualité totale », par exemple. C'est bien sûr au responsable de l'entreprise ou de l'établissement de décider de telles opérations mais l'idée peut lui en avoir été soufflée par son collaborateur fonctionnel. Encore une fois, si l'entreprise ou l'établissement est trop petit pour pouvoir se payer ce type de collaborateur à temps complet, ce peut être le rôle partiel d'un équipier de direction ; à défaut, le responsable assumera la charge en utilisant les services d'une personne extérieure. Une solution possible dans une PME : faire rentrer au conseil d'administration un « sage » dont les compétences en problèmes humains sont reconnues. Toutes ces solutions ont été appliquées par des entreprises de taille et de secteur d'activité différents.

LE RÔLE DE CONSEIL

Le rôle de conseil se situe au niveau de l'action alors que le rôle d'inspirateur se situe au niveau de la politique. On inspire une politique à un responsable, on le conseille quand il agit en application d'une politique. Prenons un exemple dans la démarche « projet d'entreprise » puisqu'elle a déjà été décrite au chapitre précédent. Que cette démarche ait été inspirée ou non par un fonctionnel, elle va ensuite se dérouler dans un certain laps de temps. Il y aura des décisions de dates à prendre, c'est-à-dire un rythme à fixer. C'est de l'ordre de la sagesse pratique de décider s'il faut accélérer ou ralentir le rythme de l'action ; il est utile, avant de décider, de consulter, de prendre conseil. Un fonctionnel « ressources humaines » est souvent très bien placé pour donner un avis car il peut, de façon informelle, avoir reçu des confidences et des informations dont la ligne hiérarchique ne disposera pas. De même, il peut sentir que l'un des équipiers du responsable a besoin d'être réconforté ou relancé par son chef et conseiller donc à ce dernier de convoquer amicalement celui qui a des états d'âme.

Nous verrons plus loin, que dans le domaine de la gestion de carrière des hommes, les hiérarchiques ont également besoin d'être conseillés. En effet, les relations de pouvoir chef-subordonné peuvent gêner la lucidité, surtout quand l'émotionnel s'en mêle : les médecins le savent bien qui font souvent appel à un de leurs confrères pour soigner leur propre famille. Quand on recrute une personne, ce qui est toujours une prise de risque, on peut aussi aimer avoir un avis extérieur. Autrement dit, les décisions importantes qui jalonnent la carrière d'une personne, recrutement, mutation, promotion, reconversion, départ..., si elles doivent être prises par des responsables hiérarchiques, méritent bien souvent la consultation préalable d'un fonctionnel dont c'est le métier d'être conseil en carrière.

Nous consacrerons un chapitre particulier au problème de la gestion prévisionnelle des carrières, ce qui nous donnera l'occasion de revenir un peu plus en détail sur ce rôle de conseil en carrière qui fait partie de la fonction « ressources humaines ».

De même, nous approfondirons le problème spécifique de la formation, ce qui nous permettra de montrer que si la formation doit le plus souvent être sous-traitée par l'entreprise, il appartient à la fonction « ressources humaines » d'être conseil à la fois dans l'établissement du cahier des charges et dans le choix de l'organisme auquel l'entreprise s'adressera pour réaliser la formation en question.

Enfin, pour tout ce qui touche à l'organisation, aux structures, à la méthodologie de délégation, la fonction « ressources humaines » a pour mission, qu'elle ait inspiré ou non la politique, de conseiller les hiérarchiques dans son application. Là encore, nous reviendrons spécifiquement sur certains de ces domaines de la stratégie d'entreprise, pour discerner ce qui est de l'ordre du hiérarchique et de l'ordre du fonctionnel.

Pour l'heure, notre propos est simplement d'insister sur le fait que le domaine de l'humain est au cœur de toutes les décisions d'entreprise, qu'il n'y a jamais de décisions purement techniques ou purement économiques : tout est complexe, interpénétré, systémique. Quand un hiérarchique prend une décision, il doit toujours se demander : « Qu'est-ce qui, dans cette décision, va toucher les acteurs de l'entreprise, c'est-à-dire les hommes concernés par cette décision ? » C'est cela, anticiper. Pour anticiper au mieux, n'est-il pas utile, si cela est possible, de pouvoir consulter un conseil ? La réponse est contenue dans la question, à condition d'en avoir les moyens. Par chance, le besoin sera d'autant plus intense que le système sera plus complexe et donc l'entreprise plus importante : il est donc tout à fait dans l'ordre des choses que la fonction humaine soit représentée par peu de personnes dans les PME et par un nombre plus important de personnes dans les grandes entreprises. Nous donnerons un peu plus loin quelques indications d'organisation de la fonction humaine et quelques éléments chiffrés. Mais pour cela, il nous faut poursuivre dans la description de cette fonction et en arriver au rôle d'expert.

LE RÔLE D'EXPERT

Inspirer une politique demande des qualités de visionnaire, de l'intuition, de la créativité, un bon esprit de synthèse. Conseiller des hommes d'action exige de la sagacité, de l'expérience, la vertu de prudence. Etre expert implique l'approfondissement d'une question, une analyse importante préalable à la synthèse, beaucoup de travail et une bonne connaissance du domaine.

Prenons des exemples de domaines d'expertise relatifs à la fonction ressources humaines :

- les diverses modalités de rémunération (salaire direct, primes diverses, avantages en nature, etc.) ;
- les divers types d'intéressement collectif ;
- les modes d'organisation et de structures (fonctionnelle, matricielle, par produits, projets, etc.) ;
- l'ingénierie de formation (savoir bâtir un programme à partir des objectifs à atteindre) ;
- les méthodes participatives (cercles de qualité, résolution du problème, animation de réunions, etc.) ;
- la communication audiovisuelle, etc.

Dans tous ces domaines et dans bien d'autres, nous ne prétendons nullement à l'exhaustivité ; il existe des passionnés, des incollables, des pionniers également qui ne se contentent pas de répertorier, d'analyser et de critiquer mais qui créent eux-mêmes, défrichent de nouvelles pistes.

Quand on se lance dans une action nouvelle, il est toujours utile de faire appel à un expert, ne serait-ce que pour ne pas réinventer la poudre ! La fonction humaine est consommatrice d'experts, juristes, sociologues, psychologues, ergonomes, pédagogues, enquêteurs, etc.

Une question se pose : faut-il les avoir au sein de l'entreprise ou à l'extérieur de l'entreprise ? C'est une question à laquelle on ne peut répondre de façon simpliste car cela dépend de plusieurs facteurs :

- la taille de l'entreprise, qui permet de rentabiliser ou non le coût de l'expert ;
- le domaine d'expertise qui peut être d'utilisation très fréquente pour une entreprise, rarissime pour une autre ;
- l'opportunité, qui fait qu'une entreprise découvre le hobby, la passion d'un collaborateur, primitivement engagé pour un autre rôle, et va lui faire jouer à temps complet (ou partiel) ce nouveau rôle d'expert.

Ce qui est certain, c'est que même les grandes entreprises ne peuvent pas se payer à temps complet tous les experts utiles à la fonction humaine dont elles risquent d'avoir besoin un jour ou l'autre ; l'appel aux experts extérieurs est donc inéluctable mais ce sera alors le rôle de la fonction « ressources humaines » que de choisir les experts.

Or un expert n'est utile que s'il est fiable, compétent, crédible. Rien de pire qu'un prétendu expert qui a une connaissance superficielle, théorique ou obsolète. Se pose donc une question de fond qui n'est pas relative qu'aux problèmes de ressources humaines ; un expert peut-il être apprécié à sa juste valeur par un non-expert ? Il faut l'espérer car sinon il n'y aurait plus de p.d.g. ! Mais l'espérer et résoudre le problème sont deux choses différentes. La meilleure réponse pour ce qui concerne les consultants extérieurs à l'entreprise est probablement celle du marché, les références données par des clients antérieurs ; toutefois, là encore, il peut y avoir un risque, c'est que le succès d'un organisme de consultants-experts peut l'amener à croître en quantité au détriment de la qualité ; au cours de notre carrière en entreprise, nous avons pu le constater à plusieurs reprises. En effet, les experts « seniors » sont rapidement débordés par la demande s'ils sont de qualité ; leur tentation est grande alors de monter une entreprise, d'engager trop rapidement des « juniors » moins coûteux, de les former très insuffisamment, de décrocher eux-mêmes les contrats grâce à leurs qualités d'experts et d'envoyer les « juniors » faire le travail : les entreprises se retrouvent face à des « récitants de poèmes » qui ont un langage, une connaissance théorique, des recettes stéréotypées... et leur font commettre des sottises.

Il faudra donc dans la fonction humaine des « sages » qui sachent jauger les experts externes et poser les questions qui déstabilisent un faux expert et valorisent au contraire le vrai expert qui n'est jamais aussi convaincant que lorsqu'on lui pose une question difficile parce qu'elle le passionne et le force à donner son meilleur.

Nous voici donc arrivés au terme de cette première réflexion sur la fonction « ressources humaines » au sens fonctionnel du terme. Redisons-le clairement :

– les vrais chefs du personnel sont les chefs hiérarchiques opérationnels, ceux qui commandent des unités de production, de vente, de recherche, d'administration etc. ; ce sont eux qui prennent les décisions concernant le personnel qui leur est directement rattaché ;

– le service du personnel effectue des opérations administratives, légales, juridiques, logistiques, qui concernent le personnel ; comme un prestataire de services, il est dans une relation client-fournisseur vis-à-vis des unités opérationnelles ;

– la fonction « ressources humaines » est, elle, une fonction de stimulation, de conseil et d'expertise pour permettre l'évolution de la politique humaine et faciliter son application dans la stratégie de l'entreprise et dans l'application de cette stratégie dans l'action quotidienne.

L'ORGANISATION DE LA FONCTION HUMAINE

Nous pouvons donc aborder maintenant la question de l'organisation de cette fonction humaine. Cela va dépendre, bien évidemment, de la taille des entreprises, car dans une petite entreprise le patron, tout seul, va incarner ladite fonction comme il incarnera aussi celle du contrôle de gestion : il sera à la fois le chef, son bras droit et son bras gauche ! Dans une entreprise un peu plus grande, le chef d'entreprise serait bien inspiré d'avoir justement deux personnes qui jouent respectivement les rôles de bras droit et de bras gauche (les hommes et les « sous » sont les deux clefs de la bonne marche d'une firme). Un fonctionnel gestion-finances et un fonctionnel « ressources humaines » (nous ne préciserons pas lequel est le bras gauche, lequel est le bras droit par crainte d'une analogie avec les deux larrons, le bon et le mauvais !) Le fonctionnel « ressources humaines » jouerait donc à la fois le rôle d'inspirateur, le rôle de conseil, notamment en déroulement de carrière et en organisation, le rôle de détecteur d'experts extérieurs en cas de besoin.

Passons maintenant à des entreprises ou des unités plus grandes. Le rôle d'inspirateur ne change pas mais celui-ci peut lui-même s'entourer d'experts si nécessaire (par exemple pour la formation, pour l'organisation ou la démarche « qualité totale »). Quant aux conseils, leur nombre dépendra notamment du nombre total de personnes à « suivre » en termes de carrière *(voir le rôle de conseil en carrière au chapitre suivant) :* on estime généralement qu'une personne peut suivre au maximum le déroulement de carrière de 300 personnes. En outre, dans les grandes entreprises, on peut avoir des conseils en carrière d'ouvriers, employés, techniciens, agents de maîtrise, cadres, cadres dirigeants etc. De même, dans les grandes entreprises qui ont des unités décentralisées et assez autonomes, on peut imaginer qu'il y ait des « inspirateurs » locaux, des experts locaux, des conseillers locaux. Faut-il alors qu'il y ait une direction des ressources humaines qui dirige hiérarchiquement tous les hommes, représentant la fonction humaine (inspirateurs, conseils, experts) dans l'entreprise ? Tel n'est pas notre avis puisque le propre d'une fonction est d'être, à son niveau, en appui aux chefs hiérarchiques opérationnels. Imaginons que le responsable d'une entreprise ait son fonctionnel « ressources humaines » et que le directeur de telle usine décentralisée ait le sien. Nous pensons qu'en aucun cas, le second ne doit être sous les ordres du premier. Le second conseille le directeur d'usine auquel il est rattaché hiérarchiquement. Mais la politique humaine qu'applique le second est forcément celle qu'a fixée le patron de l'entreprise inspiré par le premier. Il n'est pas besoin de relations hiérarchiques entre les deux fonctionnels pour qu'il y ait cohérence entre les rôles qu'ils jouent, chacun à son niveau. S'il y avait incohérence, la faute en incomberait aux hiérarchiques qui se seraient montrés incapables de l'assurer.

Ceci ne veut pas dire que ces fonctionnels doivent s'ignorer, bien au contraire : il faut prévoir qu'ils échangent des informations, des méthodes, se voient régulièrement, mènent des études ensemble, etc. C'est aux hiérarchiques de faire en sorte que :

– les fonctionnels leur rendent les services attendus (inspiration, conseil, expertise) ;

– les inspirateurs soient dans la cohérence ;

– les experts ne « doublonnent » pas (coût inutile).

Une bonne solution pourrait être que le fonctionnel auprès du patron d'entreprise ait dans sa mission de veiller à ce que l'organisation de la fonction humaine dans toute l'entreprise respecte le principe de subsidiarité (pas de direction centrale des ressources humaines), respecte les règles de la qualité totale (le bon service aux clients) et celles de la bonne gestion (éviter les doubles emplois etc.).

Nous verrons d'ailleurs plus loin qu'il n'y a jamais de structure idéale et que la détermination des structures doit être faite pragmatiquement avec les acteurs, en tenant compte de leurs possibilités réelles du moment, en fonction des besoins identifiés sur le terrain. Bien sûr, il faut respecter les principes simples que nous avons énoncés :

- Un homme obéit difficilement à deux chefs !
- Mettons l'exercice des pouvoirs le plus bas possible.
- Assurons par le haut la cohérence de l'esprit.
- Fournissons aux « clients » le meilleur service au meilleur coût.

La fonction humaine est aujourd'hui la plus importante de l'entreprise mais il n'y a pas de décisions purement techniques ou purement humaines pas plus qu'il n'y a de décisions purement techniques ou purement économiques. C'est donc bien aux hiérarchiques, à chaque niveau de responsabilité, de prendre les décisions intégrant tous ces aspects. Nous avons voulu simplement dans ce chapitre montrer que la part humaine des décisions étant croissante, l'existence d'inspirateurs, de conseils et d'experts, paraissait souhaitable, particulièrement si on a pris conscience des mutations survenues hors et dans l'entreprise et qu'on s'est décidé à conduire le changement dans son entreprise.

Résumé

Les responsables de personnel sont les chefs hiérarchiques.

Le service du personnel est un prestataire de services lié par des relations client-fournisseur aux unités opérationnelles.

La fonction « ressources humaines » est confiée à des personnes qui rendent aux hiérarchiques le service de :

- ***les inspirer***
- ***les conseiller***
- ***leur fournir une expertise.***

L'organisation de la fonction « ressources humaines » doit être décentralisée au sein des unités opérationnelles.

BIBLIOGRAPHIE

La politique sociale de l'entreprise
VERMOT-GAUD C.
Les Éditions d'Organisation, 1986

La fonction Ressources Humaines
WEISS D.
Les Éditions d'Organisation, 1988

Chapitre 14

LA GESTION PRÉVISIONNELLE ET LE DÉVELOPPEMENT DES RESSOURCES HUMAINES

Au chapitre précédent, nous avons montré l'importance de la fonction « ressources humaines » dans la conduite du changement et les divers rôles qu'elle peut jouer en liaison avec les responsables hiérarchiques. Parmi ces rôles, il en est un qui va très vite émerger, c'est celui de la bonne utilisation des compétences de chacun pour que tous les postes de l'entreprise soient pourvus de titulaires compétents et motivés. La démarche « projet d'entreprise » est un excellent révélateur de ce besoin. En effet, peu à peu l'exigence de nouvelles compétences se fera au sein de la communauté et, parallèlement, le personnel lui-même, amené à participer, à prendre des initiatives et des responsabilités, va prendre conscience de ses possibilités, cherchera à les développer et souhaitera que ses efforts soient reconnus, tant en termes de rémunération, que de reconnaissance de sa place dans le système.

Il est donc clair que l'entreprise, en s'éloignant d'une organisation taylorienne, se trouve dans l'obligation d'optimiser l'utilisation des hommes et de réaliser la meilleure adéquation possible entre ses besoins et les ambitions légitimes des personnes. Nous pouvons témoigner que, faute d'y avoir pensé à temps, des entreprises ont vu des projets, pourtant bien étudiés et bien communiqués au personnel, se réaliser avec difficulté : en effet la réalisation de ces projets exigeait, à un certain nombre de postes clés, des hommes d'un profil nouveau pour l'entreprise. Ces hommes existaient potentiellement mais leur carrière passée ne les avaient pas préparés à un tel changement ; ils n'avaient pas eu l'occasion de faire les expériences professionnelles indispensables pour leur formation personnelle.

Mais si, en l'occurrence, le problème s'était posé de façon cruciale pour quelques postes clés, il était raisonnable de penser qu'en envisageant le devenir de l'entreprise sur un laps de temps important (par exemple une dizaine d'années), tous les emplois de l'entreprise et toutes les personnes auraient été concernés. D'une part, parce que l'évolution de la concurrence, du marché et des technologies aurait fait changer les emplois, d'autre part, parce que l'évolution individuelle des personnes aurait fait changer globalement la population de l'entreprise.

L'adéquation entre les acteurs de l'entreprise et le rôle qu'ils auront à y jouer n'est pas de l'ordre d'un équilibre atteint une fois pour toutes ; il s'agit d'un équilibre dynamique où la marche en avant est la seule chance pour l'entreprise de ne pas chuter et la seule chance pour les acteurs de ne pas perdre la possibilité de travailler. Il faut donc aborder le problème de cette adéquation sous deux angles simultanément :

– l'entreprise doit se doter des outils et s'imposer des procédures qui lui permettront de pourvoir, au fur et à mesure, tous les emplois créés ou rénovés par des personnes capables de les assumer d'une façon positive ;

– chaque personne de l'entreprise doit être intéressée à son propre développement, pouvoir se situer par rapport aux possibilités offertes, être évaluée régulièrement et placée dans des conditions de progrès professionnel.

Il ne s'agit pas de prétendre à une adéquation parfaite. Là encore, une exigence de totale rationalité serait illusoire car l'avenir de l'entreprise comporte un certain nombre d'incertitudes extérieures à elle-même : évolution des clients, stratégie des concurrents, changements des technologies ; en outre, les personnes de l'entreprise sont aussi facteurs d'incertitudes, tant par leurs arbitrages souverains (démission, refus de mobilité par exemple) que par l'influence de leur environnement social ou d'événements imprévisibles survenus dans leur existence. Mais la difficulté de la tâche et la certitude des imperfections de sa réalisation ne doivent pas conduire à son abandon. Il est préférable de faire des prévisions imparfaites et d'admettre que la gestion des ressources humaines gardera toujours un côté artisanal que de ne rien faire. Les hommes, en effet, sont par excellence la ressource la plus stratégique de l'entreprise. Pour réaliser de bons projets, on trouve toujours l'argent et on peut toujours constituer un outil de travail, mais si l'on n'a pas les hommes en temps, en quantité et en qualité, on a déjà perdu. Certaines entreprises sont mortes ou ont connu des difficultés importantes pour n'avoir pas situé au niveau stratégique la gestion prévisionnelle des ressources humaines, pour n'avoir pas motivé tous les acteurs à leur propre développement et confié à tous les chefs hiérarchiques un rôle spécifique dans le développement de chacun de leurs subordonnés. Il est bien évident que dans un ouvrage tel que celui-ci, nous n'avons pas la prétention de traiter de façon exhaustive une question aussi complexe. Nous voulons simplement convaincre le lecteur qu'il s'agit bien

d'un problème stratégique, que la direction de l'entreprise doit donc l'inclure dans sa vision prospective et que sa solution passe par les actions de trois partenaires :
– des salariés eux-mêmes, premiers intéressés à leur avenir ;
– de leurs chefs hiérarchiques dont c'est une mission permanente ;
– des gestionnaires fonctionnels appartenant à la fonction « ressources humaines ».

Nous allons examiner maintenant le rôle de ces trois partenaires.

DES SALARIÉS INTÉRESSÉS A LEUR RÔLE ET A LEUR AVENIR

On ne fait pas le bien des hommes contre leur gré ou à leur insu. On ne développe pas les personnes sans leur participation active. Dès lors qu'on estime que la ressource humaine est stratégique, il faut assurer son développement mais l'homme étant un être doué de libre arbitre, il faut le faire avec lui. En soi, l'idée du développement personnel est naturelle à l'homme mais le conditionnement social peut en avoir fortement altéré la perception par l'un ou l'autre. Un passé de rebuffades et de dévalorisation systématique, en famille, à l'école ou dans l'entreprise, peut avoir découragé certains, voire les avoir persuadés qu'ils étaient incapables de progresser. Ces situations, même extrêmes, ne sont jamais irréversibles et les méthodes participatives, comme les cercles de qualité ou les groupes de résolution de problème, ont montré, à condition d'être bien conduites, qu'elles permettaient à chacun de révéler ses qualités et redonnaient à beaucoup confiance en leurs moyens. En tout état de cause, les défis du nouvel état économique nous conduisent à postuler que tout homme a un potentiel de développement personnel et donc que la notion de carrière n'est pas réservée aux cadres. Parallèlement chaque homme sera amené, même s'il ne se comporte pas en planqué dans l'entreprise, à faire des choix, à arbitrer entre son développement professionnel et d'autres possibilités d'épanouissement comme le sport, les arts, la famille, la vie associative ou politique, etc. L'important est que l'intéressé fasse cet arbitrage dans les meilleures conditions d'information sur ses possibilités.

Ceci étant dit, nous supposerons dans les pages suivantes que le salarié que nous prenons en référence a inscrit dans son projet personnel global la perspective d'un développement de carrière. Dès lors, il se trouve confronté à une triple question :
– Qui suis-je et quelles sont mes potentialités ?
– Quels sont les créneaux d'emploi qui me conviennent ?
– Ces créneaux d'emploi sont-ils bouchés ou non, présents dans l'entreprise ou à l'extérieur ?

Au fond, on peut dire que le développement de carrière pose un problème de marketing, celui d'un « produit » particulier, évolutif et doué de libre arbitre, par rapport à un marché qui est celui de l'emploi, lui-même en pleine évolution. La première question posée concerne le salarié lui-même et rejoint le conseil donné maintes fois par Socrate à ses disciples : « Connais-toi toi-même ». Ce n'est pas une question facile et nous avons pu souvent constater que les salariés ont du mal à y répondre. Cette difficulté est tout à fait normale si le salarié est jeune mais il paraît raisonnable et en tout cas souhaitable que chaque salarié parvienne, entre trente-cinq et quarante ans, à se connaître suffisamment bien pour conduire sa carrière au mieux et se réaliser avant qu'il ne soit trop tard. Cette prise en compte de l'âge nous paraît importante car, pour avoir nous-même travaillé plusieurs années dans la fonction humaine et particulièrement dans le suivi de carrière, nous en sommes arrivé à la conclusion qu'il existait trois phases successives dans le déroulement de la vie professionnelle.

1re phase : L'apprentissage

Cette phase débute à la rentrée du jeune dans la vie professionnelle. Elle se poursuivra jusqu'à trente-huit ans, pour prendre un âge moyen de transition avec la phase postérieure. Elle permet à chacun de mieux connaître le monde de l'entreprise, de passer du savoir au savoir-faire, de se perfectionner dans son métier ou d'en changer, de découvrir l'importance des relations avec les autres que ce soit en subordonné, à parité ou en position hiérarchique, de mûrir sur le plan humain. C'est une période où l'immobilisme est dangereux et peut entraîner une sclérose ultérieure et des difficultés d'adaptation. Il faut bouger, pas forcément géographiquement, mais changer de chef, d'entreprise, de métier, de rôle... La mobilité bien conduite (tous les trois ans par exemple) favorise l'adaptabilité et l'augmentation du bagage professionnel. Il s'agit également de la période où la formation continue va permettre de compléter les apports de la formation initiale et de combler certaines lacunes. C'est aussi la période où il est indispensable d'être évalué régulièrement, de faire soi-même les bilans de ses succès et de ses échecs pour en tirer des leçons positives, et de ne pas hésiter à tâter le marché de l'emploi pour voir comment l'on peut être perçu par un spécialiste en recrutement. Beaucoup de chefs d'entreprises sont déçus s'ils apprennent qu'un de leurs collaborateurs a répondu à une petite annonce, alors qu'ils devraient s'en réjouir car si l'intéressé reste, c'est qu'il le fait sans état d'âme et, s'il s'en va, quel serait l'intérêt de garder quelqu'un dont la motivation est chancelante ? C'est donc l'intérêt de l'entreprise que chaque salarié devienne moteur de sa propre carrière car, s'il fait dans l'entreprise un métier qui lui plaît et joue un rôle qui lui convient, il y sera certainement performant. A charge, bien sûr, à l'entreprise de lui donner un poste correspondant si elle en a la possibilité.

Mais revenons au salarié. Au cours de cette première phase, il est indispensable qu'il découvre ses aptitudes et qu'il clarifie ses motivations. C'est le couple aptitude-motivation qui permet de développer, grâce à du travail, ses potentialités et de les transformer en points forts. Autre manière d'exprimer les choses, les points forts sont le fruit de l'inné et de l'acquis (aptitude et travail) à condition que le libre arbitre déclenche la volonté (problème de motivation). Les aptitudes sont ce qu'elles sont, le travail est à la portée de tout le monde ; reste cette curieuse alchimie qu'est la motivation, produit complexe de l'irrationnel, de l'émotionnel, des stimulations de son entourage, des événements personnels qui percutent chaque personne au cours de son existence. C'est ce qui explique d'ailleurs que des êtres doués puissent finalement végéter parce qu'ils n'ont pas vraiment transformé leurs dons en points forts et que d'autres, moins doués, aient réussi à se construire un bagage solide qui leur permettra de se réaliser. Mais cette réalisation de soi, elle, se situe principalement au cours de la deuxième phase de la carrière.

2e phase : La réalisation

Quand le salarié atteint un âge voisin de trente-huit ans (entre trente-cinq et quarante ans), il a le plus souvent pris conscience de ses possibilités, mûri sur le plan humain, acquis une bonne connaissance de l'entreprise et de la vie de travail. Il est, comme on dit, dans la force de l'âge et, plus ou moins consciemment, il sent que c'est le moment de se réaliser. Il a en effet, nous avons pu le constater, une bonne quinzaine d'années pour le faire, après quoi, surtout s'il s'est effectivement réalisé, il envisagera probablement la suite de sa carrière de façon différente. Mais vers la fin de sa troisième décennie, il a soif de se prouver à lui-même ce qu'il peut faire. Nous avons d'ailleurs remarqué qu'à ce virage entre la phase 1 et la phase 2, les salariés pourvus d'une ambition légitime, deviennent nerveux, irritables, voire agressifs, s'ils ne perçoivent pas qu'ils vont pouvoir se réaliser dans leur entreprise. Ils peuvent la quitter brutalement si l'entreprise ne leur a pas fait savoir clairement qu'elle comptait sur leur concours et ne leur a pas ouvert des perspectives en rapport avec leur potentiel. Ils peuvent aussi, pour des raisons familiales ou sociales, renoncer à partir et rester la mort dans l'âme. Dès lors, de motivés qu'ils étaient, il est à craindre qu'ils rejoignent le camp des non-motivés, des déçus, des opposants ou des planqués. Si, à l'inverse, ils trouvent un rôle à leur mesure, ils vont se réaliser à la seule condition de consacrer un laps de temps suffisant pour s'y investir. Autant la phase de l'apprentissage est celle de la mobilité, autant la phase de la réalisation est celle d'une plus grande stabilité (deux postes en quinze ans, trois postes au maximum) : on ne se réalise pas en survolant les choses mais en les approfondissant ; on se réalise en réalisant.

Cette phase de la réalisation correspond normalement à une phase de la vie de la personne, où la santé physique et la résistance nerveuse sont généralement très bonnes, où l'expérience est suffisante pour prendre les bons risques mais n'est pas encore paralysante, ce qui peut arriver ultérieurement. Compte tenu de l'importance du temps de travail dans la durée d'une année, il ne semble pas souhaitable, pour l'équilibre personnel des salariés, qu'ils fassent l'impasse de l'épanouissement professionnel, quand bien même ils se réaliseraient fortement dans leur vie familiale et sociale extra-professionnelle. A l'inverse, nous avons pu constater dans l'industrie pharmaceutique, l'effet positif d'une délégation et d'une autonomie conférées à des ouvrières spécialisées dans le secteur du conditionnement des médicaments. Nous avons pu également observer la disparition, quelques jours après une mutation professionnelle réussie chez un cadre, d'une hypertension née apparemment d'une forte insatisfaction professionnelle : les médecins du travail connaissent bien ce type de situations. Terminons en disant que lorsque cette phase de la carrière s'est bien passée, il y a beaucoup de chances pour que la phase suivante ne soit pas une phase de dégringolade mais une phase d'apaisement et de sérénité.

3e phase : La sagesse

Il faut s'être prouvé quelque chose à soi-même pour entrer sereinement dans une période où, physiologiquement, même si l'on reste en bonne santé, on ne peut plus vivre à cent à l'heure. Car inéluctablement arrive cet âge où la récupération des efforts est moins rapide, où les chocs émotionnels peuvent perturber davantage, où les changements d'habitude sont moins bien supportés. Si l'on ne s'est pas réalisé, on sera d'autant plus frustré qu'on percevra qu'il est trop tard pour y parvenir et si d'aventure on atteint, à cet âge, le poste dont on rêvait dix ou quinze ans plus tôt, alors plaignons l'entourage qui risque d'avoir hérité d'un vieillard abusif à la place d'un homme dans la force de l'âge !

En revanche, si l'on s'est réalisé, on peut rentrer dans cet âge béni de la sagesse, du conseil, de la transmission de l'expérience. Quel plaisir, si l'on n'est pas frustré, de faire profiter les jeunes d'une expérience humaine et professionnelle, quelle satisfaction d'être consulté comme un sage par des professionnels dans la force de l'âge, heureux de peser mieux les risques grâce aux conseils des anciens ! Ce « troisième âge » professionnel, loin d'être une voie de garage, est d'ailleurs peu à peu en train de gagner ses lettres de noblesse dans le nouvel état économique. Après avoir mis en retraite forcée des salariés compétents de cinquante-cinq ans et moins, on s'est aperçu que la mémoire de l'entreprise se perdait, que des trésors de savoir-faire s'évaporaient, que le stress s'amplifiait faute de l'effet apaisant des sages. Combien il aurait été plus judicieux de trouver des formules plus souples de travail à géométrie variable, dans l'entreprise et dans des organismes extérieurs à l'entreprise, pour récupérer cette expérience au bénéfice des jeunes ! Non seulement, cela n'a pas créé d'emplois mais cela en a fait perdre davantage.

Soyons réalistes, beaucoup de salariés n'étaient pas préparés à travailler d'une autre manière. L'environnement social les avait conditionnés à poursuivre le travail, après la force de l'âge, dans les mêmes conditions de rythme et de responsabilité. Il nous paraît être temps que tout le monde prenne conscience de ces phases naturelles de la vie professionnelle que sont l'apprentissage, la réalisation et la sagesse, et que les salariés ne croient pas déshonorant de passer de la seconde à la troisième : toute société a besoin de la sagesse des anciens et la complexité du monde moderne ne fera qu'accroître la demande. Un sage peut travailler à son rythme pendant longtemps et dépasser l'âge de soixante ans en apportant beaucoup, en gardant conscience de son utilité sociale... et en cotisant comme un actif qu'il est, ce qui paraît souhaitable pour l'équilibre des régimes de retraite. Si les salariés des entreprises, devenant acteurs de la vie professionnelle deviennent également moteurs de leur propre carrière, la société tout entière y gagnera en équilibre social et financier, en efficacité technico-économique. Mais pour cela, il est indispensable qu'ils puissent prendre appui, tout au long de cette carrière, sur leur chef hiérarchique.

DES CHEFS HIÉRARCHIQUES « DÉVELOPPEURS » D'HOMMES ET SERVITEURS DE L'ENTREPRISE

C'est une mission permanente des chefs hiérarchiques que de développer les hommes qui leur sont confiés et d'offrir à l'entreprise des collaborateurs performants et motivés. Une fois de plus, nous observons que le rôle du chef hiérarchique est à un carrefour de forces différentes qu'il lui faut concilier. D'un côté les besoins prévisionnels de l'entreprise, de l'autre les aspirations légitimes des personnes ; d'un côté la bonne marche de son unité, de l'autre le souci de fournir à l'entreprise, hors de son unité, des acteurs performants. Si le chef hiérarchique ne tient compte que des désirs de son subordonné, il peut dévoyer l'entreprise de son rôle de service au client, s'il n'en tient pas compte, il risque de le démotiver. S'il se garde égoïstement les meilleurs pour son unité, il risque de priver l'entreprise des ténors dont elle a besoin ; s'il n'en garde aucun, les performances de l'unité dont il est responsable risquent d'en pâtir. Vu du côté du chef hiérarchique, la gestion des ressources humaines est donc affaire de dialogue, de négociation et de compromis, en même temps qu'elle exige le souci permanent de faire progresser les personnes qui lui sont confiées.

Pour faire progresser le subordonné, il faut l'éclairer, l'écouter et le pousser. L'éclairer d'abord parce qu'il est difficile à celui-ci de se connaître sans avoir recours à un « miroir ». Ce que l'on connaît en général le moins de soi-même, ce sont ses aptitudes car ce que l'on fait facilement, on a souvent tendance à croire que c'est facile pour tout le monde. D'ailleurs ce que l'on fait naturellement, on a du mal à l'enseigner aux autres. Un observateur extérieur voit mieux en général les aptitudes de quelqu'un que l'intéressé lui-même. Le chef doit révéler au subordonné ses dons ; il faut pour cela l'observer et lui faire raconter comment il s'y prend pour réaliser son travail. Mais il faut l'écouter quand il parle de ses goûts et de ses motivations car nous l'avons vu, le couple aptitude-motivation est déterminant pour le développement des potentialités. Les goûts sont souvent de l'ordre de l'irrationnel, ils peuvent être un moteur puissant mais ils peuvent créer des illusions ou générer des blocages : il y a des préjugés qui méritent d'être combattus. Mais avant tout, il faut écouter pour comprendre les ressorts de l'autre et ne pas projeter sur lui ses propres motivations. C'est en l'écoutant qu'on se rendra compte des raisons d'un enthousiasme ou d'un blocage et qu'on pourra faire tomber l'émotionnel en posant des questions qui permettront à l'intéressé de mieux raisonner ses motivations. Enfin, il faut pousser, ce qui peut prendre deux formes différentes : pousser au travail, être exigeant, demander des progrès, mais aussi pousser en augmentant la motivation, en « vendant » bien un poste qui apportera beaucoup au subordonné, en transmettant sa propre passion pour un métier dont on a pu apprécier l'intérêt. Éclairer, écouter, pousser, c'est un mélange de profond respect de l'autre et d'exigences vis-à-vis de lui. On ne développe pas les hommes sans être à la fois respectueux et exigeant.

Le chef hiérarchique est, de par sa proximité avec son subordonné, celui qui peut le mieux l'observer. Il est aussi celui qui bénéficiera le plus de l'appui d'un subordonné performant ou qui pâtira le plus des déficiences d'un subordonné défaillant. C'est donc bien lui, avec le subordonné lui-même, qui est le plus concerné par la bonne adéquation homme-poste dans la gestion des ressources humaines à court et moyen terme. En revanche, c'est l'entreprise (avec le subordonné lui-même) qui est la plus concernée par la gestion des ressources humaines à moyen et long terme, mais le chef hiérarchique reste le premier à consulter pour les décisions à prendre. Quelles sont justement les décisions à prendre en matière de gestion des ressources humaines ?

Elles concernent :
- le recrutement
- l'orientation (reconversion)
- la mutation
- la rémunération
- la promotion
- la formation
- le départ (licenciement)

auxquelles il faut ajouter l'évaluation régulière des performances et les entretiens communiquant ces évaluations et évoquant les perspectives d'avenir de l'intéressé. Il est clair que le chef hiérarchique inscrit toute son action en matière de gestion des ressources humaines dans le cadre de la politique humaine décidée par la direction de l'entreprise. Nous allons passer en revue les différentes rubriques, indiquées ci-dessus, pour préciser le rôle du chef direct vis-à-vis de son subordonné et les limites de ce rôle.

Recrutement - La décision de recruter n'est généralement pas prise par le futur chef direct du candidat. Le chef direct participe à la fixation du profil du candidat et choisit, parmi les candidats triés par un recruteur de métier, celui qui lui convient le mieux.

Orientation - Le chef direct doit demander la réorientation d'un subordonné qui est mal adapté à son poste, et donner les éléments qui peuvent permettre une bonne reconversion. Il doit transmettre la demande de changement d'un subordonné qui désire changer d'orientation, et donner également tous les éléments utiles à la réorientation.

Mutation - Une mutation peut être décidée pour l'application d'une politique de mobilité alors que le muté donne toute satisfaction dans son poste. Le chef direct qui laisse partir le muté doit néanmoins donner toutes les informations facilitant le transfert, tant à l'intéressé qu'à son futur chef éventuel. Ce dernier sera alors dans la position du recruteur et décidera ou non de l'intégration du muté.

Rémunération - Le chef direct est celui qui décide de l'augmentation (ou non) du subordonné en tenant compte des éléments de comparaison de son salaire avec ceux des autres salariés de l'entreprise et avec ceux du marché qui lui sont fournis par l'entreprise, et en accord bien sûr avec les règles du jeu fixées par la direction. C'est lui qui doit annoncer à son subordonné le montant de l'augmentation ou la non-augmentation et lui expliquer les règles du jeu qui ont présidé à la décision.

Promotion - Le chef direct a mission de détecter les éléments susceptibles de promotion et de donner les raisons qui motivent la demande. C'est une faute grave que de minimiser les qualités de quelqu'un pour le conserver ou de les gonfler pour s'en débarrasser. Les chefs directs devraient être eux-mêmes d'autant mieux notés qu'ils ont fourni à l'entreprise des éléments de valeur, promus hors de leur unité.

Formation - C'est une mission permanente du chef direct que de détecter les besoins de formation de ses subordonnés pour les faire former en temps voulu, juste avant une mutation, une promotion ou un changement d'orientation pour favoriser l'adaptation rapide de l'intéressé à son nouveau rôle.

Départ (licenciement) - Un licenciement est une décision grave qui doit être préparée (sauf faute grave) longtemps à l'avance. C'est au chef direct de signaler, d'abord par oral puis par écrit, ses insuffisances à un subordonné. S'il s'agit d'inadaptation, le problème peut être résolu par une mutation ou par une démission spontanée. S'il s'agit de négligences répétées, le chef préparera le dossier avec le service du personnel pour que toutes les règles soient respectées mais c'est lui-même qui annoncera à l'intéressé la décision de se séparer de lui.

Évaluation et entretien - C'est là que se situe la partie la plus importante du rôle du chef direct vis-à-vis de son subordonné. Combien de fois les salariés ne se plaignent-ils pas dans les entreprises de n'avoir jamais été évalués, ou de l'avoir été mais de ne pas avoir été mis franchement et clairement devant les résultats de cette évaluation. D'où vient cette carence ? Probablement de deux causes principales. La première est que beaucoup de chefs hiérarchiques définissent mal à leurs subordonnés ce qu'ils attendent d'eux, à la fois en termes de tâches permanentes qui définissent le contenu du poste et en termes d'objectifs quantifiés, lors de l'établissement du contrat de confiance qui est le signe d'une vraie délégation *(voir le chapitre 16)*. N'ayant pas bien précisé ce qu'ils attendent, il leur est difficile d'évaluer les performances d'une manière objective. L'évaluation risque d'être floue, subjective ou inexistante. La deuxième est que les chefs hiérarchiques n'ont souvent pas été formés à l'entretien chef-subordonné qui requiert du doigté, une bonne maîtrise de l'émotionnel, une préparation sérieuse des deux interlocuteurs, une période favorable, un temps suffisant dans le calme. Les personnes qui communiquent difficilement ou qui plongent elles-mêmes dans l'émotionnel si le subordonné s'est placé sur ce registre, ont beaucoup de mal à pratiquer ces entretiens, les fuient ou les bâclent pour le plus grand drame de leurs collaborateurs.

Pourtant évaluation des performances, constat des progrès ou des stagnations, observation des aptitudes pouvant conduire au développement de nouveaux points forts, dialogue ouvert sur les motivations de l'intéressé, renvoi à celui-ci de l'image la plus objective possible de ses points forts et de ses points faibles, tous ces éléments apparaissent fondamentaux pour que les salariés se développent, élaborent un projet professionnel, personnel et réaliste, et que l'entreprise, parallèlement, puisse proposer, en temps utile à chacun, des possibilités d'évolution de carrière. La motivation des salariés et l'efficacité des entreprises est en grande partie liée à la mise en place réussie de l'évaluation des performances et des entretiens portant sur cette évaluation et sur les perspectives d'évolution de chaque collaborateur. Répétons que cela passe par une bonne définition du rôle du chef hiérarchique et par une politique de reconnaissance des experts, techniciens spécialistes ou généralistes de talent mais inaptes à la conduite des hommes. Mais encore faut-il que l'évaluation des performances des salariés et des hypothèses faites sur leur potentiel débouche sur une gestion globale des ressources humaines, ce qui implique un rôle actif de la fonction « ressources humaines ».

DES GESTIONNAIRES DE RESSOURCES HUMAINES FORMÉS A LA PROSPECTIVE ET AU CONSEIL

Nous l'avons vu précédemment dans ce chapitre, l'homme se développe au cours de sa vie professionnelle, en exerçant des rôles successifs ; il apprend sur le tas, se forme, change de métier, tire des leçons de ses succès et de ses erreurs, surmonte des difficultés et progresse. Encore faut-il qu'il ait des occasions de changer, d'exercer des responsabilités, de faire une carrière en mettant à profit les trois phases privilégiées d'une vie professionnelle réussie. Le chef direct joue un rôle prépondérant pour le développement de son subordonné dans le poste où il travaille. Il se peut que le poste lui-même soit très évolutif et permette à son titulaire de « grandir » avec lui mais il se peut que ce ne soit pas le cas ou que la vitesse à laquelle le collaborateur progresse dépasse largement la vitesse d'évolution du poste : le chef direct ne peut alors que constater que son collaborateur va incessamment être sous-employé, ce qui risque de le faire passer dans le camp des démotivés.

A cela existe une première parade qui consiste à optimiser le développement des subordonnés dans le cadre de la communauté du niveau immédiatement supérieur *(voir croquis page suivante).*

En effet, si a (responsable de rang 2) doit trouver une évolution pour un de ses collaborateurs de rang 3, évolution impossible au sein de son unité, il est possible que cette évolution soit réalisable au sein de la communauté dirigée par A (responsable de rang 1), qui a sous ses ordres d'autres responsables de rang 2 (b, c, d, e) dirigeant des subordonnés de rang 3. En tout état de cause, à notre avis, A doit réunir une fois par an tous ses collaborateurs de rang 2 (a, b, c, d, e) pour examiner avec eux les perspectives d'évolution de l'ensemble des collaborateurs de rang 3. Déjà à ce niveau, le conseil d'un

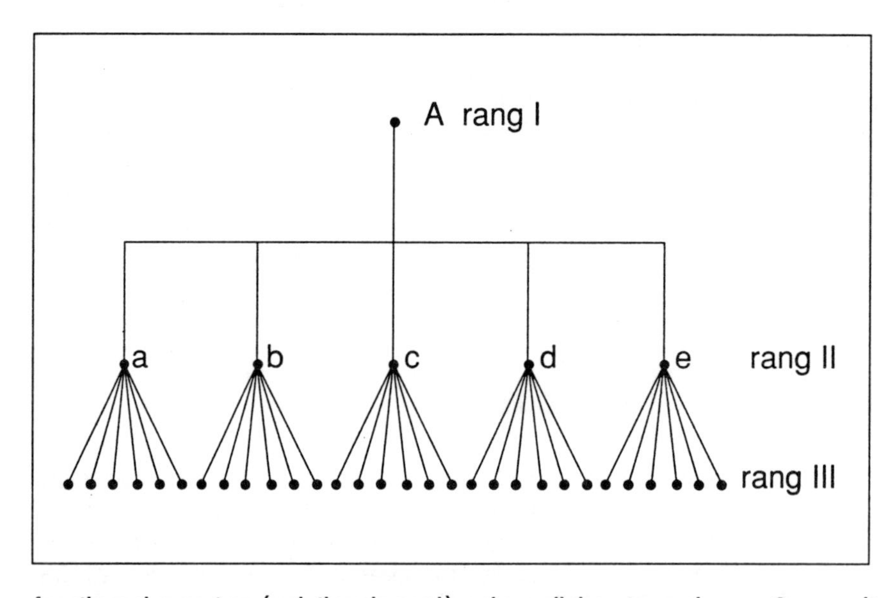

fonctionnel expert en évolution de carrière des collaborateurs de rang 3 pourrait être très utile. Mais si l'entreprise ou l'établissement est grand, il existe d'autres chefs de rang 1 (B, C, D, E, etc.) dirigeant des unités de même métier ou de métier différent, elles-mêmes subdivisées en unités plus petites. Il peut y avoir, dans l'entreprise ou dans l'établissement, de très nombreux collaborateurs de rang 3, de nombreux chefs de rang 2 et plusieurs chefs de rang 1. A tous les niveaux, il y aura à gérer l'évolution de carrière des différents collaborateurs.

Si l'entreprise se réduit à l'existence de 2 échelons hiérarchiques en tout, A de rang 1, et a, b, c, d, e, etc. de rang 2, le problème de gestion des carrières pourra être résolu directement par la procédure que nous avons signalée plus haut : réunion de l'équipe A, a, b, c, d, e,... qui examine le cas de tous les collaborateurs de rang 3. Mais dès que l'on passe à la taille supérieure, 3 échelons hiérarchiques, le problème se complique puisqu'on peut atteindre le nombre de 200 à 250 collaborateurs de rang 4, de 30 à 40 chefs de rang 3 et 6 ou 7 de rang 2. L'existence d'un fonctionnel, chargé d'optimiser le développement des collaborateurs de rang 4 et éventuellement des chefs de rang 3, paraît raisonnable à envisager.

Or il existe des entreprises et des établissements qui dépassent très largement cette taille de la « tribu » (moins de 300 personnes) qui est la taille la plus grande qui puisse être gérée humainement et non administrativement, puisque le chef de la tribu peut en connaître tous les membres. En outre, le nombre des personnes à gérer n'est pas seul en cause. Si les personnes évoluent, les métiers, les postes, les rôles évoluent également sous l'influence des clients, de la pression de la concurrence, des changements technologiques. L'optimisation des ressources humaines exige donc des prévisions d'évolution des emplois. Elle pourra être faite de façon artisanale si l'entreprise est petite, mais elle devra être faite. Si l'entreprise est grande, compte tenu de l'inertie de son système de pilotage, il conviendra de procéder à un travail de simulation assez sérieux. On pourra alors procéder en regroupant les emplois par « famille » (production, recherche, administration, commerce, etc.), examiner également les emplois par niveaux (ouvriers, employés, techniciens, agents de maîtrise, cadres, dirigeants, etc.) et utiliser un logiciel adapté pour simuler l'évolution globale, quantitative et qualitative des emplois ainsi que l'évolution par famille et par niveau. De tels outils de simulation existent et sont utilisés par les grandes entreprises. Ils permettent d'orienter de façon assez satisfaisante la politique de recrutement de l'entreprise. Ils permettent également de donner aux chefs hiérarchiques de niveau responsable d'établissements ou d'unités, des informations précieuses sur les perspectives d'évolution, en matière de personnel, d'établissements ou d'unités autres que les leurs, susceptibles de leur fournir des collaborateurs ou d'en recevoir.

Reste qu'il faut passer ensuite d'une perspective globale d'évolution à des évolutions à plus court terme qui nécessiteront, pour leur part, l'adéquation d'une offre d'emploi avec l'existence d'une personne ayant le profil. De surcroît sera-t-il nécessaire que le chef demandeur ait prévu ses besoins avec suffisamment d'anticipation pour que le chef susceptible d'offrir ait le temps lui-même de se retourner ? Notre propos n'est pas ici de traiter en quelques pages le problème de la gestion prévisionnelle des emplois et de celle des carrières individuelles. Il existe d'excellents ouvrages qui en ont traité largement et savamment. Notre objectif, plus modeste, était d'abord de convaincre que ce problème était celui de toutes les entreprises, grandes ou petites, qui veulent gagner dans la compétition économique actuelle. En second lieu que, dans les rôles de la fonction « Ressources Humaines », c'est probablement celui qui exigera le plus d'hommes et de temps car cette adéquation de l'offre et de la demande nécessite, dès que l'entreprise dépasse une certaine taille, des fonctionnels qui jouent, en quelque sorte, un rôle d'entremetteuse, de marieuse ! Pour bien le jouer, ces fonctionnels doivent être autorisés à recevoir en tête à tête des salariés à muter car la hiérarchie directe peut avoir une vision trop subjective ou trop limitée des potentialités d'un collaborateur dont elle ne mesure les performances que dans l'emploi du moment, ce qui peut être insuffisant pour l'orientation ou la réorientation de celui-ci. On mesure tout de suite les exigences en matière de déontologie qui sont celles de ces postes. Il faut être capable de tout entendre, de relativiser les choses sans les masquer, de ne réutiliser que ce qui peut faire avancer la résolution du problème de façon positive. Il faut également être, vis-à-vis des hiérarchiques, crédible et bon « vendeur », ce qui implique un passé professionnel réussi. Nous pensons que ce type de poste doit être tenu par des « sages », anciens opérationnels ayant réussi leur phase de réalisation et portés par charisme personnel à s'investir dans les problèmes humains pour leur fin de carrière. Il est évident que ce type de poste exige une capacité à se situer au niveau stratégique puisque la ressource humaine est aujourd'hui la plus importante dans la stratégie des entreprises. On voit donc la différence colossale qui existe entre de bons administratifs de service de personnel et de bons gestionnaires fonctionnels de « Ressources Humaines », capables à la fois de comprendre des hommes, de discerner avec justesse leur potentiel, de négocier avec habileté leur mutation, et de simuler parallèlement les phénomènes de masse sans que les problèmes de quantité ne masquent ceux de la qualité.

Pour conclure ce chapitre, répétons que le problème n'est pas de réussir une adéquation parfaite homme/poste et de rationaliser le développement individuel des personnes. Il s'agit plutôt que tout le monde, dans l'entreprise, prenne conscience que c'est le facteur humain qui détermine le succès économique et qu'en conséquence, l'optimisation des ressources humaines est l'affaire de tous, les salariés eux-mêmes ne se comportant plus en assistés, les chefs hiérarchiques jouant leur rôle de « développeurs » d'hommes, les directions d'entreprises précisant le rôle des chefs et celui des experts en assurant une carrière à ces derniers et passant encore plus de soin à choisir leurs collaborateurs dans la fonction « Ressources Humaines » que dans les fonctions techniques et économiques. La réussite du changement est à ce prix.

Résumé

Les salariés doivent participer à la conduite de leur carrière, apprendre à en reconnaître les phases, accepter la mobilité pour développer leurs potentialités, élaborer un projet professionnel, personnel et réaliste.

Les chefs hiérarchiques doivent évaluer les performances de leurs subordonnés, détecter leurs aptitudes, s'enquérir de leurs motivations, communiquer avec eux pour leur permettre de se situer, prévoir leur formation, développer leurs potentialités au service de l'entreprise.

Les fonctionnels « ressources humaines » doivent prévoir les évolutions quantitative et qualitative globales. Ils doivent dialoguer avec les chefs hiérarchiques, être à l'écoute de leurs besoins, les aider à faire des prévisions, s'entremettre pour faire coïncider l'offre et la demande, s'imposer une déontologie rigoureuse de discrétion et de respect des personnes.

Les directions d'entreprises doivent inscrire la gestion prévisionnelle et les « ressources humaines » au premier rang de leur stratégie en liaison directe avec les évolutions techniques et économiques prévisibles.

BIBLIOGRAPHIE

Détecter et gérer les potentiels humains dans l'entreprise.
VERMOT-GAUD C.
Éditions Liaisons, 1990

Chapitre 15

LA DÉMARCHE « QUALITÉ TOTALE »

Revenons à notre chef d'entreprise ou d'unité. Il a déclenché un mouvement de contribution aux axes de progrès de l'entreprise à base de beaucoup de communication. Plus la propagation du mouvement se rapproche du bas de l'entreprise (et cela va très vite dans les petites et moyennes entreprises), plus la contribution s'exprime, non plus en termes de projets, mais carrément en termes d'actions, de travaux à exécuter, de tâches quotidiennes à faire évoluer. Dès lors, il devient nécessaire de déclencher un deuxième mouvement, ascendant celui-là, à l'inverse de la démarche « projet d'entreprise » qui se propage de haut en bas ; il s'agit de la démarche « qualité totale ».

Nous disons qu'elle se propage vers le haut car elle part des actions de réalisation des projets et elle va démontrer que la qualité de ces réalisations va induire peu à peu des améliorations à apporter sur la manière dont seront prises les décisions d'action pour que les réalisations soient, comme le « client » le désire, impeccables. La démarche « qualité totale » est dans la droite ligne du principe de « subsidiarité », dans la droite ligne de la considération que l'entreprise doit avoir pour l'acteur de la base : elle rend à ce dernier toute la noblesse de son rôle. Il est capital que la démarche « qualité totale » non seulement intègre la base dès le départ mais qu'elle la place à l'origine de cette démarche. De même que le chef est à l'origine du projet, même si de nombreuses personnes auront contribué à l'amender, à l'enrichir, voire à en stimuler l'existence, c'est l'acteur de base qui est à l'origine de la réalisation de ce projet, décliné en sous-projet puis en objectifs qu'il va devoir atteindre par son travail.

L'entreprise est le lieu où se croisent en permanence les ondes descendantes du long terme (projet) vers le court terme (exécution) et les ondes remontantes du court terme (exécution) vers le moyen et le long terme (réponse aux besoins en moyens de toutes sortes) : ces moyens nécessitent en effet, de proche en proche, une intégration dans les projets qu'ils modifient donc et ainsi de suite. C'est le côté systémique de l'entreprise qui n'est pas une mécanique où tout part d'en haut, avec une rationalité taylorienne, mais plutôt un système vivant où les projets du « système nerveux central » doivent accepter les règles du jeu de fonctionnement des « cellules de base » qui ont besoin d'oxygène, de glucides, de protides, de lipides, d'eau, d'oligo-éléments, etc. Entre le système nerveux central et les cellules, il y a des organes de régulation, des fonctions (digestive, circulatoire, respiratoire, etc.).

L'entreprise ressemble à un organisme vivant avec, en haut, des projets induits par le client et l'état de la concurrence mais modifiés par les nécessités de la réalisation, qui remontent de la base ; les projets vont induire des changements à la base et les nécessités de la réalisation impeccable vont induire des changements en haut. C'est pourquoi communication et négociation sont au cœur de la vie de l'entreprise et au centre du rôle de chef hiérarchique.

Mais arrivons maintenant à la démarche « qualité totale ». Nous connaissons les raisons qui obligent à la mener :
– le vrai patron, c'est le client : ce n'est plus nous qui choisissons nos clients, ce sont nos clients qui nous choisissent ;
– la technologie évolue en permanence : nous devons nous y adapter et même anticiper, progresser plus vite que nos concurrents ;
– la satisfaction du client est le produit d'une multitude d'actions, toutes en interdépendance (relation client-fournisseur interne), et cette satisfaction du client doit mobiliser tous les acteurs.

C'est pourquoi cette démarche commence par le bas pour mobiliser tout de suite tous les acteurs et pour responsabiliser chacun :
– sur des objectifs définis ;
– à atteindre dans les délais ;
– au meilleur coût ;
– et au niveau de qualité requis par le client.

Dès lors, on voit que le chef qui est le « moteur » en termes de projet devient le « serviteur » du subordonné en termes de réalisation car il doit tout mettre en œuvre pour faire réussir celui-ci. Quand nous avons parlé du rôle de la ligne hiérarchique, nous avons souligné le caractère, opposé à l'égocentrisme, de son rôle en disant que le chef avait d'un côté le souci de l'entreprise (c'est sa participation à l'élaboration de projets cohérents avec celui de l'entreprise) et de l'autre le souci du subordonné (c'est l'attention et l'aide qu'il lui porte pour le faire réussir) car la qualité totale commence par la qualité des tâches les plus humbles. Ce que nous confirme sans arrêt l'observation de la marche de beaucoup de nos entreprises importantes, pourvues de moyens techniques fantastiques et d'experts de classe internationale, mais dont la productivité est médiocre par la déresponsabilisation totale d'humbles exécutants dont l'importance dans le processus de réalisation des objectifs ambitieux de la société est totalement méconnue. L'entreprise est géniale en termes de robotisation, informatisation, productique, etc. mais le courrier y circule mal, les rapports sont mal tapés et en retard, les boulons mal vissés, les ampoules des rétroprojecteurs cassées, etc. Cela tient au fait que beaucoup de chefs hiérarchiques sont en fait des experts déguisés en chefs : la technique les passionne mais pas les hommes. Ils pensent que l'intendance suivra ; quand leurs subordonnés leur parlent moyens, ils répondent : « Débrouillez-vous, je ne veux pas le savoir. »

C'est pourquoi, comme la démarche « projet d'entreprise », la démarche « qualité totale » est éducative. La première habitue à se projeter dans le long terme, à communiquer et à participer, la seconde, si elle mobilise les subordonnés sur la qualité de la réalisation, oblige leur chef à être à leur écoute pour leur donner les moyens, les méthodes, les informations, les pouvoirs, en vue de l'atteinte des objectifs. Cette double démarche, par le haut et par le bas, met en évidence la « valeur ajoutée » apportée par chaque niveau hiérarchique :

- une part de valeur ajoutée se situe dans la contribution au projet descendant de l'échelon supérieur ;
- une part de la valeur ajoutée se situe dans la contribution à la réalisation effectuée par les subordonnés de l'échelon inférieur.

On voit d'ailleurs que, plus on se situe haut dans la hiérarchie, plus la contribution au projet et au long terme est forte ; plus on se situe bas dans la hiérarchie plus la contribution à la réalisation de l'action est forte. On voit également que la démarche « qualité totale » est l'illustration pratique de la philosophie d'entreprise, puisqu'elle :

- manifeste le souci du client (lui donner la qualité) ;
- manifeste le souci de l'épargnant (assurer la rentabilité en optimisant les coûts) ;
- manifeste le souci du salarié (le transforme en acteur à part entière).

La démarche « qualité totale » s'appuie sur des principes simples, accessibles à tout le monde, mais qui se révèlent producteurs de progrès considérables. Ces principes sont :

- la **conformité** de ce qu'on fait aux besoins réels du client (le client est interne ou externe) ;
- l'**excellence** qui consiste à faire bien dès la première fois et à chaque fois ;
- la **mesure** des résultats, des progrès, des efforts ;
- la **responsabilisation de tous** dans l'opération, chacun et ensemble ;
- la **prévention** des erreurs, des gaspillages, des lenteurs.

Leur mise en œuvre permet à tout le monde de toucher du doigt les exigences que nous avons identifiées dès le deuxième chapitre de cet ouvrage. Pédagogiquement, cela permet donc aux chefs hiérarchiques d'illustrer dans les événements de la vie quotidienne l'une ou l'autre de ces exigences.

- Comment faire de la qualité sans professionnalisme ? (C'est-à-dire sans améliorer peu à peu sa technicité comme les changeurs de pneus de la Formule 1, qui, année après année, grignotent les centièmes de seconde.)
- Comment faire de la qualité sans s'adapter ? (C'est-à-dire s'adapter pour adopter de nouvelles technologies, changer ses habitudes, améliorer sa formation.)
- Comment faire de la qualité sans conscience professionnelle ? (C'est-à-dire sans faire bien à chaque fois, sans négligence si petite semble-t-elle : un petit détail négligé peut faire perdre des ventes... ou envoyer une fusée Ariane dans l'océan.)
- Comment faire de la qualité sans réactivité ? (C'est-à-dire sans se mobiliser immédiatement si un changement de spécification du client, un incident imprévu, un bond en avant de la concurrence, exige une implication rapide de tous.)
- Comment faire de la qualité sans créativité ? (C'est-à-dire sans agiter ses neurones pour inventer de nouvelles méthodes, de nouvelles astuces, pour sans cesse répondre aux nouvelles exigences des clients.)
- Comment faire de la qualité sans autonomie ? (C'est-à-dire sans faire l'effort de s'autocontrôler, de parvenir à atteindre des objectifs sans attendre en permanence l'ordre et le contrordre, sans lutter ainsi contre la lourdeur et le gaspillage de temps.)
- Comment faire de la qualité sans travail en équipe ? (C'est-à-dire sans faire l'effort de coopérer, de participer, pour apporter sa pierre à l'œuvre commune.)
- Comment faire de la qualité sans communiquer ? (C'est-à-dire sans négocier les objectifs avec le client, sans négocier les moyens et les délais avec le chef, sans écouter les experts, sans poser les questions, sans être attentif aux réponses.)
- Comment faire de la qualité sans se comporter en adulte ? (C'est-à-dire sans accepter les contraintes, sans réaliser que c'est le client qui nous paie et donc qu'il a des droits, sans admettre que toute communauté a besoin de règles du jeu respectées par tous :

– la transparence, la recherche de la vérité, le souci de l'objectivité ;
– l'honnêteté, car pour prévenir les erreurs, il faut que personne ne triche, en les camouflant ;
– la justice, car il faut sanctionner uniquement les fautes, jamais les erreurs (pour éviter qu'elles ne soient camouflées et donc qu'elles se reproduisent) ;
– le respect des engagements, car un maillon douteux peut affaiblir toute la chaîne de réalisation d'un objectif ;

– le respect des hommes car il n'y a pas de petites tâches quand on vise la qualité totale et les plus humbles doivent être les plus considérés.)

La démarche « qualité totale » est bien cohérente avec la démarche « projet d'entreprise » : cette dernière vise à préciser, à tous les niveaux en descendant, les objectifs de progrès et c'est bien la mesure des écarts existant entre la réalité d'aujourd'hui et les ambitions de demain qui crée cette tension bénéfique qui va mobiliser les acteurs. Mais la qualité totale permet de transformer ces objectifs de progrès qui pourraient rester des vœux pieux en objectifs bien concrets car passés au crible de la relation client-fournisseur. Le client, pour la plupart des salariés d'une entreprise, est le client interne. On est, en général, client et fournisseur ; on peut même l'être alternativement de la même personne. Quand a été écrit cet ouvrage, il a été remis à la personne qui a tapé un manuscrit qu'elle souhaitait bien écrit, suffisamment espacé, ponctué, sans fautes de syntaxe et avec le minimum de fautes d'orthographe. Quand celle-ci nous l'a rendu, devenu à notre tour client, nous souhaitions qu'il y ait peu de fautes de frappe, une présentation claire et aérée, une pagination sans erreur, etc. Nous étions typiquement dans une relation client-fournisseur, à la recherche tous deux de la qualité totale. L'administratif du service de paie a comme client le salarié qui souhaite recevoir son décompte, en temps utile, compréhensible, exact, etc. L'entretien a comme client l'atelier de production qui attend la mise en place d'une modification demandée, dans le respect de son cahier des charges, du délai accepté, des coûts prévus.

A tous les niveaux, la relation client-fournisseur permet de faire un lien concret entre le projet d'entreprise et tous les sous-projets qui en découlent et la recherche de la qualité totale ; elle crée, en outre, des liens entre les hommes, favorise le décloisonnement de l'entreprise, oblige peu à peu à une éthique dans les relations... à la condition que les chefs hiérarchiques donnent l'exemple de cette éthique.

Il est d'ailleurs intéressant de constater que si une entreprise commence, pour des raisons commerciales et sous la pression de la concurrence, une démarche « qualité » sans avoir réfléchi ni à une charte de management ni encore moins à un projet d'entreprise, de deux choses l'une :
– ou la démarche « qualité » s'étiole peu à peu et finit par mourir (c'est le cas de beaucoup d'opérations « cercles de qualité » qui sont mortes aussi vite qu'elles avaient commencé) ;
– ou cette démarche crée une pression par en bas qui oblige les chefs hiérarchiques et, de proche en proche, les responsables de l'entreprise, à s'impliquer dans un projet d'entreprise et des règles du jeu de management.

Nous pensons, pour notre part, qu'il est préférable que les dirigeants s'impliquent d'emblée et s'engagent résolument dans l'action, en initiant la démarche « projet », la charte de management et l'opération « qualité totale », même s'il est clair que cette dernière est effectivement une pression supplémentaire venant d'en bas qui empêchera la démarche « projet » de s'enliser dans les déclarations d'intention et les vœux pieux.

Cette démarche est appelée qualité « totale » parce qu'elle concerne tous les acteurs, passe au crible tous les types d'action, prend en compte toute l'entreprise et ses liens avec tout l'environnement. On est loin d'une simple recherche de dysfonctionnements et de la mise en place de cercles de qualité pour résoudre les dysfonctionnements... qu'on a accepté de retenir ! Le fait de démarrer par le bas est que l'on est amené à résoudre immédiatement tous les petits problèmes qui sont les plus irritants et, en fait, les plus faciles à résoudre. Mais on identifie peu à peu tous les dysfonctionnements, touchant à l'organisation, à la prise de décision, à l'absence de communication, à l'absence de délégation, etc. tous problèmes que nous voyons apparaître en vrac quand on interviewe individuellement ou en groupe les salariés des entreprises, à quelque niveau que ce soit.

On peut voir également que l'opération « qualité totale » amène à mettre en place partout des outils de mesure, des tableaux de bord permettant à chacun de contrôler son propre travail, d'évaluer ses propres performances. Deux avantages apparaissent donc : la possibilité pour les subordonnés d'augmenter leur autonomie en augmentant la sécurité puisqu'ils peuvent s'autocontrôler, et pour les chefs une meilleure objectivité dans l'évaluation des performances de leurs subordonnés, une diminution des risques d'injustice ou de copinage. L'importance donnée aux suggestions, destinées à prévenir le retour de certaines erreurs et à corriger les dysfonctionnements, les négociations client-fournisseur, les bilans des opérations récemment terminées, fournissent d'excellentes occasions aux responsables hiérarchiques :

- de repérer les points forts de leurs collaborateurs ;
- de les valoriser en public ;
- de déceler les besoins de formation ;
- de détecter les inadaptations de certains à certaines tâches, etc.

C'est dire que la recherche de la qualité du travail va provoquer, si les chefs hiérarchiques y sont attentifs une amélioration de la qualité des hommes. Les outils de mesure permettront de mieux adapter la rétribution à la contribution et de créer aussi bien des primes d'intéressement par équipe, liées à l'atteinte d'objectifs collectifs, que des primes individuelles pour des suggestions, faites par un salarié, mises en application et confirmées comme efficaces. Mais répétons-le, on ne peut pas exiger de la base cet effort de qualité totale si la hiérarchie ne joue pas le jeu de la vérité, de la remise en cause des habitudes... et des attitudes.

La démarche « qualité totale » est une démarche très différente de celle qui réduisait les problèmes de qualité à ceux de la qualité des produits, à ceux de leur contrôle rigoureux par des experts spécialistes et au respect de certaines procédures, mises en place de l'extérieur par les susdits spécialistes. Il existe encore des entreprises où la qualité est en quelque sorte l'affaire d'une direction (centrale !) de la qualité, remplie de savants experts en qualétique, mettant en place ici et là leurs contrôleurs de la qualité. Les résultats sont généralement lents et peu brillants. Nous avons au contraire l'expérience de nombreuses opérations de qualité totale, réalisées dans le consensus le plus large direction-chefs-base avec large information aux représentants désignés ou élus du personnel, syndiqués ou non, et qui ont donné des résultats économiques brillants dont les salariés ont triplement bénéficié : satisfaction augmentée dans le travail, amélioration de leur rémunération, sécurité de l'emploi accrue.

La démarche « qualité totale » élève les hommes, elle les éduque, mais elle nécessite un effort de formation de tous. De la part des chefs, elle exigera une meilleure qualité de communication, la capacité de vulgariser, celle d'animer une réunion, un effort de synthèse. De la part des subordonnés, elle demandera l'apprentissage de certaines méthodes de travail, une formation économique de base et également des progrès dans la communication. Souvent nous avons pu observer que des salariés se révèlent à eux-mêmes, se découvrent des qualités d'animateur, de la créativité, un sens inné de la gestion, toutes qualités passées inaperçues dans une organisation taylorienne dans laquelle chacun reçoit des tâches et doit les exécuter sans réfléchir. Parallèlement, les responsables hiérarchiques vont découvrir peu à peu les vertus de la délégation à laquelle nous allons consacrer un chapitre particulier. La démarche « qualité totale » facilite la pratique de la délégation car elle habitue chef et subordonné à parler de façon précise des objectifs, à mesurer les résultats, à pratiquer des bilans. Or la délégation, si elle est une fin pour les salariés qui souhaitent plus d'autonomie, est également un moyen pour les chefs qui doivent retrouver du temps pour s'occuper du long terme et des hommes, et qui en sont empêchés par la surveillance abusive d'un court terme non délégué.

La démarche « qualité totale » vient donc compléter la démarche « projet d'entreprise ». Toutes deux exigent des règles du jeu connues et respectées ; c'est ce que nous avons appelé une charte de management. Toutes deux passent par la qualité des hommes, par leur développement et donc par la gestion prévisionnelle et dynamique des ressources humaines évoquée au chapitre précédent. Nous n'avons toujours pas, et volontairement, parlé de modifier les structures, fidèle en cela à notre principe que c'est la chose à attaquer en dernier, quand le fruit est mûr. Nous y viendrons après avoir traité de la délégation.

Résumé

La conduite du changement exige une impulsion venant d'en haut pour provoquer la participation et développer le sentiment d'appartenance : c'est la démarche « projet d'entreprise » qui part de la vision de long terme des dirigeants.

La démarche « qualité totale » vient compléter la première en dynamisant la base et en concentrant les énergies sur la qualité du travail dans une relation client-fournisseur.

Elle rend concrets les objectifs issus des projets et modifie ces derniers en les confrontant à la nécessité de se doter des moyens pour réaliser les objectifs.

La rencontre des deux démarches confirme le caractère systémique du fonctionnement de l'entreprise, l'importance de la communication et de la négociation projet-action (long terme-court terme).

Elle précise la valeur ajoutée des chefs hiérarchiques intermédiaires qui contribuent à la conception du long terme et facilitent la réalisation du court terme.

Elle démontre l'importance du développement qualitatif de tout le personnel.

BIBLIOGRAPHIE

La qualité de service
HOROVITZ J.
Interéditions, 1987

Les paradoxes de la qualité
ORGOGOZO I.
Les Éditions d'Organisation, 1988

La qualité totale dans l'entreprise
STORA G., MONTAIGNE J.
Les Éditions d'Organisation, 1988

ANNEXE

Quelques cas de démarche « qualité totale » réussie

1 - Usine de province (moins de 600 personnes)

Fabrication de matériel électrique
En deux ans, quatre actions vont être menées :
- sensibilisation des cadres à la démarche « qualité totale » ;
- mise en place des groupes « qualité totale » (base animée par la hiérarchie) avec mesure des enjeux économiques ;
- formation-action sur le terrain de la maîtrise aux problèmes relatifs à l'obtention des agréments qualité LLYODS ;
- formation-action sur le terrain pour favoriser la prise en compte des problèmes de relation et d'organisation.

L'opération a permis, après les deux premières années, d'obtenir l'agrément qualité recherché et de faire chuter de 30 % le coût de la non-qualité.

2 - Entreprise familiale (1 000 personnes)

Chantiers nombreux de participation à la construction d'ateliers pour les industries chimiques, parachimiques, pétrolières, etc.
En deux ans, quatre actions vont être menées :
- audits internes effectués par les compagnons et pilotés par la maîtrise pour identifier les gisements de non-qualité, liés à la préparation du travail, à son exécution et aux relations médiocres existant entre les chantiers et les structures fixes de l'entreprise ;
- formation à la méthodologie d'analyse et de résolution de problèmes ;
- formation à la conduite de réunions ;
- mise en place des groupes « qualité totale » (base animée par le hiérarchique direct) avec mesure des enjeux économiques.

Cette opération va induire une réflexion managériale de la direction générale et la poursuite d'une démarche « projet d'entreprise », interrompue parce que mal préparée initialement.

Dès la première année, on constate l'élévation du niveau de compétence économique et humaine des chefs d'équipes et de la maîtrise. La participation de tous conduit, au bout de deux ans à peine, à des économies considérables (entre 5 et 25 % du coût de chaque chantier).

3 - Petite entreprise de sous-traitance (48 personnes)

Repoussage des métaux
Le problème principal de non-qualité est celui des flux, des « en cours » et des délais.
Quatre actions ont été menées :
- diagnostic qualité de l'entreprise ;
- formation de l'encadrement à la qualité totale ;
- conduite des groupes « qualité » (base-hiérarchie) avec organisation des ateliers en flux tendu, gestion des délais et des « en cours » ;
- formation-action pour l'obtention de l'agrément assurance-qualité.

En quelques mois les « en cours en retard » ont été ramenés de 4 mois à 2 semaines.

Tous ces exemples vécus qui nous ont été communiqués montrent que l'implication de la base et l'engagement de la hiérarchie à être à l'écoute de ses besoins, en vue de la satisfaction du client au meilleur prix et dans les meilleurs délais, provoquent dans l'entreprise une amélioration simultanée du climat humain et des résultats économiques qui permet une progression des rémunérations, une sécurité de l'emploi accrue et favorise le progrès des acteurs.

Chapitre 16

LA DÉLÉGATION, CLEF DU CHANGEMENT

Quand un homme quitte son entreprise pour se mettre à son compte, c'est en général qu'il a un fort besoin d'autonomie. Or bien souvent, le marché réclame des biens ou des services qu'un homme seul ne peut offrir ou élaborer pour lui-même, et c'est pourquoi des entreprises se créent, regroupent des hommes et les font travailler en collaboration pour satisfaire le marché. Faut-il en conclure que la coopération nécessaire exclut l'autonomie souhaitée ? On pourrait souvent le croire quand on observe la manière dont fonctionnent de très nombreuses entreprises : les contraintes hiérarchiques, administratives, techniques, sont parfois si lourdes qu'elles semblent paralyser toute initiative, empêcher toute autonomie. Dans un pays comme le nôtre où le sentiment individuel est très vivace, on peut penser que l'absence d'autonomie ressentie fortement par les salariés de certaines entreprises est à l'origine de leur démotivation, qu'elle se traduise par l'aigreur, la tristesse ou... la planque. Hyacinthe Dubreuil, ouvrier français, mort en 1971 et auteur de nombreux ouvrages, était convaincu qu'il était tout à fait possible de créer dans l'entreprise de mini-entreprises internes, en quelque sorte des sous-traitants permanents, qu'il avait baptisés « groupes autonomes » ou « équipes autonomes ». Il était convaincu qu'on pouvait justement créer les conditions qui permettraient à chacun de se sentir comme étant à son compte. Le pape Jean-Paul II, dans son encyclique *Laborem exercens*⋆ a repris le même thème. Nous avons nous-même l'expérience que l'entreprise peut réaliser la coopération d'entrepreneurs internes dont l'autonomie ne constitue pas un danger pour l'entreprise si le sentiment d'appartenance est fort et les règles du jeu communautaire respectées : « Tous entrepreneurs dans l'entreprise » pourrait être un thème porteur... en pays gaulois !

Mais, diront les libertaires, où est l'autonomie s'il faut respecter des règles du jeu qu'on ne s'est pas données ? Cette attitude, typiquement adolescente, témoigne de l'irréalisme de ceux qui l'adoptent. Celui qui se met à son compte s'aperçoit très vite qu'il est obligé d'obéir à des règles du jeu avec lesquelles il ne peut tricher, exigences du client, respect des lois et contraintes administratives, pression exercée par la connaissance, etc. Le réalisme, c'est de comprendre qu'il y a des contraintes incontournables et des contraintes négociables : on assume les premières et on négocie les secondes. On peut se sentir très libre dans une communauté dont on a fait siennes les règles du jeu parce qu'on les a négociées ou qu'on en a perçu l'incontournable nécessité.

Mais les difficultés que provoque la diffusion de l'esprit d'entreprise à tout le personnel ne sont pas le plus souvent liées à l'esprit libertaire des salariés : elles le sont beaucoup plus à la conception erronée que beaucoup de chefs hiérarchiques se font de leur rôle. Peut-être parce qu'ils n'ont pas l'autorité reconnue qui leur permettrait d'assurer la cohésion ; ils confisquent tous les pouvoirs au lieu de les déléguer et privent leurs subordonnés d'une autonomie dont ceux-ci ont besoin pour avoir le sentiment d'exister professionnellement. Le problème de la délégation est donc une des clefs importantes du changement dans l'entreprise et, si l'on admet avec nous que l'entreprise est une cellule de société qui a un rôle éducatif, on peut dire que l'entreprise est un lieu où tout responsable potentiel doit être éduqué à déléguer. Nous allons donc examiner quelles sont les conditions psychologiques et les attitudes qui favorisent la pratique de la délégation et quelles sont les procédures qui en clarifient les règles. Notons tout de suite qu'il s'agit bien de déléguer des pouvoirs pour conférer l'efficacité à l'acteur à qui on les délègue. On ne peut d'ailleurs déléguer que ce qu'on a soi-même reçu et tout le monde sait que la seule chose qu'on peut donner à quelqu'un quand on le nomme chef, ce sont des pouvoirs. On ne donne pas l'autorité à quelqu'un, il doit la conquérir et la voir reconnue, faute de quoi « le roi est nu ».

L'expérience montre que ce sont ceux qui ont le plus d'autorité qui délèguent le plus facilement les pouvoirs qu'ils ont eux-mêmes reçus.

LA DÉLÉGATION : UN PROBLÈME DE CONFIANCE

C'est le problème de la confiance qui est au cœur de celui de la délégation. Le chef doit faire confiance pour déléguer ; mais faire confiance est un risque et la prudence consiste à prendre des risques mesurés. Quand on prend la direction d'une nouvelle équipe, faire confiance, est-ce possible lorsqu'on ne connaît pas encore les subordonnés ? Faut-il attendre de bien les connaître, d'avoir pu vérifier qu'on peut faire confiance pour commencer à le faire ? C'est l'expérience qui va nous donner la réponse. Observons ce qui se passe quand le chef attend de voir pour faire confiance. Le subordonné sent cette retenue ; il y a toutes chances pour qu'il l'interprète comme une marque de méfiance et, d'emblée, les relations chef-subordonné sont placées sous le signe de la défiance. Il est malheureusement fréquent que le couple chef-subordonné ne sorte jamais de ce cercle infernal de la méfiance qui engendre la méfiance et donc la défiance réciproque. Alors mieux vaut faire confiance d'emblée, en précisant bien que la confiance est quelque chose qui se retire quand les intéressés ne s'en sont pas montrés dignes. Nous verrons plus loin que cette confiance offerte d'emblée comportant des risques, il suffit de baliser l'autonomie pour que ces risques ne soient pas dangereux. Donc première conclusion, le chef fait confiance.

Mais on ne fait confiance aux autres que si on a confiance en soi. En effet, comme nous le constaterons, la délégation comporte le risque que le subordonné fasse, de bonne foi, une erreur de parcours. Si le chef a confiance en lui, il estimera qu'il peut assumer les susdites erreurs, puisqu'il les aura balisées en négociant avec son subordonné les limites de son autonomie. S'il n'a pas suffisamment confiance en lui, ou il ne déléguera pas, ou il réduira la zone et la durée d'autonomie de façon telle que le subordonné sera frustré, ou il contrôlera en cachette le subordonné pendant la durée où celui-ci devrait être autonome et le « couple » retournera au climat de méfiance. Alors, pas de mystère, le chef ne délègue que s'il a confiance en lui. Notons qu'il s'agit là d'un critère de choix des chefs : ne jamais nommer à un poste hiérarchique définitif quelqu'un qui manque de confiance en lui.

Mais qu'est-ce qui donne la confiance en soi ? La compétence professionnelle, l'expérience vécue de situations difficiles surmontées, l'éducation reçue dans sa jeunesse, et, ajouteront tous les parents de famille nombreuse, probablement quelque chose d'inné, puisque, dans la même famille, on voit très rapidement des enfants se révéler plus confiants en eux et d'autres plus insécurisés psychologiquement, ce que l'éducation pourra en partie, mais pas forcément totalement corriger. Sur le plan éducatif, disons tout de suite que la confiance n'est pas la caractéristique majeure des attitudes parentales et professorales dans notre pays. Nous avons entendu un jeune énarque, en stage dans notre entreprise il y a moins de quinze ans, nous faire une brillante (ENA oblige) démonstration de ce qu'est le climat général de défiance dans notre pays :

« L'assuré social est un assujetti, le contribuable un fraudeur, l'automobiliste un fou dangereux, l'élève un tricheur, le jeune un vandale, l'électeur un imbécile, l'usager un casse-pieds, l'enfant un désobéissant, l'inculpé un suspect, le suspect un coupable, etc. »

Avait-il complètement tort ? N'est-ce pas ce climat de méfiance qui révolte le Gaulois et le pousse à sans cesse chercher à filer entre les mailles de

« contrôleurs » qui élaborent sans arrêt des règlements de plus en plus compliqués... et donc difficiles à faire respecter ? Si notre énarque avait raison, il faudrait une vraie révolution culturelle pour inverser le courant et recréer un climat de confiance sans lequel rien de solide ne peut se construire.

Mais plaçons-nous maintenant du côté du subordonné. Son chef lui annonce la confiance, va-t-il y croire ? Nous allons, pour le moment, en rester aux éléments psychologiques de la confiance puisque plus loin nous en verrons les aspects contractuels. Les expériences vécues dans le passé risquent dans un premier temps de peser lourd dans la balance ; en effet, faire confiance au chef et accepter la délégation, c'est prendre le risque de l'initiative donc de l'erreur éventuelle et tout de suite se profile une interrogation : « Mon chef me couvrira-t-il en cas d'erreur ? » Si les chefs précédents couvraient leur subordonné en cas d'erreur et si le nouveau chef n'est pas précédé par une réputation de « planche pourrie », il y a toute chance pour que le subordonné joue le jeu de la confiance. Si les chefs précédents étaient douteux, le subordonné attendra de voir, sauf si le nouveau chef est précédé d'une réputation en béton de personne solide qui couvre ses subordonnés en cas d'erreur. Mais autant le chef doit faire confiance d'emblée, autant, s'il est nouveau, doit-il accepter que ses subordonnés lui fassent passer l'examen de passage de la fiabilité : il ne faut pas s'en offusquer, c'est normal. Toutefois, un subordonné, lui-même très sécurisé, compétent, fort moralement, fera lui-même confiance instantanément à un chef qui lui offre sa confiance, car il s'estimera capable de s'en tirer si, par malchance, le nouveau chef se révèle non fiable ; simplement, à la première dérobade il sera sur ses gardes et prendra ses précautions.

Poursuivons la réflexion sur le binôme sécurité/confiance dont nous avons vu qu'il concernait aussi bien le chef que le subordonné puisque, quelle que soit la position occupée, c'est la sécurité personnelle et la sécurité induite par la fiabilité de l'autre qui engendrent la confiance. Nous voyons qu'il y a dans la sécurité personnelle des éléments techniques (la compétence professionnelle), des éléments psychologiques (innés ou acquis) et, bien évidemment la perception qu'on a de l'éthique de l'autre (respect des engagements). Ajoutons que la sécurité comporte, outre celle du couple chef-subordonné à propos d'un contrat d'engagements réciproques, un aspect plus collectif qui est celui du respect des règles du jeu de la communauté puisqu'on travaille dans une équipe. Il y a donc nécessité, pour que la sécurité psychologique de tous soit assurée, que le chef fasse respecter ces règles et donc, sanctionne, en cas de transgression.

Nous arrivons donc à une conclusion déjà plus élaborée que la première pour ce qui concerne le problème de la délégation ; la délégation exige un climat de confiance et la confiance est elle-même tributaire de la sécurité, qui dépend :

- de la compétence des acteurs ;
- de la couverture des subordonnés par les chefs en cas d'erreur ;
- de la sanction des fautes (transgression des règles du jeu).

Un chef est donc quelqu'un qui « ouvre le parapluie » mais, en dessous de lui pour couvrir ses subordonnés. En cas d'erreur, il forme à nouveau pour augmenter les compétences du subordonné et édicte une procédure pour éviter la répétition de l'erreur. En cas de faute, c'est-à-dire de transgression d'une règle, d'une procédure dûment connue, il sanctionne légèrement la première fois, sévèrement en cas de récidive. La distinction entre les erreurs et les fautes est donc essentielle et l'éthique des deux partenaires est la clef de voûte de l'édifice. Un subordonné malhonnête camoufle ses erreurs : ce faisant, il permet leur répétition par d'autres que lui et va à l'encontre de la démarche « qualité totale » qui vise à la prévention des erreurs et donc à leur détection. Un chef malhonnête punit les erreurs en prétendant qu'il avait mis en garde, c'est-à-dire qu'il transforme les erreurs en fautes. Un chef laxiste à qui manque non la vertu de justice mais la vertu de force, ne sanctionne pas les fautes et crée l'insécurité générale. Nous ne le dirons jamais assez, l'éthique est une pièce maîtresse des relations chefs-subordonnés dans le nouvel état économique.

LA DÉLÉGATION : UN CONTRAT DE CONFIANCE

Mais le climat psychologique des relations, s'il est essentiel, ne constitue pas le contenu total du problème de la délégation. La délégation des pouvoirs permet au subordonné de devenir un acteur à part entière, un sous-traitant interne de l'entreprise. Quand on traite avec un sous-traitant, on fait le cahier des charges de ce qu'on attend de lui, on lui fixe des objectifs, des délais, un niveau de coût et de qualité. Quand on délègue, le problème est à peu près le même ; le chef doit clarifier ce qu'il attend de son subordonné : quelle est sa mission permanente et quels sont les objectifs particuliers à atteindre, dans quels délais, quels sont les progrès qualitatifs qu'il souhaite ? On peut parler d'un ordre de mission permanent (lié au poste) assorti d'objectifs particuliers qui jalonneront cette mission au cours du temps et qui seront précisés d'étape en étape.

En ce sens, si la définition d'un poste a un certain caractère stable, les objectifs particuliers qui émergent au cours de la durée du mandat du subordonné le transforment, en quelque sorte, en une suite de contrats à durée déterminée. En effet, le chef devra contrôler l'atteinte des objectifs à des échéances dont l'échelonnement dépend de la plus ou moins grande capacité du subordonné à rester en autocontrôle. La délégation est donc un contrat de confiance qui lie le chef au subordonné, dont une part importante est à durée indéterminée et concerne le caractère permanent de la mission confiée, et dont une autre part est constituée par une suite de minicontrats à durée déterminée, liés à l'atteinte d'objectifs particuliers et terminés par le contrôle de l'atteinte des objectifs et l'examen de la qualité des résultats obtenus.

On ne pourrait parler de délégation si ces contrats n'étaient pas négociés. Quand ils ne le sont pas, il n'y a pas délégation et le salarié ne se sent pas engagé. Le chef ne prend en apparence que peu de risques ; il donne des ordres et non une mission, il donne des tâches à exécuter, et il a sous ses ordres, un exécutant mais pas un acteur, c'est-à-dire qu'il perd toute la créativité potentielle du subordonné, sa capacité de réactivité et de créativité ; il perd tout le temps qu'il s'oblige à passer en contrôle permanent au lieu de contrôler *a posteriori* à plus ou moins longue échéance ; il perd surtout la synergie provoquée par la motivation du subordonné. La non-délégation est une situation apparemment sans risques, sauf ceux... de la sclérose, de la lenteur et en définitive de l'inefficacité. La productivité perdue par nos entreprises, dans l'absence de délégation, est considérable. La délégation est notre gisement de productivité le plus grand à l'heure actuelle. Nous avons considérablement amélioré la productivité de nos capitaux ; nous gérons mieux nos stocks ; la technologie a fait progresser la qualité technique de nos procédés et de nos produits ; l'informatique peut nous faire gagner du temps et de la fiabilité dans notre circulation d'information, mais il reste les hommes et leur transformation en « entrepreneurs internes » est à notre portée par la pratique de la délégation. Ajoutons que cette délégation a, outre le mérite de transformer les subordonnés, celui de libérer les chefs. On a beaucoup parlé de la libération de la femme, il est temps de promouvoir la libération du chef : par délégation, il devient le client de son subordonné, se contente de passer des commandes et de contrôler la livraison. Il a gagné le temps qu'il consacrera à la réflexion long terme et à l'animation des hommes.

Seulement, pour cela, il faut négocier, ce qui est moins confortable que d'imposer et c'est ce qui explique que la délégation soit aussi peu et aussi mal pratiquée dans nos entreprises. Poutant, la négociation est la seule attitude véritablement adulte de la part du chef, puisqu'elle prend en compte la capacité du subordonné à manifester son libre arbitre, ce qui est réaliste car le subordonné a toujours la possibilité de le faire : soit de façon positive en contribution soit de façon négative en opposition (par la force d'inertie qui en est la manifestation la plus difficile à parer). La contribution est la réponse adulte du subordonné à l'attitude adulte du chef.

Alors apprenons à négocier et d'abord sur quoi va-t-on négocier ? Sur un ensemble objectifs-moyens-délais. Prenons le cas des objectifs ; certains disent qu'ils ne sont pas négociables puisqu'ils sont imposés par le client, la concurrence, l'environnement de l'entreprise ou par le chef du chef. Dans une vision taylorienne des choses, on peut le considérer ainsi puisque la rationalité définit pour les disciplines de Taylor le *one best way* mais cette vision n'est pas réaliste. Le client n'est pas un robot, il est influencé dans sa demande par l'offre ; la concurrence n'est pas totalement prévisible, le reste de l'environnement encore moins (évolution juridique, législative, politique, etc.), et le chef du chef est lui-même un homme, pas forcément un robot ou un despote ! Quant au subordonné, il peut suggérer des objectifs auxquels le chef n'a pas pensé. Il y a donc une négociation entre la demande du chef et l'offre du subordonné, même si le rôle du chef est bien de clarifier ce qui lui semble être les contraintes incontournables des clients, des concurrents, de l'environnement et de l'entreprise elle-même, représentée par le chef du chef.

Mais nous admettrons que les objectifs sont en grande partie plus à assumer pour le subordonné qu'à discuter. Reste que leur atteinte est tributaire des moyens mis en œuvre et qu'elle doit être assortie d'une spécification de délais. Or tel objectif, parfaitement souhaitable, peut devenir irréaliste si les délais sont trop serrés et/ou les moyens insuffisants. On ne peut donc pas séparer l'acceptation des objectifs par le subordonné d'une négociation sérieuse et réaliste des moyens et des délais. Autre manière de dire les choses, on peut regrouper le couple objectif-délai et dire que chaque couple objectif-délai doit être mis en regard des moyens existants (techniques et humains) et disponibles pour arriver au meilleur compromis possible, en rognant sur les objectifs, en jouant sur les délais, en libérant plus ou moins de moyens. Nous disons volontairement « compromis » et non « consensus », contrairement à nos collègues japonais qui visent toujours à l'obtention du consensus. Pour avoir fréquenté les susdits Japonais, nous pensons que l'environnement éducatif, le contexte culturel, philosophique et religieux du Japon est très différent du nôtre, notamment en ce qui concerne les poids relatifs du groupe et de la personne et que la transposition en Europe du management à la japonaise est irréaliste ; et particulièrement en pays gaulois ! N'oublions jamais que la culture judéo-chrétienne place la personne au premier rang car, comme le répète Simone Weil dans *L'enracinement :* « Seul l'être humain a une destinée éternelle. Les collectivités humaines n'en ont pas. » Ce qui n'empêche pas, dit la même, que « Le degré de respect, qui est dû aux collectivités humaines est très élevé » par ce qu'elles fournissent aux hommes, par leur enracinement dans la durée, par leur rayonnement, qui peut amener à leur consacrer beaucoup, à l'extrême « jusqu'au sacrifice total » mais « il ne s'ensuit pas que la collectivité soit au-dessus de l'être humain ». C'est pourquoi nous pensons que la recherche systématique du consensus est possible au Japon où chacun croit que la collectivité est au-dessus de la personne. En pays judéo-chrétien, malgré l'inculture contemporaine, chacun sent que le collectif n'est respectable que dans la mesure où il est au service de la destinée de l'être humain. Quand on connaît la force du sentiment individuel chez le Gaulois, on peut être sûr que la recherche du consensus serait non seulement coûteuse en temps (comme c'est le cas au Japon) mais impossible. En revanche un bon et solide compromis où l'on s'engage, est gage de réalisation rapide et probablement meilleure que prévue, car l'amour-propre des Gaulois est très fort et ils mettent leur point d'honneur à se surpasser quand on les prend dans le sens du poil.

Reste la troisième possibilité : quand faut-il imposer ? Quand le compromis négociable ne paraît pas au chef à la hauteur des contraintes, notamment en cas de danger pour la communauté, le chef peut être amené à imposer le couple objectif-délai, même si les moyens disponibles paraissent insuffisants au subordonné : en fait, il lui demande de se surpasser, de faire l'impossible et l'expérience montre que cela réussit si les circonstances, le danger potentiel, la nécessité de le faire pour survivre, créent la « surmotivation » qui décuple des énergies. Simplement, disons qu'il ne faut pas abuser de ce mode de gouvernement. Si l'on demande en permanence aux subordonnés de faire l'impossible, la demande perd de sa crédibilité et la tension des subordonnés crée une usure fatale à la persistance de la motivation.

La négociation, en revanche, est une attitude adulte du chef qui éduque les subordonnés et les rend adultes puisqu'elle les amène à un engagement, alors que l'attitude de l'adolescent « veau » est de subir ou de fuir et celle de l'adolescent « tigre » de refuser ou de s'en prendre à des boucs émissaires. La délégation exige donc l'apprentissage de la négociation qui constitue un acquis préalable à la nomination à un poste hiérarchique. Seule une vision utopique du Pouvoir peut laisser croire que la nomination à un poste hiérarchique permettra d'imposer en permanence, alors qu'elle se contente d'en donner le droit dont il sera judicieux d'user avec parcimonie.

Poursuivons l'examen du contrat de confiance que constitue la délégation. Supposons réalisée la négociation objectif-moyens-délai. Il reste à établir le cadre dans lequel sont délégués les pouvoirs : pouvoir de dépenser (budget), pouvoir d'embaucher éventuellement, pouvoir de disposer d'informations, de moyens techniques collectifs, etc. c'est-à-dire la place de la délégation par rapport à l'organisation, aux coûts, aux contraintes techniques. C'est là que l'on voit que la démarche « qualité totale » est précieuse pour aider le chef à placer la délégation chef-subordonné dans le cadre du fonctionnement de l'équipe au service des clients, dans la relation client-fournisseur.

Une manière pédagogique de faire comprendre ce qu'est l'autonomie bien comprise du subordonné à qui l'on délègue est de dire que l'autonomie consiste à faire non ce qu'on veut mais :
– ce qu'on doit (engagement pris après négociation) ;
– comme on veut (initiative, créativité, incluant le droit à l'erreur) ;
– en respectant les règles du jeu, c'est-à-dire en ne faisant pas tout ce qui est interdit (ce qui serait alors une faute et non une erreur).

On se sent libre, en effet, quand on sait ce qui est interdit et que tout le reste est permis pour remplir ses engagements. On ne se sent pas libre quand on est enfermé dans ce qui est permis, défini par le chef. En effet, l'intelligence du chef étant limitée (comme toute intelligence humaine), s'il nous définit ce qui est permis, il nous enferme dans un carcan. Si en revanche, il nous définit ce qui est défendu, il se contente de baliser notre liberté sans l'entraver.

Les interdits sont de différents ordres :

- ***interdits techniques***
  Par exemple, ne pas refaire cette erreur qui a déjà été dûment identifiée grâce à la démarche « qualité totale » ;
- ***interdits économiques***
  Par exemple, ne pas dépasser cette enveloppe globale ou ne pas engager cette somme importante prévue au budget sans avertir telle personne (optimisation de la trésorerie) ;
- ***interdits organisationnels***
  Par exemple, ne pas innover dans tel ou tel domaine sans demander l'avis de tel expert placé dans l'organisation pour jouer ce rôle dans la structure ;
- ***interdits éthiques***

  Par exemple, ne jamais camoufler une erreur.

On voit que, par l'existence de ces interdits, le chef se sécurise car il peut interdire les erreurs dangereuses et doit interdire les erreurs mortelles pour la communauté qu'il dirige ou dont il fait partie ; mais en même temps il autonomise son subordonné en lui donnant une zone de totale liberté, celle où tout est permis (pour mieux atteindre les objectifs et tenir les engagements) puisque ce n'est pas spécifiquement interdit. Il sécurise également son subordonné qui ne peut plus être sanctionné que pour une faute et jamais plus pour une erreur.

Il reste encore à baliser l'autonomie dans le temps. La sécurité de la communauté exige un contrôle régulier de la situation *a posteriori,* ce qui est le signe tangible de la confiance que le chef met dans le subordonné. La durée d'autonomie de chaque subordonné est également le fruit d'une négociation chef-subordonné, où interviennent divers paramètres :
– la compétence professionnelle du subordonné ;
– l'existence ou non d'experts pouvant assister le subordonné ;
– l'existence d'instruments de mesure permettant au subordonné de s'autocontrôler ;
– la sécurité psychologique des deux partenaires ;
– l'ancienneté des relations du couple chef-subordonné (expérience de la fiabilité de l'autre) ;
– le type de métier, le risque particulier du projet ;
etc.

Il s'agit d'une négociation où le chef devra faire preuve de la vertu de prudence qui consiste, non à refuser le risque, mais, au contraire, à prendre des risques... avec sagesse.

On voit que la délégation s'est peu à peu précisée. Le subordonné sait les engagements qu'il doit tenir, les axes des progrès à accomplir (qualité oblige), les objectifs à atteindre, les coûts à ne pas dépasser (et si possible à diminuer), les délais à respecter, les interdictions à ne pas transgresser, et il sait maintenant pendant combien de temps, on va le laisser libre de faire sans contrôle, pendant combien de temps on va lui laisser les pouvoirs en autocontrôle.

N'attendons pas d'en arriver au problème du contrôle *a posteriori* pour examiner cette période, entre deux contrôles, où le subordonné est devenu un patron, un entrepreneur, un acteur à part entière. Laissons le subordonné à son sort et revenons à son chef. Son chef est libéré... presque totalement, presque seulement car, en cas de pépin imprévu, d'événement accidentel ou dans le cas où le caractère nouveau d'un projet ferait que le couple chef-subordonné aurait sous-estimé les délais et les moyens, le subordonné a le droit de crier au secours et le chef a alors le devoir de voler à son secours. Le chef est libéré, volontairement absent pour témoigner de sa confiance mais disponible : l'autorité est un service. Donc le chef est disponible mais seulement en cas d'imprévu ; il est normalement libéré pour jouer son rôle dans le long terme (la contribution aux projets d'avenir) et son rôle d'animateur (communication avec les hommes, entretien d'évaluation, rôle formateur, etc.).

Pour qu'il se sente vraiment libéré, il faut toutefois être conscient qu'il reste une condition liée à l'attitude de son propre chef. C'est pourquoi la délégation n'implique pas seulement le couple chef-subordonné mais la triade, supérieur du chef-chef-subordonné. Pour illustrer le rôle du supérieur du chef dans le climat psychologique favorable ou défavorable à la délégation, nous allons définir ce qu'est le **droit à l'ignorance.**

En effet, depuis près de trente ans, on a beaucoup écrit sur la direction par objectif, la direction participative par objectif, la nécessité de la délégation, et très régulièrement on insiste sur le droit à l'erreur du subordonné et le devoir du chef de couvrir son subordonné et de distinguer erreur et faute. C'est bien mais c'est insuffisant. Nous allons maintenant parler du droit à l'ignorance qui est un droit du chef. En effet, si un chef délègue comme nous l'avons indiqué, entre deux contrôles il doit être absent pour signifier sa confiance ; il ignore, non pas quelle mission a son subordonné, mais il ignore où il en est, comment il fait, dans quel ordre il a pris les problèmes, comment il s'est organisé, etc. Il ignore et il a raison d'ignorer, encore faut-il qu'on lui reconnaisse ce droit à l'ignorance et c'est là que le bât blesse dans nos entreprises.

Scénario, hélas classique en France. Le chef reçoit un coup de téléphone de son propre chef : « Un tel, où en est telle affaire ? » S'il a le malheur de ne pas répondre sur le champ, rien qu'au toussotement qu'il perçoit dans l'appareil, le chef se sait en faute quand il ne se fait pas reprocher désagréablement de ne pas savoir ce qui se passe chez lui ! Et le plus souvent, il reprend le contrôle en continu, au lieu des contrôles *a posteriori,* espacés dans le temps. Dans notre pays le droit à l'ignorance des chefs intermédiaires n'est pas toujours, pour ne pas dire pas souvent, reconnu par leur supérieur hiérarchique ; résultat, tout le monde veut tout savoir, vit dans le court terme, contrôle en temps réel ; la délégation est absente, ce qui se traduit par l'inefficacité, la paralysie à la base, l'apoplexie au sommet. Il est temps de reconnaître officiellement le droit à l'ignorance dans nos entreprises, ce qui signifie que tout chef hiérarchique doit :
– se discipliner et s'interroger avant de demander une information à un subordonné (est-elle de mon niveau de préoccupation ? Enrichira-t-elle ma réflexion de long terme ? Y a-t-il un réel danger que ne peut percevoir mon subordonné ? Etc.) ;

– laisser, si l'information demandée est justifiée, au subordonné le temps de faire le point pour répondre de façon à lui témoigner qu'on sait qu'il délègue et qu'on l'approuve de le faire.

L'éducation du supérieur du chef est donc également une condition de la délégation chef-subordonné. Comme le dirait Simone Weil, un droit, en l'occurence le droit à l'ignorance du chef, n'est « efficace » que si les autres se reconnaissent obligés à quelque chose envers celui qui a le droit. « Un droit reconnu par personne n'est pas grand-chose. » C'est le supérieur du chef en se reconnaissant l'obligation, le devoir de respecter les conditions de la délégation (imposant au chef de rang inférieur d'être absent et donc ignorant pour un temps fixé), qui rend efficace le droit à l'ignorance et favorise la pratique de la délégation.

Notons toutefois que la reconnaissance du droit à l'ignorance ne crée pas seulement des devoirs au supérieur du chef, elle en crée également au subordonné du chef. En effet, quand le chef répond à une question de son propre supérieur, qu'il ne peut pas donner la réponse à l'instant, cela doit signifier : « Pas de nouvelles, bonnes nouvelles ! »

En clair, le droit à l'ignorance du chef implique une obligation chez le subordonné, celle de rendre compte de lui-même et sans délai, s'il ne maîtrise plus la situation, s'il est sur le chemin de ne pas tenir ses engagements, si un imprévu a changé les conditions de la négociation initiale. S'il ne le fait pas, c'est comme s'il savonnait consciencieusement le sol sur lequel est installé son chef pour le mettre en instabilité. Un subordonné doit donc apprécier la situation, ce qui est de l'ordre de la vision prudentielle, et faire parvenir à son chef les seules informations qui lui sont nécessaires pour ne pas être déstabilisé par une demande de son propre supérieur : si tout va bien, il peut laisser son chef dans l'ignorance. *(Voir tableau p. 203.)*

On voit sur deux exemples (droit à l'ignorance du chef et droit à l'erreur du subordonné) que la délégation est un contrat de confiance qui crée en chaîne des suites d'obligations à chacun des partenaires de la triade, supérieur du chef-chef-subordonné, c'est-à-dire que la pratique générale de la délégation lie toute la ligne hiérarchique par une chaîne de devoirs que l'on respecte par référence à l'entreprise, le client, l'épargnant et le salarié devenu acteur à part entière, qu'il soit à la base, expert, fonctionnel ou chef hiérarchique.

Il y a donc une cohérence profonde entre la démarche « projet » qui clarifie les objectifs, la charte de management qui concrétise l'éthique en termes de règles du jeu, la démarche « qualité totale » qui concrétise les devoirs envers clients et épargnants, la gestion optimisée des ressources humaines qui favorise

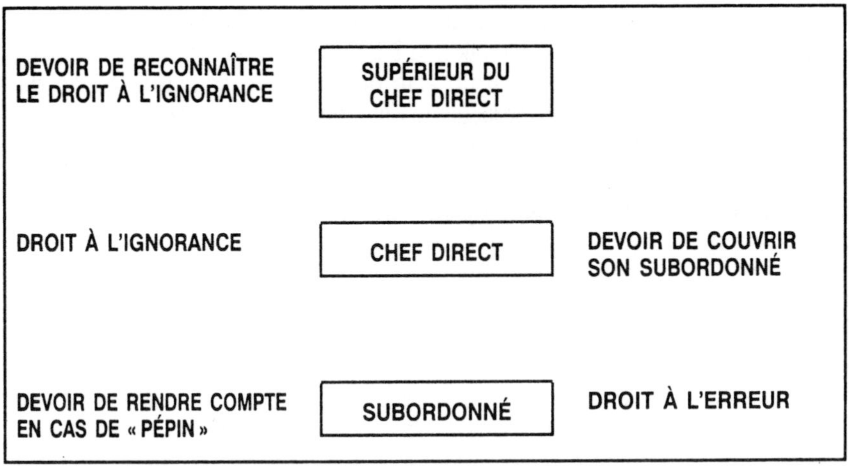

DEVOIR DE RECONNAÎTRE LE DROIT À L'IGNORANCE	SUPÉRIEUR DU CHEF DIRECT	
DROIT À L'IGNORANCE	CHEF DIRECT	DEVOIR DE COUVRIR SON SUBORDONNÉ
DEVOIR DE RENDRE COMPTE EN CAS DE « PÉPIN »	SUBORDONNÉ	DROIT À L'ERREUR

le développement personnel des salariés, la pratique de la délégation qui fait de chacun un entrepreneur et libère les chefs pour l'accomplissement de leur travail (réflexion de long terme et animation de l'équipe). La pratique du contrôle va permettre de vérifier si, concrètement, la réalité est bien conforme à ce qu'on espère et de corriger les dérives, si cela s'avère nécessaire. Le contrôle n'est pas une action répressive, il ne doit être ni pratiqué ni ressenti comme un acte empreint de suspicion. Le contrôle est un acte opéré en vue d'augmenter la maîtrise de l'action et la qualité des réalisations. De même que les bilans opérés de façon collective dans la démarche « qualité totale » permettent de prévenir les erreurs futures, de détecter les gisements de non-qualité et s'attaquer à tous les dysfonctionnements, de même le contrôle de l'action de chaque acteur va permettre de former et de faire progresser. Il va également permettre de mettre en évidence les points forts et de les valoriser, de détecter les potentialités et d'aider à leur concrétisation en nouveaux points forts, de décider à cet effet des actions de formation, de reconversion, des mutations, des promotions. En cas de faute, il obligera à des sanctions, en cas de récidive il permettra de procéder, si nécessaire, au départ de l'intéressé en toute objectivité et en toute légalité. En cas de succès, il obligera à la reconnaissance puis à la rétribution des services rendus.

Le contrôle est facteur de progrès de chaque acteur de l'entreprise et donc de toute l'entreprise. Il est à l'origine de l'évaluation régulière des salariés, qui est, en partie, la synthèse des contrôles nécessités par la délégation. Comment progresser si on n'est jamais contrôlé, pourquoi se reformer si on n'est jamais confronté à ses erreurs, comment prendre confiance en soi si on n'est jamais félicité pour ses succès, comment retrouver l'honneur quand on a fauté si on n'est jamais sanctionné ? Le contrôle est un acte nécessaire au progrès de l'entreprise ; il est un acte qui traduit le caractère adulte des relations entre les hommes, particulièrement de la relation chef-subordonné qui prend en compte le problème du pouvoir, non pas en vue d'exacerber les tensions, mais en vue d'en tirer le positif, une marche vers l'amélioration de la qualité par une judicieuse délégation des pouvoirs.

Résumé

La pratique de la délégation généralisée est devenue vitale pour l'entreprise confrontée aux mutations techniques, économiques et sociales.

Elle libère les chefs hiérarchiques et leur permet de se consacrer à leur rôle principal : prospective et animation de l'équipe.

Elle fait de tous les salariés des acteurs à part entière, entrepreneurs au sein de l'entreprise.

Elle exige des chefs adultes, sécurisés et confiants en eux-mêmes, elle éduque tous les partenaires à une pratique de relations adultes.

Elle implique une éthique, faite de justice, de courage, d'honnêteté, de prudence, de maîtrise en soi.

Elle se traduit par un véritable contrat qui finalise l'autonomie sur des objectifs, la balise dans le temps et dans l'espace, confère de réels pouvoirs à tous les salariés.

Elle unit toute la chaîne hiérarchique, du p.-d.g au premier échelon de commandement de la base, en précisant les droits et les devoirs au sein de la triade supérieure du chef-chef-subordonné.

Elle rend possible une évaluation objective de la contribution de chacun et permet l'équité dans la rétribution des services rendus.

BIBLIOGRAPHIE

La sociodynamique, un art de gouverner
FAUVET J.-C.
Les Éditions d'Organisation, 1983

Encyclique : Laborem Exercens
Jean-Paul II

Chapitre 17

LES STRUCTURES DANS LE CHANGEMENT

Nous avons retardé, tant que nous avons pu, le moment d'aborder le problème des structures et ce n'est pas l'effet du hasard. Nous pensons que ce problème est généralement abordé trop tôt par les chefs d'entreprises ou les chefs d'établissements lorsqu'ils prennent la tête de l'entité qui leur est confiée. Beaucoup pensent qu'en formalisant très tôt par un organigramme les frontières des unités et les liens qui les unissent, en délimitant le pouvoir des hommes sur le papier, ils vont mieux contrôler le fonctionnement de l'entreprise (ou de l'établissement), éviter les dérapages et favoriser l'efficacité. Beaucoup d'exemples vécus nous ont montré que c'est loin d'être le cas et ceci ne nous étonne pas. En effet, la caractéristique du monde moderne est la complexité, c'est-à-dire que le nombre de facteurs à intégrer dans le pilotage d'une entreprise ou d'une des unités qui la composeront dans le mode d'organisation choisie, sera forcément élevé. Si la formation de l'organisation précède la communication entre les hommes concernés, le risque est grand que chaque responsable d'unité interprète à sa manière l'organigramme, hiérarchise à sa manière les facteurs à prendre en compte, marque son territoire par rapport à celui de ses pairs et, pour cela, concentre au maximum les pouvoirs sur lui-même pour se sentir armé. L'effet immanquable qui en résulte est à la fois la « balkanisation » de l'entreprise et l'absence de délégation des pouvoirs vers la base. Chose curieuse, c'est souvent l'inverse de ce que souhaitait le responsable qui avait voulu, en formalisant la nouvelle structure sur le papier, montrer qu'il déconcentrait le pouvoir et clarifier, pour tous, l'attribution des missions confiées aux principaux collaborateurs de l'entreprise ou de l'établissement.

En disant cela, nous exprimons de façon implicite le fait que le choix des hommes placés à des postes de responsabilité est plus important que la formalisation idéale des structures de l'entreprise. On oppose souvent en effet, d'une façon qui nous paraît un peu intellectuelle et schématique, la vision d'une entreprise mécaniste, figée, peu adaptable, pyramidale et celle d'une entreprise organique, souple, vivante, polycellulaire. Dans la première, la hiérarchie est bien identifiée, ce qui explique la rigidité mécanique de l'organisation. Dans la seconde, la hiérarchie est multiforme, la pyramide est inversée, le flou, général et c'est pour cela que l'organisation fonctionne bien. A entendre certains, supprimez la notion de chef hiérarchique, mettez en place des structures matricielles de façon à ce que les subordonnés ne sachent plus qui ils doivent écouter, et tout ira bien.

Comme le lecteur a pu s'en apercevoir, notre analyse de la situation est toute différente. Nous pensons que l'environnement dans lequel l'entreprise s'est développée depuis plus d'un siècle a été longtemps dominé par la prépondérance de la fonction « production » par suite d'une certaine pénurie de biens et de services par rapport à la demande potentielle. En outre, la technologie a stagné relativement longtemps, ce qui a favorisé l'extrême division du travail, l'extrême spécialisation des tâches, la possibilité d'utiliser une main-d'œuvre peu qualifiée et donc, l'organisation taylorienne. Ce qui est plus grave, c'est que cette organisation taylorienne était sous-tendue par une idéologie fondée sur le culte de la rationalité et une vision assez pessimiste de l'homme supposé, mis à part une petite élite, incapable de s'intéresser au travail et d'y trouver la possibilité de s'y réaliser. Notons d'ailleurs que le marxisme-léninisme, qui s'est opposé avec quelle vigueur au libéralisme individualiste, n'est pas tendre pour le prolétariat qu'il estime, lui aussi, incapable de réagir sans l'organisation militaire du parti unique et son centralisme (démocratique !). Notre opinion est donc que l'environnement technologique, économique et idéologique dans lequel l'entreprise s'est développée pendant longtemps, a favorisé l'émergence d'un modèle de chef hiérarchique, centralisateur, cherchant à détenir des pouvoirs plus qu'à rayonner une influence, davantage axé sur le court terme que sur le long terme, pétri d'un culte abusif de la rationalité, privilégiant la procédure à la négociation, etc. De là à dire que le monde moderne, qui exige vision stratégique, adaptabilité au marché, intégration permanente des changements technologiques, acceptation de la complexité, implique la disparition de la hiérarchie c'est-à-dire de la notion de chef, il n'y a qu'un pas que nous nous sommes refusé à franchir, parce que cela nous semblait relever de l'idéalisme ou de l'hypocrisie ; la responsabilité des décisions doit reposer sur des personnes clairement identifiables, faute de quoi l'insécurité gagne le camp des subordonnés et la lutte des classes envahit les sphères dirigeantes.

Alors, où est la solution ? Nous l'avons déjà dit, c'est le choix des personnes à mettre aux postes hiérarchiques qui est en cause plus que le changement de type de structure ; le modèle de chef hiérarchique convenant à la modernité repose sur la capacité à intégrer une vision stratégique, à négocier tous azimuts (avec ses supérieurs, ses subordonnés, avec les experts : avec ses clients et ses fournisseurs) à animer une équipe, à déléguer ses pouvoirs. C'est également la communication à toute l'entreprise de la vision stratégique de l'équipe dirigeante qui permettra à chacun d'exercer ses pouvoirs sans que l'entreprise explose en petites unités désunies. C'est pourquoi le problème des structures doit être abordé en dernier, quand les esprits ont été préparés.

Ces préalables acceptés, il faut bien, quand on est responsable d'une entreprise ou d'un établissement d'une certaine taille, organiser cette entité et lui donner des structures qui correspondent le mieux possible à la stratégie que l'on veut mettre en œuvre. En effet, si la stratégie qui permet de conduire l'action est première et prioritaire par rapport aux structures, il n'en demeure pas moins que les structures ont une influence sur la perception qu'auront les acteurs de l'entreprise, de cette stratégie. Comment, en effet, intégrer la démarche de la qualité totale qui unit au service du client toutes les fonctions (commerce, production, développement des produits, logistique, etc.), si celles-ci sont cloisonnées dans des unités qui travaillent en circuit fermé et qui sont reliées directement à la direction générale ? Comment faire d'un homme de la base un acteur dans l'entreprise, si dix ou douze échelons hiérarchiques le séparent du centre nerveux où sont prises la majorité des décisions ? Comment demander à un chef hiérarchique d'animer son équipe, si les décisions concernant la rémunération des salariés sont prises par une direction centrale du personnel ? On ne peut donc nier l'importance des structures, même si, comme nous l'avons nous-même proposé, celle-ci n'est pas première et passe après la qualité des rapports entre les hommes (charte de management et choix des chefs hiérarchiques) d'une part, la communication réussie de la stratégie et la contribution des acteurs à sa réalisation (démarche « projet d'entreprise », démarche « qualité totale ») d'autre part.

Nous allons donc examiner un certain nombre de facteurs qui sont à prendre en compte lorsqu'on est confronté à l'obligation de mettre en place de nouvelles structures, ce qui arrive quand les structures existantes ne correspondent plus à la stratégie d'une entreprise obligée de s'adapter aux changements extérieurs. Ces facteurs ne sont évidemment pas indépendants les uns des autres, et, quand le chef d'entreprise aura terminé l'analyse de ces facteurs pour sa propre entité, il devra faire sa synthèse personnelle sans outil rationnel pour décider de la forme qu'il donnera à son organisation. Sans avoir la prétention d'épuiser le problème, nous retiendrons comme facteurs importants, la taille de l'entreprise, la nature de ses technologies dominantes, les caractéristiques de son environnement (clients, concurrents, fournisseurs, pouvoirs publics, etc.), la culture nationale (voire régionale) des salariés et bien sûr la stratégie de l'entreprise elle-même.

Le facteur taille

Ce facteur est important puisque, dans une entreprise de petite taille, la cohérence restera forte même s'il existe des regroupements par spécialité ou par fonction. Tant qu'on ne dépasse pas la taille de la tribu (moins de 300 personnes environ), le responsable peut connaître tous les acteurs et, à l'aide d'une équipe de six à huit personnes, il pourra assurer la coordination d'unités elles-mêmes beaucoup plus petites. Son charisme personnel sera déterminant, ce qui en revanche pourra se révéler un handicap si l'entreprise grandit et s'il veut continuer à la coordonner de la même manière.

Dès que l'entreprise grandit et dépasse la taille de la tribu, les choix de structure deviennent une réalité à prendre en compte. On sait que la spécialisation peut être un critère de regroupement des personnes et qu'on peut en attendre des économies d'échelle mais le risque de cloisonnement peut être important. On peut opérer des regroupements autour des segments de marché et fédérer ainsi des unités qui seront elles-mêmes de petites entreprises, avec le risque de perdre de l'expérience acquise par non-transmission de celle-ci d'une unité à l'autre ou de perdre en économie d'échelle ce que l'on gagne en autonomie et en vitesse de réaction. On peut regrouper en centres de profit une partie des activités de l'entreprise et en sous-traitants internes d'autres activités qui auront avec les premières des relations de fournisseurs à clients.

Il n'y a évidemment pas une solution, il y en a de toutes sortes et c'est l'examen des autres facteurs qui pourra éclairer les choix. Disons simplement que la taille grandissante d'une entreprise crée le risque d'une dépersonnalisation des rapports, d'une formalisation abusive des procédures, d'une spécialisation des unités et donc d'une bureaucratisation progressive de l'organisation. Il n'y a rien de fatal à cela mais il faut veiller à ne pas se laisser intoxiquer par le mythe des économies d'échelle, car le coût de la coordination des unités hyperspécialisées, peu responsabilisées vis-à-vis du client (qualité totale) se révèle souvent beaucoup plus onéreux que le coût de l'autonomie et d'autant plus élevé que le sentiment d'appartenance des unités décentralisées est faible et que le choix des managers qui les dirigent n'a pas été fondé sur leur ouverture et leur capacité de communication. Si les responsables d'unités sont unis entre eux, ils sauront se communiquer les uns aux autres des informations porteuses d'économie pour toute l'entreprise.

Le facteur technologies

L'entreprise utilise fréquemment de nombreuses technologies et chacune d'entre elles a sa spécificité. La division du travail n'est pas la même quand on est dans un service administratif, un centre de recherche, une usine qui produit en série ou une usine qui produit en vrac. La nature du travail elle-même change selon que l'activité est standardisable ou ne l'est pas, qu'elle exige beaucoup de créativité ou très peu, qu'elle est sujette à des événements peu prévisibles ou non. Enfin il y a des domaines où la technologie elle-même change très rapidement et d'autres où les changements sont à rythme moins rapide. On ne peut nier que le perfectionnement des machines, notamment sous l'influence des technologies informatique, automatique, robotique et autres noms en « tique », ait induit des changements de types d'emploi mais également des changements d'organisation dans les usines de production d'objets en série. Ceci dit, on voit que la technologie n'est pas seule en cause ; la qualification du personnel susceptible de maîtriser la technologie joue un rôle au moins aussi important. Si le changement de technologie s'accompagne d'un changement culturel important du personnel, celui-ci sera plus demandeur d'autonomie et l'organisation risque de se structurer différemment, davantage parce que le personnel n'est plus le même que parce que les techniques ont changé. Pour terminer cette petite réflexion sur l'influence de la technologie sur les structures, nous tirerons deux conclusions très partielles mais néanmoins utiles. D'abord il ne faut pas imposer le même type de structure à toutes les unités de l'entreprise, il faut respecter la nature des métiers et leurs contraintes technologiques qui favorisent un certain type de division du travail et donc un certain mode de coordination. En second lieu, il faut, en revanche, être attentif aux mutations technologiques qui s'accompagnent de mutations culturelles importantes dans le personnel et les types d'emploi, car des organisations et des structures qui ont fait leurs preuves à une certaine époque peuvent se révéler totalement inadéquates quelques années plus tard alors qu'en apparence, l'unité a gardé sa fonction et fait le même métier.

Le facteur environnement

Ce facteur est multiforme. Nous allons examiner quelques éléments de cet environnement auquel l'entreprise doit s'adapter si elle veut vivre. Le marché est évidemment un facteur important car selon les types de biens ou de services offerts, le type de clients (grand public ou entreprise), le caractère très aléatoire ou relativement prévisible de la demande, l'organisation sera différente, plus axée sur la stabilité ou plus axée sur la mobilité par exemple.

La croissance est également un facteur important car l'entreprise aura des contraintes différentes à assumer si elle est sur un créneau de marché en très grande expansion (c'est le cas pour certaines entreprises de services) ou si elle est sur un créneau de marché en stagnation, voire en régression. Il est évident qu'une forte croissance rend l'entreprise moins sensible à son environnement et qu'elle gomme les erreurs d'organisation (on se contente de gagner un peu moins ou de croître un peu moins vite). En revanche, si l'entreprise est sur un marché en stagnation, la pression de l'environnement sera très grande et l'entreprise devra veiller à ce que ses structures soient adaptées pour capter de façon optimale les informations à traiter en provenance des clients.

La complexité de l'environnement est également une réalité à prendre en compte pour l'entreprise. En effet, même si l'entreprise n'est pas un groupe diversifié dans ses activités, elle l'est dans ses fonctions ; le service du personnel est en connexion avec la juridiction du travail, le service financier travaille avec des banques, les services de recherche-développement sont en contact avec la recherche publique, l'université et les grandes écoles, et nous pourrions ajouter les relations avec les assureurs, les agences de bassin, l'ANPE, de nombreux services publics, les municipalités, les médias ou les associations de défense de... l'environnement.

Nous tirerons donc encore une conclusion provisoire et partielle. Les structures de l'entreprise doivent être décidées en tenant compte de la diversité des unités qui ont chacune un type de relation avec l'extérieur qui leur est propre. Attention notamment quand une entreprise s'est diversifiée dans des activités multiples, il est souvent préférable de créer des filiales autonomes que de vouloir faire cohabiter des entités dont les horizons ne sont pas du tout les mêmes en termes de croissance, d'incertitude du marché, de types de clientèle, etc. Là encore, le mythe des économies d'échelle peut se révéler coûteux.

Le facteur culture des acteurs

Nous avons volontairement choisi de traiter la majeure partie de ce livre en faisant appel aux références « gauloises ». Nous reviendrons plus loin sur l'internationalisation des entreprises, mais nous sommes convaincus que, dans un pays donné, le mode de management doit être adapté à la culture dominante des acteurs locaux. Ceci est vrai pour les structures comme pour le reste. Notre expérience nous a montré à plusieurs reprises, que les Anglo-Saxons, moins soucieux de cartésianisme formel que nos compatriotes, s'accommodaient fort bien de structures matricielles où l'ambiguïté des rôles est gommée par les habitudes d'utilisation (la jurisprudence est plus importante pour eux que le droit écrit). Les mêmes structures matricielles, mises en place dans une entreprise française, déclenchent à tout propos des conflits de personnes où l'émotionnel prend vite le pas sur le rationnel, même si chacun s'efforce, très mal, de masquer ses bouffées d'adrénaline ou de noradrénaline par des considérations sur les structures et les notes de services qui les ont accompagnées lors de leur mise en place. Il est intéressant de constater que plus la formation des individus a été rationnelle, moins leur comportement devient raisonnable si on ébranle leur sécurité liée au domaine rationalisable dont ils ont fait leur référence. Ce qui montre bien que la rationalité est une pseudosécurité, qu'elle n'épuise pas tout le domaine de la raison et qu'elle est insuffisante pour assumer la vie, qui est risque, incertitude et complexité.

Notre conclusion partielle et provisoire sur ce thème sera la suivante. Il nous semble préférable de communiquer par oral d'abord, quand on veut mettre en place une nouvelle structure, d'expliquer longuement ce qu'on en attend, d'écouter les réactions des uns et des autres et de décider ensuite d'expérimenter la nouvelle structure. C'est l'expérience qui va permettre ultérieurement de formaliser par écrit les quelques règles d'utilisation de la structure qui se révéleront indispensables pour éviter les conflits. Surtout pas trop d'écrits, et que ces écrits soient l'aboutissement d'une bonne communication et d'une prudente expérimentation. De toutes les façons, la base, qui est beaucoup moins cartésienne, se moque des organigrammes. Ceux qui s'y intéressent sont une population beaucoup moins nombreuse, beaucoup plus cartésienne, et dont les réactions sont beaucoup plus dangereuses potentiellement. Donc prudence avec le formalisme écrit, compte tenu de la culture dominante des cadres gaulois.

Le facteur stratégie de l'entreprise

Après toutes ces considérations sur les facteurs extérieurs à la stratégie proprement dite de l'entreprise, il faut maintenant prendre en compte les vues stratégiques des dirigeants telles qu'elles se sont exprimées dans leur avant-projet, telles qu'elles se sont déclinées dans les sous-projets élaborés aux niveaux successifs descendants, telles qu'elles ont inspiré la charte de management qui devient la règle du jeu des rapports entre les acteurs. Si nous arrêtions là l'influence de la vision stratégique des dirigeants sur l'organisation des structures, nous concevrions celles-ci uniquement dans la perspective de les rendre cohérentes avec les contraintes de l'environnement et avec la prise en compte de ces contraintes dans l'élaboration des projets d'avenir. Les structures seraient alors satisfaisantes pour les dirigeants, les services d'études, de conception, de prospective, les personnes de l'entreprise les plus axées sur le long terme.

Heureusement, le dirigeant d'entreprise moderne a intégré dans sa stratégie la démarche de la qualité totale qui implique que l'organisation de l'exécution des projets se fasse à partir du bas, en tenant compte des contraintes et du métier des acteurs de la base, en tenant compte des relations client-fournisseur internes, en respectant le principe de subsidiarité. Cette démarche, visant à l'autonomie maximale des acteurs, induit donc une autre logique, une autre organisation des structures destinées à satisfaire les personnes de l'entreprise les plus axées sur le court terme.

Il y a donc à trouver le point de rencontre de ces deux logiques et c'est le facteur temps qui, à notre avis, sera le facteur déterminant, lié au degré d'incertitude des prévisions d'activité c'est-à-dire au carnet de commandes. Schématiquement, nous dirons qu'il y a les personnes dont le rôle est de faire en sorte que le carnet de commandes, dont on est raisonnablement assuré de la réalisation, soit effectivement exécuté dans le respect de la démarche « qualité totale », et les personnes dont le rôle est de faire que l'entreprise poursuive sa vie bien au-delà, anticipe les changements, élabore de nouveaux projets, donne à l'entreprise de nouvelles potentialités. Et puis il y a, à l'intersection, le niveau clé de décision, où se font le maximum d'arbitrages entre le court terme et le long terme, entre les réalités vécues et les adaptations inéluctables pour préparer l'avenir.

Mais on voit bien que ce niveau clé de décision est dans une toute petite entreprise le niveau du dirigeant lui-même, dans une petite moyenne le niveau de ses collaborateurs opérationnels directs, alors que dans une très grande entreprise, ce niveau clé sera probablement celui des responsables d'unités décentralisées douées d'une forte autonomie, par exemple directeurs d'usines, ou celui de responsables de services administratifs, services commerciaux, etc.

Dans une très grande entreprise, les décisions stratégiques des dirigeants seront liées aux résultats obtenus par des unités chargées d'exécuter un carnet de commandes de recherches, d'études de marché, etc. Ces unités, même si leur travail détermine le futur de l'entreprise et fait appel à des métiers intellectuels, ont bien à réaliser une œuvre : leur organisation relève bien d'une démarche « qualité totale », du respect des relations client-fournisseur internes, du respect du principe de subsidiarité. D'ailleurs, le technicien de recherche, le dessinateur de bureau d'études est bien dans l'exécution et le court terme.

Il y a donc bien, à notre avis, deux logiques d'organisation des structures. L'une vise à assurer la cohésion de l'entreprise, la coordination des unités de réalisation et la cohérence avec les facteurs externes qui conditionnent le futur de l'entreprise, son évolution, son adaptation au marché, sa capacité de faire face à la concurrence.

L'autre vise à favoriser l'autonomie des acteurs, la qualité totale des réalisations, l'efficacité dans le court terme et l'adaptation de moyen terme. La première colle davantage à la démarche « projet d'entreprise », la seconde davantage à la démarche « qualité totale ». Toutes les deux sont influencées par les facteurs déjà abordés : taille de l'entreprise, technologies, type d'environnement, culture des acteurs. Mais c'est le facteur temps qui détermine le point d'intersection de ces deux logiques d'organisation et ce moyen terme doit se situer entre trois mois et un an pour un très grand nombre d'entreprises. L'expérience montre qu'il y a souvent une corrélation entre la position de ce moyen terme et la taille de l'entreprise (moyen terme de quelques mois pour les plus petites, moyen terme d'un an, voire plus, pour les très grandes).

Dans tous les cas, les responsables des unités qui travaillent dans le court et le moyen terme sont associés d'une manière ou d'une autre à la réflexion prospective des dirigeants puisqu'ils auront à faire évoluer leur unité pour qu'elle s'adapte aux changements futurs de l'entreprise et qu'il est préférable qu'ils puissent anticiper le changement et ne pas y être contraints brutalement. Ce sont donc, pour les dirigeants, des hommes pivots dont la formation est capitale et avec lesquels la communication est essentielle dans la démarche « projet d'entreprise », alors qu'ils sont eux-mêmes les moteurs de la démarche « qualité totale », même si celle-ci touche d'abord les acteurs de base.

Pour poursuivre maintenant cette réflexion sur les structures, nous préciserons que nous n'aborderons pas les problèmes d'organisation des petites entreprises puisque le dirigeant de celles-ci ou ses collaborateurs directs sont eux-mêmes ces hommes pivots, participant à la réflexion stratégique et responsables de la réalisation. Pour ces hommes, le seul problème de structure est celui qui relève de l'organisation de la réalisation et qui sera abordé ci-après. Car pour ce qui concerne la prospective, la cohésion, la coordination, ils peuvent le faire eux-mêmes sans organisation complexe ; en fait, pour les dirigeants des petites entreprises, ce qui importe c'est essentiellement qu'ils se forcent à déléguer et à vivre dans un horizon qui dépasse le court terme, ce qui est une question de formation personnelle.

Nous allons nous étendre davantage sur l'organisation et les structures des moyennes et grandes entreprises.

LES MOYENNES ENTREPRISES

Il y a toutes sortes de moyennes entreprises et les regroupements en unités opérationnelles (court-moyen terme) peuvent être faits suivant différents critères, comme nous l'avons déjà vu. Nous appellerons moyenne entreprise une entreprise qui peut être subdivisée en un nombre de moins de 30 unités à forte autonomie, elles-mêmes d'une taille maximale inférieure à 300 personnes. C'est-à-dire qu'il s'agit d'entreprises dont la taille totale peut varier entre 500 et 8000 personnes environ.

L'unité opérationnelle de moins de 300 personnes présente beaucoup d'avantages ; elle est à taille humaine puisque son responsable peut connaître toutes les personnes et être connu de toutes. Elle peut toujours être structurée en trois niveaux hiérarchiques au-dessus de la base, ce qui veut dire que l'acteur de base n'a que deux niveaux de décision entre le chef de l'unité et lui-même. Une information donnée par un responsable hiérarchique à deux niveaux en dessous de lui réunis ensemble n'exige de rassembler que 20 à 40 personnes, ce qui permet le dialogue. Ceci fait que le chef de tribu peut être assuré de la bonne répercution d'une information jusqu'à la base en donnant l'information aux rangs 2 et 3 et en faisant répéter la même opération à ses collaborateurs directs, dans la foulée, pour leurs subordonnés de rang 3 et 4.

Cette taille humaine permet au chef de l'unité d'appliquer toutes les règles du jeu et procédures de l'entreprise dans l'esprit et non pas à la lettre. Elle est le lieu idéal de l'application d'une démarche « qualité totale », de la collaboration à chaque niveau des responsables hiérarchiques et des experts, de la structuration des relations client-fournisseur entre les unités intermédiaires et entre les acteurs eux-mêmes, du suivi personnalisé de la carrière de chaque acteur. On comprend pourquoi certaines entreprises moyennes se sont strictement interdit à elles-mêmes de faire grossir des sites d'activité au-delà de 250 à 300 personnes.

Revenons maintenant au nombre de ces unités qui est inférieur à la trentaine et disons pourquoi ce chiffre. C'est que cela correspond à peu près au nombre maximum d'unités que peut coordonner une équipe de dirigeants, elle-même structurée sur deux niveaux en tout, le directeur général de l'entreprise et ses collaborateurs directs hiérarchiques aidés de leurs hommes d'état-major, fonctionnels et experts. On voit que dans ces entreprises moyennes, l'acteur de base peut n'avoir que quatre échelons hiérarchiques entre le p.-d.g. et lui-même, ce qui est très raisonnable et permet à l'information de bien circuler. Cette structuration d'entreprise permet un bon équilibre entre le sentiment d'appartenance, la cohésion, la cohérence avec l'environnement, d'une part, et le sentiment d'autonomie, l'efficacité des acteurs, le respect de la qualité, d'autre part.

On est déjà une taille où la gestion prévisionnelle des ressources humaines permet à chaque acteur de pouvoir envisager de faire dans l'entreprise une carrière, de se savoir connu et reconnu, d'espérer à arriver à réaliser pour sa part une bonne intégration de son projet personnel dans le projet de l'entreprise. Malheureusement, trop fréquemment, des entreprises dont la taille se situe dans la fourchette que nous avons donnée, comptent beaucoup plus

d'échelons hiérarchiques que quatre entre le p.-d.g. et l'acteur de base. Cet excédent de niveaux hiérarchiques traduit le désir chez les responsables de divers niveaux de tout contrôler, de multiplier les procédures formelles, de diviser et de spécialiser de façon taylorienne ; il trahit un état d'esprit de méfiance, une inaptitude à affronter l'incertitude et le risque ; il conduit bien souvent à la bureaucratisation, à la démotivation de la base, à la sclérose, à la perte d'efficacité, à la baisse des résultats économiques. Les structures qui privilégient le petit nombre d'échelons hiérarchiques permettent d'atteindre déjà de belles tailles d'entreprises tout en respectant dans les unités opérationnelles des dimensions de communauté que l'être humain connaît depuis toujours :
- le groupe de base (c'est la taille d'une famille nombreuse) ;
- la bande (20 à 40 personnes avec 1 échelon hiérarchique intermédiaire) ;
- la tribu (120 à 300 personnes avec 2 échelons hiérarchiques intermédiaires).

Nous conseillons aux entreprises moyennes de les adopter.

LES GRANDES ENTREPRISES

Le problème des grandes entreprises est beaucoup plus complexe et traiter de leur structuration en quelques pages serait bien prétentieux ; nous nous en garderons bien. Il serait également simpliste de dire qu'une grande entreprise doit être la fédération de quelques moyennes entreprises et qu'on peut ainsi se ramener au problème précédent : ce serait omettre le cas d'entreprises qui ne font, par exemple, qu'un type de produit, exigeant des moyens lourds et un personnel nombreux, et qui ne peuvent pas être coupées en plusieurs moyennes entreprises. L'organisation du regroupement des acteurs dans les grandes entreprises fait apparaître que certaines unités dépasseront inéluctablement la taille de la tribu par suite de la lourdeur des moyens à mettre en œuvre et de leur rentabilité, cependant que le nombre des unités peut également dépasser très largement la trentaine.

Abordons d'abord le problème des unités ; nous disons bien des unités et pas des établissements parce que le problème des grands établissements abritant plusieurs unités de différentes natures (par exemple un centre de recherche, une unité de production, un bureau d'études, une direction commerciale) mais unités toutes à taille humaine, n'est pas bien difficile. Le responsable de l'établissement n'est en quelque sorte qu'un super-hôtelier disposant de quelques services communs pour loger des tribus différentes dotées chacune de son responsable et qui doivent se comporter comme d'honnêtes locataires vis-à-vis de leur propriétaire. Donc, nous voulons traiter d'unités ayant une fonction unique de recherche, de production, d'administration ou autre et dépassant très largement la taille de la tribu. Nous pensons, pour notre part, qu'il est judicieux de les structurer en sous-unités opérationnelles de taille inférieure à 300 personnes, agissant soit en parallèle soit en série avec des relations de client à fournisseur, avec les entités de type service comme maintenance, administration, services généraux ou autre. La direction de l'unité organise les relations entre les sous-unités, assure les nécessaires arbitrages, stimule ou assure les éventuelles mutations entre les différentes entités, mais laisse le maximum d'autonomie à leurs responsables. Nous avons pu expérimenter nous-même les bienfaits de ce type d'organisation et éprouver également les méfaits de la grande unité indifférenciée où les problèmes humains, notamment, ne peuvent plus être traités dans l'esprit et le sont donc d'une façon administrative et dépersonnalisée. Ceci prouve bien que la personnalisation des rapports est fondamentale, qu'elle passe par la taille humaine des sous-unités, par la qualité des chefs de tribu nommés à leur tête et par l'autonomie que sait leur laisser le responsable de la grande unité.

Supposons ce problème résolu, reste le problème de la cohérence, de la cohésion, de la coordination de toutes ces unités, établissements de production, centres de recherche, siège social, établissements situés à l'étranger, etc. On voit que toutes sortes de cas peuvent se poser :
– des entreprises qui n'ont qu'une activité (construction automobile par exemple) ;
– des entreprises qui ont plusieurs activités parentes (industrie chimique et parachimique par exemple) ;
– des entreprises qui ont des activités très diversifiées (groupes multiactivités).

Ces mêmes entreprises peuvent avoir implanté à l'étranger des succursales purement commerciales, des filiales plurifonctionnelles, des sociétés complètes dotées d'une quasi totale autonomie et ne rendant que des comptes financiers à leur holding. Enfin ces entreprises peuvent également amener à réaliser successivement de très gros projets s'étalant sur plusieurs années et coexistant éventuellement avec des activités permanentes ou ayant des relations de client à fournisseur avec de grosses unités fournisseurs de services, d'études, de sous-ensembles, etc.

L'organisation des structures des dirigeants des grandes entreprises mériterait à elle seule un développement qui n'entre pas dans le cadre de cet ouvrage. Nous nous bornerons, pour ce qui concerne les modes de regroupement, de conseiller la lecture de la deuxième partie de l'excellent ouvrage Stratégor*, consacrée justement aux problèmes de structure. Nous ajouterons quelques principes de bon sens :

– chaque fois, dans une entreprise de grande taille, qu'il est possible de filialiser une activité et de créer ainsi une entreprise de taille moyenne, il faut le faire ;
– chaque fois qu'on peut identifier clairement les relations de client à fournisseur entre divisions ou sociétés filiales, il faut en préciser les règles du jeu aux responsables concernés ;
– les structures sont au service de l'entreprise et non l'inverse, ce qui implique que les structures sont par nature évolutives, qu'il faut vérifier leur cohérence avec l'environnement (qui change) de façon à anticiper les crises liées à la dérive des structures par rapport à la réalité.

Ce dernier principe nous fournit une transition pour aborder, avant la fin de ce chapitre, une question qui ne peut être éludée : le choix d'un type de structure doit-il tenir compte des hommes présents dans l'entreprise ou à l'inverse, est-ce aux hommes de s'adapter aux structures choisies parce que les plus pertinentes pour la réalisation de la stratégie de l'entreprise ? Nous allons tenter d'y répondre.

DES STRUCTURES ET DES HOMMES

Quand on est jeune cadre, intelligent, vif et un peu... tigre, on a très vite fait d'accuser les grand chefs d'avoir bâti une structure pour caser un tel ou un tel parce qu'il est issu de la même grande école ou qu'il a démarré telle activité avec lui en 19... On affirme avec force que les structures étant faites pour le bien commun et le service de l'entreprise, elles ne doivent pas faire l'objet de considérations de personnes et qu'il y a d'autres manières correctes de régler le problème d'un tel. Il faut reconnaître que dans les grandes entreprises, ce reproche est parfois fondé et que la lâcheté, le copinage, voire la compromission, peuvent favoriser la mise en place de structures incohérentes avec la stratégie de l'entreprise.

Toutefois, l'expérience nous apprend parallèlement que l'on ne fait pas faire aux hommes ce que l'on veut mais ce qu'ils peuvent effectivement faire. Certes, la formation sur le tas ou dans les stages modifie les acquis et permet aux adultes d'étendre progressivement le champ ou le niveau de leurs activités mais à un instant donné, quand on a la responsabilité d'une unité, on est obligé de tenir compte du capital humain dont on dispose. Nous avons, certes, souligné que la stratégie que l'on mène oblige à certains changements de rôle, voire à un départ mais, sauf situation de danger grave, on ne change pas une équipe d'un seul coup en un temps limité. Chaque fois que l'on peut, il faut préférer le changement progressif et préparé à la situation de crise. Et puis il peut arriver que l'on pense à un type d'organisation assez nouveau, nécessitant un profil d'homme difficile à trouver sur le marché intérieur à l'entreprise ou extérieur parce que le rôle auquel on pense n'a jamais été tenu. Nous avons nous-même eu cette expérience et avons dû garder une structure classique qui a d'ailleurs très correctement fonctionné, sans avoir pu expérimenter celle à laquelle nous avions pensé et dont nous sommes toujours persuadé, avec le recul du temps, qu'elle eût été meilleure.

Autrement dit, sans tomber dans la compromission, on est souvent amené à faire un bon compromis. Entre une structure idéale où l'on place des hommes mal adaptés à leur rôle et une structure un peu moins satisfaisante à laquelle les hommes, en revanche, sont bien adaptés, le chef sage et expérimenté choisira la seconde voie, tout en s'efforçant de progresser avec l'équipe, en opérant peut-être, dès que cela sera possible, une ou deux mutations qui permettront de franchir l'étape souhaitée.

La structure donne un cadre formel au travail des acteurs de l'entreprise. Cette formalisation a un côté sécurisant. C'est pourquoi changer une structure a toujours pour les personnes un côté inquiétant. Quand on élabore une stratégie nouvelle au moins par certains aspects, il est préférable de ne pas commencer par changer les structures au nom de la logique. Communiquer d'abord pour connaître les hommes et faire connaître la stratégie, montrer par quelques actions que le mouvement est enclenché (« qualité totale ») et qu'il est positif pour tous, voilà qui prépare le terrain à des modifications progressives de structure. Prudence, pragmatisme et dialogue sont trois clefs de la réussite dans ce domaine délicat.

Résumé

Les changements de structure sont l'aboutissement d'une démarche stratégique de changement.

Les structures ne peuvent pas être mises en place avant que les hommes qui vont les animer n'y soient prêts.

Il y a toujours plusieurs manières d'organiser les communautés de travail étant donné la multiplicité des facteurs à prendre en compte et les corrélations qui les relient : type de technologie, nature de l'environnement, culture des acteurs, stratégie de l'entreprise, tempérament des dirigeants, capital humain présent dans l'entreprise.

L'organisation des unités de réalisation (court-moyen terme) privilégiera la taille de la tribu (moins de 300 personnes) et pas plus de 2 échelons hiérarchiques entre l'acteur de base et le responsable de l'unité.

L'organisation des structures de coordination des unités de réalisation peut revêtir des formes très diverses et utiliser de nombreux experts, fonctionnels et hommes d'état-major intégrés dans des équipes hiérarchiques à peu d'échelons, de façon à ce que la nécessaire intégration des unités ne réduise pas leur autonomie et, partant, leur adaptabilité et leur efficacité.

BIBLIOGRAPHIE

Stratégor : stratégie, structure, décision
COLLECTIF
Interéditions, 1988
(voir pages 308 et 309 l'excellente bibliographie sur les problèmes de structures)

Chapitre 18

LA FORMATION, VECTEUR DE LA STRATÉGIE

Depuis que le nouvel état économique s'est installé, le besoin de personnes bien formées s'est fait sentir de façon plus pressante dans les entreprises. Avant même l'essor de certaines branches industrielles nouvelles comme l'informatique où le perfectionnement permanent des collaborateurs est vital, des industries pourtant anciennes, comme la chimie, avaient eu le souci, dans les années 60, de recycler leurs cadres des centres de recherche pour leur éviter d'être dépassés par les progrès scientifiques. Le mouvement de la formation permanente s'amorçait tout doucement. Ce qui l'accentua fortement, avant le vote de la loi en 1971 qui lui donnait une existence légale et un caractère d'obligation, ce fut l'émergence des problèmes de gestion vers la fin des années 60. Jusque-là, dans beaucoup d'entreprises, on se contentait de pratiquer la gestion du tiroir-caisse, c'est-à-dire qu'on vérifiait la bonne santé de la trésorerie. Parallèlement, la comptabilité générale faisait son travail routinier qui lui permettait de satisfaire aux obligations légales, bilan, compte d'exploitation, compte de profits et pertes, etc. La plupart des entreprises n'avaient pas de comptabilité analytique, évaluaient leur prix de revient de façon « pifométrique » et n'avaient aucune idée de la rentabilité de leurs investissements.

Les nouvelles conditions économiques de la fin des années 60 obligèrent beaucoup d'entreprises à surveiller de près leur gestion ; dès lors que la concurrence se faisait pressante, il ne fallait plus seulement écouler la production mais être sûrs que les prix du marché permettaient encore d'avoir de la marge ; dès lors que l'argent devenait plus cher, que l'autofinancement n'était plus assuré pour tous les projets, il était capital de connaître la rentabilité de chaque investissement important. Peu à peu, le contrôle de gestion se mettait en place, ce qui impliquait non seulement l'engagement de spécialistes déjà formés, mais la formation d'une bonne partie de l'encadrement, chargée de tenir des tableaux de bord, de surveiller ses prix de revient, de faire des études de rentabilité avant de présenter un investissement à l'approbation de ses chefs. Ce n'est pas par hasard que le grand essor des écoles, dites de commerce, date de la même époque : ces écoles se sont développées surtout à cause de l'émergence des problèmes de gestion et très vite elles ont compris que la fonction permanente était également de leur compétence. Le marché du recyclage, du perfectionnement ou simplement de l'initiation des cadres à la gestion devait effectivement s'avérer considérable et raisonnablement rémunérateur.

Très rapidement - nous sommes alors dans les années 70 qui seront marquées, non seulement par le vote de la loi sur la formation permanente, mais par les deux premiers chocs pétroliers - deux nouvelles émergences vont faire augmenter l'importance de la formation ; d'une part, c'est l'essor des nouvelles technologies, d'autre part, l'avènement de l'économie de marché qui donne ses lettres de noblesse à la science du marketing, renouvelle profondément les méthodes de commercialisation et donne à la publicité une deuxième jeunesse et un nouveau visage. A peine plus tard, ce seront également la multiplication des produits financiers, la mondialisation des échanges, les problèmes de change qui obligeront toutes les entreprises à dépoussiérer leurs services financiers, à recycler leur personnel, à engager des jeunes cadres formés aux techniques les plus modernes. Aujourd'hui, ce ne sont plus seulement les cadres mais les techniciens, les agents de maîtrise, les employés et les ouvriers qu'il faut maintenir en permanence au niveau d'excellence dans leur métier. La formation professionnelle est devenue un élément important de la stratégie de l'entreprise puisque les technologies sont en évolution rapide, pas toujours prévisible, et que le bon niveau de technologie est indispensable pour arriver à servir et à fidéliser le client. L'industrie du textile utilise très largement, dans le prêt-à-porter, les techniques de CAO pour préparer ses collections. Les viticulteurs font des dosages bactériologiques, surveillent l'acidité de leur fermentation et régulent la température de celle-ci au demi-degré près. La télécopie se répand à toute allure car elle permet de répondre, par exemple, très rapidement à un appel d'offre. Nous pourrions multiplier les exemples montrant que la nécessité de professionnalisme, jointe à l'évolution rapide des techniques, a donné à la formation intiale, mais surtout à la formation continue, une importance stratégique.

Nous allons, au passage, faire une remarque, qui nous paraît capitale. Ce nouvel état économique, nous l'avons vu dès le deuxième chapitre de cet ouvrage, oblige les salariés à l'adaptabilité, ce qui interroge le système scolaire : ce dernier donne-t-il les bases, les méthodes d'apprentissage, les référents indispensables qui permettront ultérieurement d'accéder à de nouvelles connaissances ? Un de nos amis suggère qu'on réserve le terme de formation à cette transformation première d'une « mécanique cérébrale brute » en intelligence, consciente de ce qu'elle a appris et de la manière dont elle l'a appris, ce qui permet un transfert dans un domaine nouveau parce que tous les outils sont en place et intégrés dans le conscient. Tout le reste ne serait plus que de l'instruction, dont une partie pourrait toujours être acquise pendant la période scolaire mais dont la plus grande partie le serait en dehors de la période scolaire ou en alternance ; en tout cas tout au long de la carrière pour ce qui serait de l'ordre de l'instruction professionnelle. Notre ami, peut-être un peu pessimiste, pense que lorsqu'on a été mal formé, c'est pour la vie ! Il est vrai qu'il est plus difficile de se reformer à l'âge adulte si on a de mauvaises habitudes de pensée, des préjugés, des idées fausses ou toutes faites. Nous continuerons toutefois, pour ne pas troubler le lecteur, à conserver le terme de formation permanente, d'autant plus que par chance, si l'on peut dire, on s'aperçoit qu'il existe des adultes qui restent formables parce qu'ils n'ont pas été formés du tout. Ils ont reçu un peu d'instruction générale puis ont appris à faire un travail répétitif (par mimétisme) mais n'ont pas reçu de formation véritable, donc pas de déformation ! Avec de tels adultes, en utilisant des méthodes pédagogiques modernes, il est possible de donner les bases d'une véritable première formation, et à leur grande surprise, de leur faire utiliser des machines à commande alphanumérique par exemple (ne parlons pas de la surprise de leurs contremaîtres !). Ceci montre bien, d'une part, que notre ami est trop pessimiste mais, d'autre part, qu'il a raison en distinguant la formation de l'instruction, certes nécessaire mais seconde par rapport à la formation.

Mais revenons au caractère stratégique de la formation permanente au sens classique du terme. Si nous nous arrêtions à son aspect purement professionnel, nous n'envisagerions qu'un petit aspect de ses dimensions. Passons donc en revue les autres domaines qui la composent puisque nous les avons implicitement ou explicitement identifiés tout au long des pages précédentes.

- En dehors de la formation économique pointue des spécialistes (type contrôleur de gestion), ou de la formation économique des cadres techniques qui ont à chiffrer leurs projets, leurs prix de revient prévisionnels etc., il y a aujourd'hui un besoin de vulgarisation économique pour tout le personnel. Puisque les contraintes actuelles nous conduisent à faire de chacun un véritable acteur dans l'entreprise, il est évident qu'il est nécessaire que tout le monde ait un langage commun et des points de repère identiques pour pouvoir communiquer puis agir en connaissance de cause : tout, dans l'entreprise, a un coût.
- Mais un langage commun ne suffit pas pour communiquer, puisqu'en dehors de tout aspect technique ou économique, deux personnes parlant la même langue peuvent ne pas se comprendre du tout. C'est dire que la communication, dont nous avons vu tout au long de ce livre l'importance, est peut-être le domaine d'élection de la formation, particulièrement pour tous ceux qui exercent

un rôle de liaison (hommes d'état-major) et bien sûr en priorité pour ceux qui exercent le rôle de responsables hiérarchiques.

• Ceci nous amène à parler de la formation des chefs hiérarchiques. Stratégiquement, leur rôle est capital puisqu'ils sont les hommes de la négociation des interfaces, interface long terme-court terme, interface objectif-moyen, interface avec les experts, interface client-fournisseur avec les responsables d'autres unités, etc. Malheureusement, ils en découvrent trop souvent les aspects essentiels tardivement, à leurs dépens et livrés à eux-mêmes. Nous consacrerons donc, un peu plus loin dans ce chapitre, une rubrique particulière à ce sujet.

• Nous poursuivrons cette énumération en énonçant une évidence. Si la réussite de l'entreprise est liée à la réalisation de sa stratégie et si tout le personnel est amené à être un acteur de cette réalisation, il est indispensable qu'il y ait une formation à la stratégie de l'entreprise : c'est même stratégique ! Nous l'avons déjà dit implicitement en soulignant l'importance de la démarche « projet d'entreprise » qui est une opération de communication, et amène à la contribution des acteurs, à leur participation, à leur engagement. Nous pouvons attester que cela exige une formation d'accompagnement ; il serait judicieux d'appeler cela de la « formaction », puisque c'est une formation qui vise à pousser à l'action.

• De même, la démarche « qualité totale » fait appel à ce même type de formaction puisqu'il faut apprendre toutes les méthodes d'analyse d'insatisfaction (pour poser le problème), toutes les méthodes de résolution de problèmes (produire des idées de solutions, les transformer en réponses et faire des choix d'action) et donc compléter la formation à la rigueur et à la logique par la formation à l'analogie, à l'association d'idées, en bref à la créativité productive.

• Enfin, nous l'avons vu, l'importance de la gestion des ressources humaines fait que la formation de chacun à la connaissance de soi (qui aide à la connaissance des autres) devient de plus en plus importante. Notre grand gisement de productivité, ce sont les hommes : des hommes acteurs, donc bien positionnés dans l'entreprise. Or l'implication des acteurs est primordiale puisque l'homme est un être doué de libre arbitre, ce qui demande un minimum de formation à la conduite de sa propre carrière.

Au terme de cette petite revue, certainement pas exhaustive, nous avons ajouté aux domaines nombreux de la formation technique, professionnelle, plusieurs domaines qui seront tous des vecteurs de la stratégie de l'entreprise : la vulgarisation économique, la communication interpersonnelle, la formation au rôle du chef hiérarchique, la formation à la stratégie de l'entreprise, la formation à la recherche de la qualité totale, la formation à l'optimisation de la ressource humaine (en commençant par soi). Cela suffit à affirmer que la formation, en tant que partie de la fonction « ressources humaines », confirme bien le rôle stratégique de ladite fonction. Réciproquement cela veut dire que la direction de l'entreprise doit introduire en bonne place le chapitre formation dans sa stratégie. Nous voyons trop de directions d'entreprises se donner bonne conscience en donnant un budget à dépenser à un service formation complètement déconnecté de la démarche stratégique de l'entreprise. Au mieux, le service formation répond parfaitement à toutes les demandes de formation technique individuelle collective, émises par les acteurs ou par leurs chefs ; au pire il dépense l'argent en formation bidon ou formation « sucette », destinées à favoriser la contention des conflits dans le jeu à deux (ce qui pérennise ce jeu à deux). Mais il peut y avoir plus grave, c'est que le responsable du service de formation se fasse son idée de ce que doit être une formation stratégique, notamment en matière économique ou humaine, qu'il la mette en route (en général au niveau ouvrier et/ou contremaître) et qu'il déclenche la révolution culturelle en allumant un brûlot sous le siège des cadres hiérarchiques, ceci avec une bonne volonté évidente, une perspicacité remarquable lui ayant permis de détecter... ce que la direction générale aurait dû initier ! Force est de reconnaître que cela se termine plus souvent mal que bien.

Il est donc préférable de prendre les choses dans l'ordre. La formation est aujourd'hui affaire de direction générale (de direction d'établissement très autonome), elle a un caractère stratégique. La fonction « ressources humaines » jouera donc dans ce domaine les trois rôles fonctionnels qu'elle a à jouer :

- inspiration-stimulation
- conseil
- expertise

Comme toujours la décision d'action appartiendra à la hiérarchie mais l'action aura pu être inspirée par le fonctionnel. Il lui appartiendra de conseiller les hiérarchiques quand il y aura des choix à faire (d'intervenants, de programmes, de priorités, etc.). Enfin, une entreprise de taille suffisante aura intérêt à disposer d'experts, notamment en ingéniérie pédagogique, c'est-à-dire d'hommes capables de bâtir eux-mêmes un cahier des charges détaillé pour une formation, voire le programme du stage lui-même. Dans une petite entreprise, il peut n'y avoir qu'un fonctionnel auprès du directeur général, qui jouera tous les rôles, tant dans le domaine de la formation que dans ceux de la gestion prévisionnelle des emplois, de la gestion individuelle des acteurs, de la politique de rétribution, des relations sociales, etc. L'essentiel est que le problème de la formation soit pris en compte au sommet.

Dans une grande entreprise, il est souhaitable qu'il y ait à la fois un fonctionnel au sommet, associé à la démarche stratégique de l'entreprise, et des fonctionnels dans les différentes unités pour l'application de cette stratégie. La philosophie doit être la même mais l'application doit être décidée sur le terrain par le directeur local, conseillé par son expert. Au fonctionnel du sommet de se montrer influent par ses qualités propres et avec l'appui de sa direction générale. Malheureusement, ce qui s'est passé en fait dans beaucoup d'entreprises de taille importante, c'est qu'il s'est créé un service de formation, opérationnel, qui a commencé par s'occuper de la formation professionnelle de la base, notamment de la formation des ouvriers dans les industries consommatrices de main-d'œuvre. Le service avait ses propres formateurs, montait les stages avec l'appui des services techniques et constituait peu à peu un catalogue important de stages : le personnel, selon son emploi et sa catégorie, était désigné pour un certain nombre de stages, programmés tout au long de sa vie professionnelle. Une routine s'installait, la qualité des stages était inégale, la motivation des stagiaires faible. Quand il s'agit de passer à un autre type de formation, soit que le niveau technologique de l'entreprise fasse un bond, soit que la demande de formation, venant de la direction ou des acteurs, change de nature (formation humaine, formation au rôle hiérarchique, formation à la créativité), il faut d'autres compétences comme la capacité d'expertiser une offre de service extérieure ou celle de faire un cahier des charges détaillé pour faire des appels d'offre. Les entreprises, confrontées à cette mutation, ont en général su appeler de l'intérieur ou de l'extérieur de nouvelles personnes pour les mettre à la tête de la formation mais le poids du passé les a empêchées de situer la formation au niveau stratégique : l'image de la fonction était trop dévalorisée.

Aujourd'hui normalement les services de formation devraient voir leur personnel permanent diminuer car la sous-traitance doit être la règle pour de multiples raisons : concentration sur les métiers propres à l'entreprise, mise en concurrence des fournisseurs, diminution des frais fixes que l'on est parfois tenté de rentabiliser en montant des stages pour utiliser les locaux et les formateurs, etc. Cela demande en revanche une montée très nette du niveau culturel des fonctionnels de formation, une crédibilité de ceux-ci vis-à-vis des chefs hiérarchiques et un vrai professionnalisme, non pas de pédagogue, mais d'expert en ingéniérie pédagogique et d'acheteur de formation, ce qui n'est pas si fréquent.

Supposons que cette condition soit réalisée et que, dans le domaine de la formation, les fonctionnels « ressources humaines » soient crédibles, il ne reste plus qu'une chose à faire pour montrer l'importance stratégique de la formation : que la direction générale l'affirme hautement et montre, par sa présence régulière à l'ouverture ou à la clôture d'un stage, ou en venant passer une soirée avec les stagiaires, qu'elle se sent engagée par l'action de formation. Elle peut faire encore mieux et suivre elle-même une formation avec son équipe de collaborateurs directs. Cela se voit de plus en plus fréquemment et nous avons, pour notre part, formé le p.-d.g. d'un des plus grands groupes industriels français actuels, il y a quelques années lorsqu'il était p.-d.g. d'une importante filiale du même groupe : il avait tenu à faire le même stage que tous ses directeurs et chefs de service, ce qui donne un superbe exemple et crédibilise la formation.

En définitive, la démarche de changement que nous avons décrite dans cette troisième partie donne à la direction générale de l'entreprise le fil conducteur d'une stratégie de formation, mise au service de la stratégie de l'entreprise. Les grandes priorités qui en ressortent vont permettre de fixer les domaines professionnels où l'entreprise veut rester au top niveau, ce qui induira :
- une réflexion prospective sur les emplois de l'avenir ;
- une étude du potentiel actuel de la population ;
- une mesure d'écart entre le souhaitable et le réel ;
- des décisions d'action en termes de recrutement de carrière et de formation.

Voilà pour le caractère stratégique du volet professionnel de la formation. Mais ce même avant-projet fixera les devoirs de l'entreprise envers des clients et ses épargnants, ce qui induira finalement la démarche « qualité totale » ; celle-ci implique :
- une formation économique pour tous
- une formation à la créativité, à la recherche de solutions, à l'analyse des problèmes

Cet avant-projet va descendre par la démarche « projet d'entreprise ». Celle-ci implique :
- une formation à la communication
- une formation aux démarches participatives

Parallèlement s'élabore, par incrément successif, la charte de management qui engagera tous les responsables hiérarchiques. Excellente occasion de déclencher une formation au management couplée avec la production d'éléments de charte (« form-action »).

Et dès qu'on lance la gestion individualisée des ressources humaines, on lance la formation à la connaissance de soi et à l'entretien d'évaluation.

Autrement dit, la conduite du changement, telle que nous l'avons décrite, permet de lancer toutes les actions de formation importante en montrant leur caractère stratégique et d'amener tout le personnel à s'engager dans la formation comme dans une action, importante puisqu'elle va améliorer sa manière de travailler, diminuer les dysfonctionnements et faire largement regagner le temps qui y aura été consacré. La formation n'est plus alors du temps perdu mais du temps investi, ce qui veut dire que cette formation doit se rentabiliser en un temps raisonnable, ce qui obligera les fonctionnels de la formation à fixer des objectifs et à mesurer des résultats : enfin de la pédagogie par objectif ! Nous donnerons en annexe à ce chapitre des exemples de « form-action » à caractère stratégique pour illustrer nos propos.

Avant de terminer ce chapitre, nous allons consacrer un peu de place au problème de la formation des chefs hiérarchiques opérationnels, depuis le premier niveau de commandement juste au-dessus de la base (base qui peut être composée aujourd'hui de Bac + 2, voire de diplômés des universités ou des grandes écoles dans les services qui élaborent des « produits » de matière grise, recherche-développement, bureaux d'études, informatique, etc.), jusqu'au niveau de direction des établissements ou unités (de réalisation) qui sont en contact régulier avec la direction de l'entreprise et ses collaborateurs directs. Il s'agit là normalement de trois (ou à la rigueur quatre dans les grandes entreprises) niveaux véritablement différents, en termes de valeur ajoutée, de responsabilité hiérarchique. A notre avis, il est nécessaire, précisément pour se former, de les gravir l'un après l'autre, ce qui montre le grand danger qu'il y a à embaucher les jeunes diplômés de l'enseignement supérieur dans les états-majors des sièges sociaux où ils vont se déformer plutôt que se former. Avant trente-cinq ans, un passage dans un état-major ne devrait pas excéder une durée de deux ans et, en tout cas, pas comme premier poste à la sortie de l'enseignement supérieur.

Revenons donc à la formation de nos trois ou quatre niveaux de responsabilité hiérarchique ; ces niveaux s'étalent, en termes de convention collective, de celui de l'agent de maîtrise le plus bas jusqu'à celui de cadre supérieur dernier échelon (rang de directeur d'unité ou d'établissement) et pourtant, même si leur bagage d'instruction peut être extrêmement différent, du CAP au Bac + 8 et au-delà, les intéressés doivent avoir un fonds commun de formation en vue de pratiquer les mêmes règles du jeu. C'est dire que cette formation doit s'intégrer à la vie et qu'elle doit être transmise par le niveau immédiatement supérieur en même temps qu'enseignée, si l'on peut dire, par des formateurs d'un type spécial. En effet donner cette formation au commandement implique d'avoir été soi-même un homme de terrain puis d'avoir pris du recul pour structurer son expérience. Mais la formation sur le tas, guidée par le supérieur hiérarchique direct, est essentielle et sa cohérence avec la formation conceptualisée doit être totale.

Nous l'avons déjà dit, dans le chapitre consacré au rôle de la hiérarchie (*dans la deuxième partie de cet ouvrage*), diriger des hommes est tout autant, sinon plus, de l'ordre du savoir-être que du savoir-faire ou du savoir tout court et le savoir-être relève de l'éducation plus que de la formation au sens classique du terme. Mais cette éducation, si elle s'adresse au cœur et à la volonté, concerne également l'intelligence qui doit se faire une représentation, la plus juste possible, du rôle du chef hiérarchique. Nous en concluerons donc que l'on se forme au commandement, en exerçant la responsabilité hiérarchique sur une équipe d'hommes, en étant formé et éduqué sur le tas par son propre supérieur, en formant conceptuellement son intelligence à la compréhension claire de son rôle. Il existe des stages de formation conceptuelle au commandement pour tous les niveaux de culture et pour tous les niveaux hiérarchiques (de l'agent de maîtrise au directeur d'unité ou d'établissement) mais chaque personne qui y assiste devrait y être envoyée par son chef direct après un solide dialogue sur le fond portant sur les objectifs de la formation, sur les progrès que l'on escompte pour l'exercice du rôle hiérarchique par le subordonné et sur le contrôle régulier des performances du subordonné en termes d'animation de son équipe.

On parle beaucoup de culture d'entreprise et il est vrai que chaque entreprise a une identité culturelle liée à ses technologies dominantes, à ses métiers mais aussi à son histoire, aux hommes qui l'ont marquée et dont les comportements, même les plus grotesques, ont parfois été copiés. Il ne faudrait pas en déduire que la culture d'entreprise est quelque chose de figé. Même si les Gaulois ont gardé des traits caractéristiques (que l'on peut lire dans *La guerre des Gaules* de Jules César), la France d'aujourd'hui diffère notablement de celle de l'avant-guerre. De même, une entreprise, sans perdre son identité profonde, peut évoluer progressivement dans sa culture. Or aujourd'hui, dans les conditions du nouvel état économique, il apparaît bien que la contribution active du personnel, sa transformation en acteur est l'élément crucial de la survie des entreprises. Parallèlement, la notion de responsabilité reste plus que jamais incontournable dans un univers incertain. La clef de la survie réside donc dans la capacité des hiérarchiques à diriger des acteurs à part entière ; en conséquence, s'il y a un domaine où la culture de l'entreprise doit évoluer, c'est bien celui-là : la conduite du changement passe par un changement culturel de toute l'entreprise sur la philosophie du commandement. L'entreprise moderne tracera son chemin en évitant à la fois le conservatisme du commandement taylorien et les déviances induites par une consommation exagérée de sciences humaines mal digérées et... vendues très cher par des demi-intellectuels n'ayant généralement jamais mis les pieds dans l'entreprise.

Alors, quels sont les messages importants à faire passer par la formation sur le rôle du chef hiérarchique ? C'est ce à quoi nous allons maintenant tenter de répondre.

La fonction d'intégration

L'union fait la force. L'unité que dirige le chef doit être intégrée à la communauté. Son autonomie d'action est finalisée par la vision long terme des dirigeants, leur philosophie de l'entreprise et les projets dont ils assument la responsabilité. A chaque niveau, le chef hiérarchique est le gardien des finalités, le responsable de la cohérence avec « au-dessus » et de l'esprit d'équipe avec les unités « d'à côté ». Il a bien sûr le devoir de réagir à ces impulsions, venues d'en haut, et de chercher à les infléchir, si, en conscience, elles lui paraissent erronées, mais dès qu'il y a eu décision au-dessus, il faut jouer le jeu ou s'en aller. L'intégration, précisons-le bien, n'est pas antinomique de l'autonomie et le chef hiérarchique, en étant promoteur de cette intégration, reste le défenseur de l'autonomie de son unité : la vérité est toujours dans l'union des contraires et c'est le genre de message qu'il faut faire passer à des hommes souvent formés à la rationalité pure et dure.

La fonction d'animation

Une équipe doit être vivante, composée d'acteurs qui ont chacun leur rôle, leur personnalité, leurs points forts et leurs points faibles. Cette équipe doit vivre dans la cohésion et dans le respect de l'autonomie de chacun. Une coordination étroite briderait l'autonomie, pas de coordination conduirait à l'éclatement. Faire travailler régulièrement en équipe, sans que cela ne devienne une contrainte insupportable, favoriser les débats et les confrontations en interdisant les conflits de personnes, mettre à disposition les informations importantes sans noyer les équipiers, stimuler la coopération des acteurs à leur initiative, rester disponible à leur demande d'inclure leur chef dans leur démarche de réflexion, c'est tout cela animer et c'est un deuxième message important à faire passer aux responsables hiérarchiques.

La fonction de développement et de gestion des ressources humaines

Nous en avons suffisamment parlé dans le chapitre qui lui est consacré. Disons simplement que les éléments que nous avons soulignés doivent faire partie de la formation des chefs hiérarchiques, ce qui suppose à la fois de la vulgarisation, des études de cas et des jeux de rôles.

La fonction de négociation

C'est, dans la nouvelle donne économique et sociale des entreprises, une fonction quasi permanente de la hiérarchie, négociation de la délégation, des couples objectifs-moyens (vers le haut et vers le bas), capacité à trouver un bon compromis, négociation des relations client-fournisseur, négociation des mutations et mouvements de personnel, négociation avec les experts, etc. Tout ceci implique une formation à distinguer l'essentiel du contingent, à unir la souplesse et la fermeté, et là encore, étude de cas et jeux de rôle rendent les plus grands services, de même qu'une vulgarisation sur la polémologie, le jeu de go, etc.

La fonction de décision

Cette fonction implique la formation à la délégation car la première chose est évidemment de savoir décider que de ce qui est de son niveau. Pour ceci, nous renvoyons donc le lecteur au chapitre que nous avons consacré à la délégation. Reste à décider ce qui doit être décidé par le chef. En dehors de l'indispensable formation sur le tas, avec le rôle de guide de son propre supérieur, il y a une formation à la décision qui est l'apprentissage de la synthèse, de la gestion d'un système complexe (éléments techniques, économiques et humains, rôle du facteur temps, relations verticales et horizontales, rationalité et irrationalité, etc.). Reste enfin à convaincre, à expliquer, à faire en sorte que les subordonnés s'approprient la décision ou, tout au moins, l'acceptent loyalement comme une contrainte incontournable. La formation sera de l'ordre de la méthodologie (avec études de cas) et des jeux de rôles.

La fonction de contrôle

Nous en avons parlé dans le chapitre relatif à la délégation. Le problème est de bien « vendre » l'acte de contrôle pour qu'il soit vécu de façon positive, comme un facteur de sécurité, de progrès potentiel, de valorisation, comme c'est le cas au théâtre où la réaction du public et des critiques spécialisés peuvent permettre au metteur en scène et aux acteurs d'améliorer progressivement la qualité du spectacle, et donc à la pièce de durer. Là encore, méthodologie, étude de cas et jeux de rôles, se combinent pour une bonne pédagogie.

Pour la formation à ces fonctions humaines du chef hiérarchique, hors perfectionnement dans les domaines technico-économiques, on voit la part importante des méthodes actives qui renforcent et permettent d'assimiler l'apport conceptuel indispensable. Il s'agit bien de « formaction » et c'est l'usage indispensable de ces méthodes actives qui oblige à regrouper dans les stages les stagiaires par niveau de responsabilité puisque les cas doivent prendre en compte, en montant, la complexité croissante et la prise en compte de plus en plus importante du long terme. Mais la philosophie générale, le rappel des aspects éthiques du commandement, par exemple, ou la nécessité de faire des hommes des sujets de l'organisation et non des objets, sera la même de l'agent de maîtrise au directeur d'unité, quel que soit également le domaine : recherche, production, commerce, administration, etc.

La formation est aujourd'hui un des grands vecteurs de la stratégie de l'entreprise, un facteur important de l'évolution de leur culture interne en vue de s'adapter aux nouvelles donnes économiques, technologiques et sociales. En lui consacrant un chapitre particulier dans cette troisième partie, nous espérons lui avoir redonné sa place dans la conduite du changement.

Résumé

La formation a pris désormais une importance stratégique pour les entreprises, compte tenu de la vitesse d'évolution des technologies, des exigences du client et de la nécessité d'impliquer tout le personnel de l'entreprise.

La formation doit accompagner, voire précéder, l'action dans la réalisation de la stratégie des entreprises et doit donc être intégrée à la réflexion stratégique.

La démarche « projet d'entreprise » permet de souligner l'importance et de la positionner en temps et en lieu dans la conduite du changement.

La formation des chefs hiérarchiques en est le pivot le plus important et doit favoriser l'unité et le sentiment d'appartenance, ce qui permet de laisser aux acteurs le maximum d'autonomie.

BIBLIOGRAPHIE

Où va la formation des cadres ?
LE BOTERF G.
Les Éditions d'Organisation, 1985

La formation : atout stratégique pour l'entreprise
MEIGNANT A.
Les Éditions d'Organisation, 1986

Un exemple de formation suivie par tous les cadres appelés à exercer un rôle de chef hiérarchique

(Entreprise industrielle de construction mécanique de plusieurs milliers de personnes)

Module 1 (3 jours)
Les changements économiques et sociaux
La place de l'homme dans la stratégie de l'entreprise
L'importance de la communication (apport théorique et entraînement pratique)

Module 2 (3 jours)
Organisation du temps personnel
Maîtrise du stress
Motivations des hommes

Module 3 (2 jours)
Méthodologie de la prise de décision
Mode de management

Module 4 (2 jours)
Entraînement à la conduite des entretiens individuels

Module 5 (2 jours)
Entraînement à la conduite de réunions et aux méthodes de créativité

Module 6 (3 jours)
Organisation du travail d'une équipe

Module 7 (variable)
Conférences-débats sur l'environnement social, culturel, politique, syndical, international, etc. de l'entreprise.

CONCLUSION DE LA TROISIÈME PARTIE

Au terme de cette troisième partie, nous percevons que la conduite de l'entreprise moderne, si elle nécessite souvent dans nos entreprises une inflexion nette des anciennes pratiques de management, ne réside pas dans l'application d'une méthode rationnelle infaillible. Nous comprenons également que la démarche de changement, initiée à un moment de la vie de l'entreprise, est une démarche permanente, pragmatique, attentive tant à l'évolution de l'environnement qu'à celle des hommes qui se développent et se renouvellent. Il n'y a pas UNE démarche projet d'entreprise car le projet d'entreprise évoluera lentement mais sûrement. La stratégie de l'entreprise se modifiera plus fréquemment encore sous l'influence du marché, de la concurrence, des progrès technologiques et grâce à la contribution créatrice des salariés. La démarche « qualité totale » est constante car la satisfaction du client ne supporte pas de lacunes et la fidélité de l'épargnant est liée à la rigueur de la gestion à tous les niveaux.

Mais quels que soient l'opiniâtreté du chef d'entreprise, ses facultés d'anticipation, son réalisme, son aptitude à piloter à son niveau un système complexe, il ne pourra rien s'il n'est pas en communion d'esprit avec un ensemble de responsables hiérarchiques d'un nouveau type. Ces chefs modernes, dont l'entreprise a le plus grand besoin, à la détection desquels elle doit consacrer beaucoup d'énergie, à la formation desquels elle doit s'attacher prioritairement, ont tous été des hommes de terrain et de métier mais ils ont révélé leur aptitude à dépasser le court terme, à supporter l'incertitude, à gérer la complexité, à communiquer avec les hommes, à les unir, à déléguer les pouvoirs, à encaisser les coups durs, à rebondir après les échecs. Ce sont eux qui permettront l'éclosion des acteurs à tous les niveaux et qui sauront mettre en valeur les grands solistes que sont souvent les experts de pointe exigés par le nouvel état technologique. C'est pourquoi la fonction humaine, trop longtemps marginalisée ou même négligée, prend tant d'importance dans l'entreprise moderne, particulièrement dans ses volets formation et gestion prévisionnelles des ressources humaines.

Dans la première partie, nous avons vu quelles exigences faisait peser, en matière de qualités humaines, l'évolution technico-économique de l'environnement sur les entreprises. Nous avons présenté comme un défi pour l'entreprise la nécessité de transformer en acteurs, performants et créatifs, une population qui se présente sur le marché du travail ou qui est déjà au travail sans avoir été préparée aux changements inéluctables de comportement. Mais peut-être l'entreprise a-t-elle un rôle à jouer pour participer à la transformation de la société elle-même et prendre ainsi le problème à la racine ? C'est la réflexion que nous allons maintenant ébaucher avant de conclure cet ouvrage.

Quatrième partie

L'ENTREPRISE CITOYENNE

INTRODUCTION

Nous avons, dans la première partie de ce livre, montré que l'entreprise était amenée à changer ses modes d'organisation et de management par suite des bouleversements techniques, économiques et sociaux survenus dans les trente dernières années. Nous avons implicitement évoqué la part qu'elle avait elle-même prise à cette évolution par la création de nouveaux biens et services, moyens d'information de masse, transports rapides et économiques, produits de santé et de loisirs, etc. On sait également que l'entreprise peut jouer et joue déjà un rôle important dans le maintien ou la destruction de notre écosystème, qu'elle est, comme toute activité humaine, potentiellement polluante et capable également de prévenir ou de combattre la pollution. Elle est bien évidemment créatrice d'emplois, tout en contribuant à faire disparaître certains métiers et à en faire naître de nouveaux. Elle est usagère des services créés par la cité pour le bien des citoyens et contribue donc à leur financement. Elle est consommatrice et productrice de formation, d'informations, de biens sociaux et culturels.

En résumé, l'entreprise est une cellule de société, en interaction avec le système complexe qui l'entoure. Système elle-même, nous l'avons vu, dans son fonctionnement interne, elle est cellule d'un système externe avec lequel elle entretient des rapports complexes. Nous n'aurons pas la prétention d'approfondir le rôle de l'entreprise dans la société mais simplement d'évoquer quelques aspects, parmi les plus importants, de corrélations entreprise-société - celles de l'entreprise avec la famille, avec l'école, avec la cité - Nous évoquerons ensuite le problème de la vie internationale des entreprises qui prend de plus en plus d'importance, compte tenu de la mondialisation des échanges.

L'ENTREPRISE ET LA FAMILLE

L'entreprise n'entretient pas de lien direct avec la famille, sauf exception. Certes elle est soumise à la contribution des allocations familiales, elle doit respecter certaines lois, relatives par exemple au congé parental d'éducation ; elle accorde certains congés pour les événements familiaux, tels que deuil, mariage ou naissance, mais tout s'arrête là. La législation semble s'être davantage préoccupée de faire reconnaître l'égalité de la femme, considérée en tant qu'individu, notamment au plan des rémunérations, que de faire en sorte que le rôle de la famille, cellule éducative, soit préservé. Les mouvements familiaux se sont eux-mêmes relativement peu intéressés au monde professionnel et les grandes centrales syndicales, hormis la CFTC, n'ont guère défendu vis-à-vis de l'entreprise, le point de vue familial. Tout se passe un peu comme si ces deux cellules de société n'avaient que peu de choses en commun.

Or si l'on examine attentivement leurs interactions, on constate qu'un certain nombre de corrélations existent entre les facteurs qui affectent l'existence de l'une ou de l'autre. Nous en évoquerons trois.

Première corrélation : la consommation et la démographie. Cette corrélation est évidente et certaines branches industrielles (jouet, textile, ameublement, etc.) ont particulièrement pâti de la chute de la natalité qui a commencé en 1963 et s'est stabilisée dans les trois dernières années. Plus généralement, la diminution du marché intérieur rend plus difficile l'obtention de prix de revient compétitifs sur le plan international. Enfin une population qui vieillit génère moins d'entrepreneurs et risque de se préoccuper davantage de conserver les acquis que de créer des richesses.

Deuxième corrélation : l'éducation et la formation professionnelle. Cette corrélation est moins évidente mais elle est réelle. L'acquisition d'une formation professionnelle demande, certes, l'acquisition d'une instruction de base mais également la volonté de travailler, la capacité d'écouter, le respect de l'expérience des aînés, l'habitude de la persévérance, etc. Les liens avec l'éducation familiale sont tels, que certains artisans se refusent désormais à prendre un apprenti s'ils n'ont pas eu un contact très sérieux avec la famille.

Troisième corrélation : la vie familiale et les rythmes de travail. Il y a problème quand les deux parents travaillent car les aménagements d'horaires ne sont pas toujours favorisés par les entreprises ni par la législation, et le suivi des enfants en pâtit bien souvent. L'expérience montre pourtant qu'un horaire aménagé, par exemple sur la base de 2/3 du temps légal, permet à celui des parents qui en bénéficie de jouer son rôle professionnel sans mauvaise conscience parentale et *vice versa.* Les deux cellules de société en sortent gagnantes ; la famille pour ce qui concerne l'éducation des enfants notamment, l'entreprise grâce à la diminution de l'absentéisme et à une productivité souvent meilleure. Le travail à feu continu, notons-le également, a causé bien souvent de graves troubles à la cellule familiale sans que les syndicats ne cherchent à obtenir pendant longtemps autre chose que des compensations financières.

Pour toutes ces raisons, il nous paraît évident que la politique sociale d'un pays civilisé ne peut s'arrêter au « fonctionnement », c'est-à-dire aux assurances maladie-chômage-vieillesse. Il est nécessaire que son volet « investissement » soit à la hauteur des enjeux : « l'investissement » c'est tout ce qui permet aux futurs actifs de naître et d'arriver à l'âge adulte éduqués et pas seulement instruits. En bref, il faut au pays développés une politique familiale audacieuse et stimulante (comme la Suède vient de s'en doter), pour éviter le vieillissement de la population, la mort du dynamisme créateur et le désespoir d'une jeunesse qui ne se sent pas accueillie.

L'ENTREPRISE ET L'ÉCOLE

Le monde de l'entreprise se préoccupe de plus en plus de la question de la formation. Paradoxalement, la montée du chômage ne permet pas de trouver facilement à embaucher, car les professionnels qualifiés font défaut dans de nombreuses branches (bâtiment, mécanique, etc.) et les formations correspondantes sont insuffisantes, inadéquates ou boudées selon les cas.

L'orientation des jeunes se fait trop souvent par l'échec et l'ignorance du plus grand nombre est considérable sur le contenu réel des métiers, leur perspective d'avenir et les satisfactions que procure leur exercice. Il est clair que la formation professionnelle doit évoluer, assurer une instruction de base (niveau du certificat d'études de 1945 par exemple plus l'anglais courant lu et parlé), une ouverture culturelle et les savoir-faire d'aujourd'hui, ce qui implique des échanges entre professionnels et professeurs, des formules d'alternance et une collaboration étroite en vue de réguler les flux d'élèves, établir le contenu des prérequis et bâtir les modules pédagogiques adaptés.

Parallèlement, le rapprochement des entreprises et des établissements scolaires permettrait de construire, comme chez nos voisins allemands, un enseignement en alternance pouvant conduire les jeunes du niveau d'ouvrier qualifié jusqu'à celui d'ingénieur, au sens anglo-saxon du terme, pour les plus performants, en passant par celui de technicien.

Ceci nécessiterait des structures allégées dans le système scolaire, une grande vitesse d'adaptation au niveau des établissements, une participation importante des entreprises et la reconnaissance de leur rôle formateur. Un certain nombre d'expériences en cours montrent que les esprits évoluent dans le bon sens, tant du côté des chefs d'établissements scolaires que du côté chefs d'entreprises ; mais le chemin à parcourir est long : il reste à améliorer les outils d'orientation des jeunes, les méthodes pédagogiques, la mesure des évolutions des emplois et des métiers, la formation des maîtres de stages dans les entreprises, etc. On peut mesurer l'erreur qui a été faite en n'utilisant pas une partie des préretraités comme maîtres de stages, plutôt que de les renvoyer chez eux avec interdiction de travailler. De même, on peut déplorer que les échanges de personnes entre entreprises et établissements scolaires soient encore si peu nombreux. Tout le monde sait pourtant le profit qu'ont pu tirer les enseignants d'un passage en entreprise et les techniciens et cadres d'entreprises d'un passage dans l'enseignement. Mais cela nécessite un assouplissement de certains règlements administratifs peu adaptés et probablement des aménagements fiscaux pour les entreprises qui accepteraient de jouer un rôle significatif dans la formation.

L'ENTREPRISE ET LA CITÉ

La question de la fiscalité, évoquée au paragraphe précédant, montre bien que, d'une certaine manière, tout est politique même si les rapports entre la sphère politique et la sphère économique sont soumis au sage principe de subsidiarité. En effet le principe de subsidiarité n'est pas le « laisser-faire » du libéralisme absolu, pur et dur. S'il exprime que tout ce qui *peut* être fait par les corps intermédiaires, sans ingérence des pouvoirs publics, doit l'être pour préserver l'autonomie légitime et l'efficacité de ces cellules de société ainsi que la liberté et la créativité des personnes, il ajoute que le pouvoir du niveau supérieur (en l'occurrence le politique) *peut* jouer un rôle de suppléance en cas de défaillance des corps intermédiaires (de façon provisoire) et *doit,* en tout cas, jouer totalement le sien, c'est-à-dire garantir le respect du droit et favoriser toutes les solidarités nécessitées par l'époque.

En France, l'Etat a longtemps joué, appuyé sur une administration puissante et une réglementation pléthorique, un rôle abusif vis-à-vis de l'entreprise. L'arrivée du nouvel état économique, dans un premier temps, et l'alternance politique, dans un deuxième temps, ont contribué à la clarification des rôles. Ceci dit, la montée peut-être trop rapide du SMIC a contribué à augmenter le chômage, à instituer le RMI pour en atténuer les effets et à multiplier les parkings à chômeurs (stages qui ne conduisent pas à l'emploi, postes très provisoires dans les administrations, etc.). Beaucoup d'hommes politiques admettent intellectuellement qu'une entreprise doit s'adapter et qu'un site industriel peut disparaître, sauf s'il se situe dans leur circonscription ! En outre, les échéances électorales qui se succèdent à rythme trop saccadé ne favorisent pas la vision à long terme : trop de mesures sont prises à la va-vite, cherchent à corriger des effets plutôt qu'à s'attaquer aux causes, à enrayer une chute dans les sondages plutôt qu'à redresser l'économie du pays.

Parallèlement, de trop nombreuses entreprises ne se comportent pas en bonnes citoyennes, maltraitent l'environnement, utilisent certaines dispositions légales en en dévoyant totalement l'esprit et justifiant, par leur attitude, les survivances d'un étatisme qu'on aurait cru à tout jamais répudié par les esprits de notre temps. Le libéralisme au court terme, individualiste et matérialiste, qui n'a rien à voir avec une économie de marché soucieuse des solidarités, préservatrice de l'avenir et respectueuse de la dignité de l'homme, s'est opposé violemment au marxisme, collectiviste et matérialiste, auquel il ressemblait fort par certains côtés, totalitarisme mis à part. Il est à souhaiter que les rôles différents du monde de l'entreprise et du monde de la cité ne délimitent pas, en même temps, deux tendances idéologiques erronées opposant toujours, même si le marxisme est moribond, des tenants de l'individualisme du côté de l'entreprise et des tenants de l'étatisme du côté de la cité.

Mais cela n'est-il pas favorisé par le manque d'échanges entre le monde de l'entreprise et celui des pouvoirs publics, que ce dernier soit représenté par l'administration ou par la classe politique ? C'est assez probable, si l'on en juge par la présence dans la politique, à un certain niveau du moins, d'un nombre toujours croissant de fonctionnaires, et c'est un peu fatal, si l'on examine également les très grandes différences de statut existant entre le secteur privé et la fonction publique. Le monde politique, de plus en plus peuplé de professionnels de ce métier, puise ses recrues au sein du milieu le plus favorisé pour y accéder sans risque ; mais est-il sain que la politique devienne un métier, que le monde politique et le monde de l'administration se confondent, que trop peu de membres de l'entreprise jouent un rôle politique, mis à part dans les conseils municipaux ?

Il nous paraît souhaitable que l'entreprise joue son rôle de cellule de société. Le monde de l'entreprise est, hélas, déjà trop peu représenté dans la vie associative et le bénévolat, il l'est encore moins dans le monde des instances dirigeantes ou administratives de la cité. Les chefs d'entreprise et les syndicats professionnels n'ont pas cherché à favoriser le passage, pour un temps déterminé, de membres de leur personnel vers le monde de la cité. On ne devrait pourtant pas honnir la classe politique et en même temps refuser de participer à la vie de la cité : cela ressemble trop à une facile désignation de boucs émissaires. Nous souhaitons que des ponts se recréent entre la société civile d'une part, le monde politique et l'administration d'autre part : l'entreprise, confrontée aux exigences du nouvel état économique, a tout à gagner à être comprise par les dirigeants de la cité.

En Europe, l'heure est venue de se demander avec le traité de Maastricht si les européens étaient prêts à faire avancer de façon significative la construction politique. C'est dans les temps difficiles, que se mesurent les volontés réelles de coopération. Si les esprits ne sont pas mûrs, le repliement sur soi est alors le comportement général. Il semble bien qu'il y ait encore du chemin à faire. La commission, certes, n'a pas ménagé sa peine mais, faute d'une implication suffisante des politiques nationaux, trop occupés à préserver leur capital électoral, il lui arrive de prendre des positions réglementaires qui fleurent bon son technocrate bruxellois et pèchent par méconnaissance du réel. Quant à la qualité de sa communication écrite, si l'on en juge par la rédaction du traité de Maastricht, elle a encore beaucoup de progrès à faire.

Quant aux responsables politiques des pays, ils ne se sont pas montré d'excellents avocats de la construction européenne. Les dirigeants danois ont été désavoués, les anglais ont évité la consultation, quant aux français on ne peut pas dire qu'ils aient vraiment été suivis puisque nombre d'entre eux ont été pris à contre-pied par leurs électeurs, voire par leurs militants. Le grand patronat était pour Maastricht, une bonne partie des dirigeants de PME était contre, et les salariés eux-mêmes étaient très divisés. Ce qui est important à retenir, c'est que le débat a bien montré que les arguments qui portaient, soit dans un sens, soit dans l'autre, étaient pour la plupart liés à l'économie, qu'il s'agisse de la monnaie, de l'immigration, des pays de l'Est, des négociations du Gatt, etc.

Et peut-être est-ce justement là que le bât blesse. L'économie a été promoteur de l'union européenne, tant que l'Europe était en économie de pénurie. On s'unissait sur le charbon et l'acier, sur l'atome, sur l'agriculture pour assurer l'autonomie de l'Europe, face aux USA, supposés géant économique. Mais la réussite économique a été telle que les pays européens sont devenus, en économie de marché, des rivaux parfois féroces ; en outre c'est le Japon, devenu première puissance économique, qui a pénétré l'Europe en lui donnant une magistrale leçon de jeu de go (encerclement par l'installation en Angleterre, péninsule ibérique, Grèce). Quant aux USA, ils ont maintenu, malgré leurs terribles difficultés économiques, leur leadership en se montrant les seuls capables de faire respecter les règles du jeu international... Quand le pétrole les y incite (libération du Koweit). L'Europe démontre bien, avec l'évolution des événements dans l'ex-Yougoslavie, qu'elle est restée un nain politique.

Tout ceci pour dire qu'économie et politique sont corrélés mais que le politique prime l'économique et que, si la construction européenne patine, ce qui est certainement défavorable à l'économie, c'est peut-être parce qu'elle s'est trop centrée sur celle-ci. Depuis la disparition de Schuman, d'Adenauer et de Gasperi, l'Europe n'a plus de projet ancré sur les fondements de sa civilisation, qui implique un certain regard sur la personne humaine : elle s'est focalisée sur la consommation et les réglementations. Elle ne défend plus ses conceptions anthropologiques et accepte de plus en plus de devenir un grand marché ouvert à tous fournisseurs, bénéficiant, si l'on peut dire, de la possibilité d'exploiter leur main-d'œuvre comme il serait impensable pour les Européens de le faire. Il y a là quelque chose de choquant pour les travailleurs européens... et pour tous ceux, en Europe, qui pensent qu'il n'est de richesse que d'hommes.

L'ENTREPRISE, CITOYENNE DU MONDE

La mondialisation des échanges est un fait. Pour une entreprise, il s'agit souvent d'une obligation. En effet, le niveau de la technicité qui est exigé par le client la conduit à des investissements et à des coûts de maintenance de sa qualité tels que la rentabilisation de ces dépenses ne peut être assurée qu'en vendant dans le monde entier. L'entreprise peut alors être amenée à s'installer sur un sol étranger et à y constituer une filiale de droit local. Elle devient, de ce fait, citoyenne de ce pays envers lequel elle aura à jouer loyalement dans les domaines de la réglementation, du droit, de la fiscalité, etc. Encore faut-il qu'elle soit assurée de pouvoir elle-même payer son dû à sa maison mère, ne pas être paralysée par une administration tatillonne, assurer la sécurité de ses ressortissants. L'implantation d'une filiale est une décision qui mérite une étude sérieuse des risques potentiels encourus.

Mais nous allons nous focaliser plus modestement sur ce qui est le thème de ce livre : la place de l'homme dans la stratégie de l'entreprise. L'entreprise, implantée internationalement, va se trouver devant le problème de développer sa stratégie dans des pays de culture différente ; si elle s'est donné comme objectif de faire de tous les salariés de véritables acteurs du système, elle va être amenée à transposer ses actes de management et notamment de management des hommes dans un contexte culturel qui peut être fort éloigné de celui auquel elle est la plus habituée.

Plusieurs cas peuvent se présenter :

– ***la formation générale et professionnelle du pays est faible :*** c'est le cas de pays africains par exemple. L'entreprise peut être obligée de limiter l'embauche des autochtones, notamment pour les postes exigeant un niveau de technicité seulement moyen, ce qui n'est pas satisfaisant en soi. Certaines grandes entreprises ont créé, avec l'aide des deux gouvernements, de véritables écoles techniques et/ou envoyé techniciens et cadres locaux se former sur le tas dans les établissements de la maison mère. Les dirigeants les plus astucieux des pays en voie de développement souhaitent l'implantation sur leur sol d'entreprises qui jouent ce rôle de formation professionnelle. De toute façon, le problème qui est posé ne peut se résoudre qu'avec du temps et du réalisme mais il est clair qu'à moyen et long terme les deux partenaires, l'entreprise et le pays en voie de développement, ont à gagner à développer un véritable partenariat. Reste que l'accession à un niveau bien assimilé de perception des problèmes scientifiques n'est pas facile dans les pays où l'environnement économique est basé presque exclusivement sur l'agriculture ou la vie pastorale depuis des temps immémoriaux ;

– ***l'imprégnation culturelle locale (philosophique, psychologique, sociologique, religieuse) est extrêmement différente de la nôtre :*** il se peut que cette différence soit cumulée avec la précédente, ce qui accroîtra les difficultés. On connaît des pays où le quantitatif n'est pas perçu avec la même rigueur que chez les Occidentaux, alors que chez ceux-ci c'est le qualitatif qui est parfois tenu comme négligeable. La notion d'engagement à tenir un délai peut être perçue très différemment pour l'un des interlocuteurs : ce qui a été dit par l'un l'a été pour maintenir un bon climat relationnel ; ce qui a été entendu par l'autre, c'est un engagement ferme ! Ce n'est pas le cas des pays du sud-est asiatique qui sont souvent d'un remarquable niveau technique et scientifique, voire au plus haut degré d'excellence, mais qui appartiennent à un monde culturel totalement étranger au nôtre ce qui peut rendre difficile la communication. Il est clair que l'encadrement moyen ne peut être confié qu'à des autochtones dans les filiales implantées dans ces pays. Reste le problème des dirigeants et de leur état-major et celui des échanges techniques avec la maison mère. Il semble qu'il n'y ait qu'une solution : des séjours de longue durée (plusieurs années) des uns dans le pays des autres et *vice versa.* Plus le niveau de culture générale d'une personne est élevé, plus, en principe, elle est susceptible de s'adapter à une autre mentalité, de reconnaître chez l'autre des éléments communs (des universaux) et d'accepter la différence. Seuls les dirigeants, devenus biculturels en quelque sorte, pourront traduire en comportements compréhensibles par les ressortissants d'un pays la stratégie humaine élaborée dans un autre pays.

C'est ce qui n'a pas toujours été réalisé dans notre propre pays dans les filiales des groupes nord-américains. On a vu, par exemple, des dirigeants français, admiratifs de l'efficacité américaine, imposer à leur encadrement gaulois les règles du jeu de la maison mère, mal traduites et mal adaptées à leur manière d'être.

Nous savons tous qu'une consigne donnée dans le midi de la France et la même consigne donnée dans l'est du pays ne sont pas reçues de la même manière. Tous les récents exemples de coopération européenne montrent à la fois les richesses dues à la complémentarité des génies propres aux différentes nations et les réelles difficultés de communication entre des personnes, pourtant pétries de la même éthique judéo-chrétienne.

C'est peut-être d'ailleurs la grande chance de l'Europe que de pouvoir se constituer toute une série d'entreprises dont un certain pourcentage de l'encadrement fera une partie de sa carrière en passant d'un pays à l'autre et en glanant un peu de cette merveilleuse diversité des qualités propres des différentes nations.

Toujours est-il que l'internationalisation des entreprises pose des problèmes culturels qu'il ne faut pas négliger, en même temps qu'ils font de ces entreprises des citoyennes d'autres pays que le leur, des citoyennes du monde.

CONCLUSION DU CHAPITRE

La stratégie des entreprises est conçue en fonction du rôle spécifique qu'elles ont dans la société (créer des biens et des services pour des clients) mais le monde de l'entreprise est directement ou indirectement en relation avec les autres cellules de société que sont la famille et les corps intermédiaires, l'école, les professions libérales, les associations, l'administration, etc., ainsi qu'avec les pouvoirs publics qui gèrent la cité au niveau des collectivités locales ou de l'État. Nous avons dans notre précédent ouvrage, *Le Défi Éducatif,* tenté de montrer tout l'intérêt d'une alliance famille-école-entreprise pour améliorer la qualité de la préparation de nos jeunes à la vie et donc à la vie professionnelle.

De façon plus générale, le monde de l'entreprise ne peut se désintéresser de la politique au sens noble du terme. Le rôle du politique est de travailler à l'élaboration du bien commun dans la paix civile. Les cibles de bien commun ne seront jamais obtenues en faisant la somme des intérêts particuliers ; à ce titre le lobbying est la caricature de la participation à la vie politique. Peut-être faudrait-il que des « sages » de l'entreprise puissent travailler avec des « sages » d'autres domaines (santé, agriculture, école, justice, etc.) pour dire ce qui est bon pour la Cité, à charge aux hommes politiques de mettre en œuvre les moyens adéquats pour atteindre la cible ? En tout état de cause, tous ceux qui, à un degré ou à un autre, se comportent en acteurs dans la stratégie de l'entreprise devraient dans l'intérêt de tous, et donc le leur, consacrer une part de leur temps à la vie civique.

BIBLIOGRAPHIE

L'entreprise, terre d'élection ou lieu de perdition ?
NOVAK M.
Institut La Boétie

CONCLUSION

L'entreprise industrielle et commerciale est vraiment née au XIXe siècle, siècle des Saint-Simoniens, d'Auguste Comte, des grandes découvertes scientifiques, celui du scientisme et de la rationalité triomphante, celui de la première révolution industrielle dont l'Angleterre fut le leader. Au XXe siècle, les progrès de la technologie, aidés par la diffusion des connaissances scientifiques, ont donné à l'industrie, mais aussi à l'agriculture et aux services, un essor extraordinaire. Dans les pays développés, cela s'est traduit par un développement économique qui a littéralement explosé après la Deuxième guerre mondiale. Après avoir adoré la déesse Raison, les hommes ont adoré également la déesse Croissance. Peut être qu'aujourd'hui les médias triomphants les ont-ils conduit à l'adoration d'une troisième idole : l'Image.

Mais si nous savons FAIRE grâce à la raison, si la croissance nous a permis d'AVOIR, pourrons-nous nous contenter de PARAITRE pour nous épanouir ? Cette question est posée à la société contemporaine que les modèles d' *« homo economicus », « homo technicus »* ou *« homo mediaticus »* ne semblent pas combler, si l'on en juge les statistiques relatives à l'usage des drogues, à la dépression nerveuse ou au suicide. Notre propos, plus modeste, concernait seulement cette cellule particulière de société chargée de créer et d'échanger des biens et services et qu'on nomme l'entreprise. Cette entreprise est aujourd'hui plongée dans un environnement exigeant vis-à-vis d'elle, compétitif, incertain, complexe. Diriger une entreprise est devenu beaucoup plus difficile car la seule rationalité, la compétence économique, la capacité de travail ne suffisent plus à piloter le système complexe qu'elle est devenue au fil des ans. En outre, la protection sociale accrue, jointe éventuellement au travail au noir, ont changé les rapports de force employeur-employé ; la lutte des classes traditionnelle cède la place à la combine et à la planque.

Heureusement l'idée que le travail n'est pas seulement la punition du péché originel commence à faire son chemin ! Le travail serait également une activité créatrice où l'homme se construit, se développe, prend du plaisir et connaît même la joie profonde de vaincre les difficultés en se surpassant. C'est avec des travailleurs-acteurs de ce type que les chefs d'entreprises vont pouvoir relever les défis du nouvel état économique. Mais cela signifie que l'homme, acteur de l'entreprise, sujet et non objet du jeu économique, entrepreneur interne, agissant comme s'il était à son compte, retrouve dans la démarche stratégique de l'entreprise la place qu'il n'aurait jamais dû quitter : la première. La ressource humaine n'est pas une ressource comme les autres, c'est une ressource active. Le pilotage de l'entreprise n'est pas un pilotage technico-économique, c'est d'abord l'animation d'une communauté humaine. Au-delà du savoir, du pouvoir et de l'avoir, c'est certainement une question de SAVOIR-ÊTRE.

C'est ce que nous avons voulu exprimer, en praticien plus qu'en théoricien, dans cet ouvrage, mettant en garde par avance nos amis, chefs d'entreprises, cadres, professeurs et élèves des grandes écoles contre le danger de ne s'intéresser qu'à des recettes à la mode sans les avoir passées au crible d'une réflexion philosophique pour pouvoir les intégrer dans une démarche cohérente, associant tous les acteurs de l'entreprise. Projet d'entreprise, qualité totale, service du client, gestion prévisionnelle des ressources humaines, formation permanente, ne relèvent pas d'un savoir technique, d'une possibilité économique ou d'une incantation médiatique. C'est d'abord une confiance en l'homme responsable, autonome, créateur, sujet et non objet des organisations auxquelles il coopère. L'autre risque, on le voit bien, serait que les chefs d'entreprises, à juste titre irrités par les vendeurs de recettes-miracle de motivation des hommes, continuent à réduire leur champ d'action à la technique et à l'économique, abandonnant à des services de relations humaines, marginalisés et déconnectés de la démarche stratégique, un budget-alibi destiné à maintenir la paix sociale.

Précisément le nouvel état économique a fait naître, dans les entreprises privées, une fausse paix sociale. Les contestataires affichés sont peu nombreux ; ils ont cédé la place aux déçus, aux sceptiques, aux passifs, aux planqués. On a parlé de la société à deux vitesses mais c'est au sein même des entreprises qu'on peut parler aujourd'hui des deux vitesses alors que depuis une quinzaine d'années, l'entreprise devrait s'organiser sur le thème « ACTEURS dans l'entreprise... » Les chefs d'entreprises qui prendront cette voie sauront s'imposer une ascèse faite de disponibilité et de respect des hommes. Ils apprendront que le réalisme exclut à la fois une vision pessimiste de la nature humaine et une crédulité naïve et bêtifiante. Ils découvriront surtout que faire confiance et traiter les hommes en acteurs responsables est désormais la seule voie, celle qui assure le développement des entreprises par la promotion des hommes dans leur être.

BIBLIOGRAPHIE

Le pouvoir syndical
ADAM G.
Dunod, 1983

Interminables adolescences
ANATRELLA T.
Cujas/Le Cerf, 1988

Après la mort, quelles valeurs ?
ANSELME M.
Privat, 1989

La sociologie des organisations
BERNOUX P
Le Seuil, 1987

Le manager minute
BLANCHARD, JOHNSON
Les Éditions d'Organisation, 1987

Éthique et management
BLANCHARD, PEALE
Les Éditions d'Organisation, 1988

Le Défi éducatif
BONNET Y.
Fleurus, 1989

Être heureux au travail
BONNET Y.
Droguet-Ardan, 1992

Le projet d'entreprise
BOYER L., EQUILBEY N.
Les Éditions d'Organisation, 1986

Le manager et son équipe
CARDON A.
Les Éditions d'Organisation, 1986

Renversons la pyramide
CARLZON J.
Interéditions, 1986

Conduire et servir
CARRARD J.
Cabédita-Morges, 1989

Styles de vie (2 tomes)
CATHELAT B.
Les Éditions d'Organisation, 1985

Mieux utiliser tout son cerveau
CHALVIN D.
ESF Éditeur, 1986

Y a-t-il quelqu'un qui commande ici ?
CHAPPUIS D., PAULHAC J.
Les Éditions d'Organisation, 1987

Stratégor : stratégie, structure, décision
COLLECTIF
Interéditions, 1988

L'entreprise à l'écoute
CROZIER M.
Interéditions, 1989

L'acteur et le système
CROZIER M., FRIEDBERG E.
Le Seuil, 1977

Créativité ? Créativité... Créativité !
DEMORY B.
Les Presses du Management, 1990

Clefs pour une histoire du syndicalisme cadre
DESCOTES M., ROBERT J.-J.
Éditions Ouvrières

Les syndicats français et américains face aux mutations technologiques
DOMMERGUES P., GROUX G., MASON L.
Anthropos, 1984

La sociodynamique, un art de gouverner
FAUVET J.-C.
Les Éditions d'Organisation, 1983

Stratégie de l'entreprise et motivation des hommes
GELINIER O.
Les Éditions d'Organisation, 1984

La qualité de service
HOROVITZ J.
Interéditions, 1987

Kaisen
IMAI M.
Eyrolles, 1989

Encyclique : Laborem exercens
JEAN-PAUL II

Le mouvement ouvrier français : crise économique et changement politique
KESSELMAN M., GROUX G.
Éditions Ouvrières, 1984

Socrate et le business
KOESTENBAUM P.
Interéditions, 1989

Où va la formation des cadres ?
LE BOTERF G.
les Éditions d'Organisation, 1985

Le défi culturel
LUSSATO B.
Nathan, 1989

Manifeste du Parti communiste
MARX K.
Gallimard, 1963

La formation : atout stratégique pour l'entreprise
MEIGNANT A.
Les Éditions d'Organisation, 1986

Les Champs de la Sociologie française
MENDRAS H., VERRET M.
Armand Colin, 1988

Management et pouvoir
MORIN
Les Éditions d'Organisation, 1989

Fondement d'une éthique professionnelle
MOUSSÉ J.
Les Éditions d'Organisation, 1989

Une éthique économique
NOVAK M.
Le Cerf, 1987

L'entreprise, terre d'élection ou lieu de perdition ?
NOVAK M.
Institut La Boétie (44, avenue d'Iéna, Paris 16e)

Les paradoxes de la qualité
ORGOGOZO I.
Les Éditions d'Organisation, 1988

Le prix de l'excellence
PETERS T., WATERMAN B.
Interéditions, 1983

Le chaos management
PETERS T.
Interéditions, 1988

Peuples élus
PINTON M.
Nouvelle Cité, 1989

Mais comment peut-on être manager ?
PIVETEAU J.
INSEP, 1988

L'économie au défi de l'éthique
PUEL H.
Cujas/Le Cerf, 1989

Comment identifier les futurs managers ?
SAHUC L.
INSEP, 1987

L'anarchie des sentiments
SCHENEIDERS A.A.
Le Centurion, 1968

Le zéro mépris
SERIEYX H.
Interéditions, 1989

Le management d'une équipe
SIMONET J. et R.
Les Éditions d'Organisation, 1989

La qualité totale dans l'entreprise
STORA G., MONTAIGNE J.
Les Editions d'Organisation, 1988

Les principes de la direction scientifique des entreprises
TAYLOR F.-W.
Marabout, 1967

La politique sociale de l'entreprise
VERMOT-GAUD C.
Les Éditions d'Organisation, 1986

Détecter et gérer les potentiels humains dans l'entreprise
VERMOT-GAUD C.
Éditions Liaisons, 1990

Le langage du changement
WATZLAWITCK P.
Le Seuil, 1986

L'éthique protestante et l'esprit du capitalisme
WEBER M.
Plon, 1964

L'enracinement
WEIL S.
Gallimard, 1990

La fonction ressources humaines
WEISS D.
Les Éditions d'Organisation, 1988

Deux cerveaux pour apprendre
WILLIAMS L.
Les Éditions d'Organisation, 1986